GERO VON WILPERT

DEUTSCHE LITERATUR
IN BILDERN

MIT 861 ABBILDUNGEN

ALFRED KRÖNER VERLAG STUTTGART

VORWORT

Der vorliegende Band „Deutsche Literatur in Bildern" ist – das sagt schon der Titel – keine Literaturgeschichte im üblichen Sinne und kein Ersatz für eine solche.

Wesensgemäß ist Literatur nicht vom Bilde her faßbar und Literaturgeschichte als geistige Bewegung nicht durch Illustration darstellbar. Der Bereich des Darstellbaren bleibt in der äußersten Sphäre des Darzustellenden, der Physiognomie, der Biographie, des Schrift- und Buchwesens und der Bühnenkunst verhaftet, wobei auch das Bühnenbild oder die Buchillustration als scheinbare Verbildlichung der Dichtung nur in beschränktem Maße Korrelate der Dichtung sind, da sie, Einzelsituationen einer sukzessiven Handlung herausgreifend, der zeitlichen Komponente des Ablaufs entbehren.

Wenn somit die Sphäre des Bildlichen im Sinne dieses Werkes und die Sphäre des Literarischen im Sinne von Sprachkunst wesensgemäß voneinander geschieden sind, so bedarf ein Versuch wie der vorliegende um so mehr einer Rechtfertigung seiner Existenz. Er ist nicht der erste seiner Art. 1887 erschien in Erstauflage der verdienstvolle „Bilderatlas zur Geschichte der Deutschen Literatur" von Gustav Könnecke; es folgten für den literarischen Bereich eine Reihe von Porträtwerken und monographischen Bildbänden zu einzelnen Dichtern, es folgten zahlreiche illustrierte Literaturgeschichten, in denen das Bild ohne eingehendere Erläuterung illustrative Zwecke erfüllt. Die Nachkriegszeit hat dieser Gattung illustrierter Literaturgeschichten zu einem gewissen Grade ein Ende bereitet; die neueren Literaturgeschichten verzichten größtenteils auf Illustrationen, teils aus den oben skizzierten Bedenken, teils aus merkantilen Erwägungen heraus. Eine durchgängig gut und ausreichend illustrierte Literaturgeschichte ist auf dem Büchermarkt nicht erhältlich.

Dieser Notlage abzuhelfen und durch einen Bildband die fehlende Ergänzung zu jeder Literaturgeschichte zu schaffen, ist das Ziel dieses Buches. Denn trotz der Einsicht in die Beziehungslosigkeit von Bild und dem Wort der Dichtung ist das Bedürfnis nach Veranschaulichung nicht geschwunden. Die persönliche Begegnung mit dem Dichter durch das Werk soll durch die Begegnung von Angesicht zu Angesicht mit dem Porträt vertieft werden. Das Erlebnis der Persönlichkeit in der subjektiv richtigen und wesenhaften Darstellung aus Künstlerhand, auch der zeitgenössischen Umwelt und der Handschrift, soll diese Begegnung fördern und vertiefen und über das Werk hinaus zu einem echten persönlichen Verhältnis führen. Fernerhin bieten frühe Handschriftenproben und Titelblätter einen Eindruck von der literarischen Ausgangswelt des Werkes und führen von der späteren Textausgabe zurück an die Quellen unserer Überlieferung: das Bild ist auch hier nicht Mittel des literarischen Verständnisses, sondern ein Weg zum persönlichen Kontakt und nicht zuletzt eine Stütze für das visuelle Gedächtnis.

Diesem Zweck des Buches ordnen sich auch die textlichen Erläuterungen unter: sie sind eng auf das Bild bezogen und sollen das Erlebnis intensivieren, indem sie das Dargestellte interpretieren. Dies ist ihre Hauptaufgabe: zur tieferen Betrachtung des Bildes hinzuführen. Nur dort, wo beim Betrachter keine direkte Bekanntschaft mit dem Dichter oder Werk vorausgesetzt werden konnte, wurden knappste Hinweise literarischer Art gegeben, ansonsten sollen zeitgenössische Berichte und Quellen, wo erreichbar, den Eindruck des Bildes vertiefen, indem sie das Äußere oder das Wesen des Abgebildeten beschreiben.

Hinsichtlich der Anordnung der Bilder wurde erstrebt, jeweils eine Einzel- oder Doppelseite unter einem Rahmenthema zusammenzufassen, um trotz der Reichhaltigkeit des Materials eine gewisse

Ordnung durchzuführen. Bei der Auswahl der Dargestellten und der Akzentuierung wurde die Wertung der Literaturgeschichte zugrunde gelegt; daß hier besonders für die Gegenwartsdichtung durchaus Subjektivität herrscht, braucht als Entschuldigung kaum angeführt zu werden.

Unter mehreren vorhandenen Porträts wurden Künstlerbildnisse bevorzugt, und diese wurden nach Möglichkeit im Originalformat ohne Ausschnitte wiedergegeben; der künstlerisch interessierte Betrachter wird dafür zu danken wissen und die typographischen Mängel durch die unsymmetrische Anordnung der Bilder gern in Kauf nehmen. Fast alle Abbildungen mußten mit Rücksicht auf die erstrebenswerte Reichhaltigkeit der Materialsammlung verkleinert wiedergegeben werden.

Der aufrichtige Dank des Verlages und Verfassers gebührt allen Bibliotheken, Instituten, Museen und Privatpersonen, die durch Bereitstellung von Vorlagen das Werk gefördert haben, sowie den Freunden und meiner Frau, die mir bei der oft mühevollen Sucharbeit wertvolle Hilfe angedeihen ließen.

Stuttgart, Herbst 1957

Gero von Wilpert

INHALT

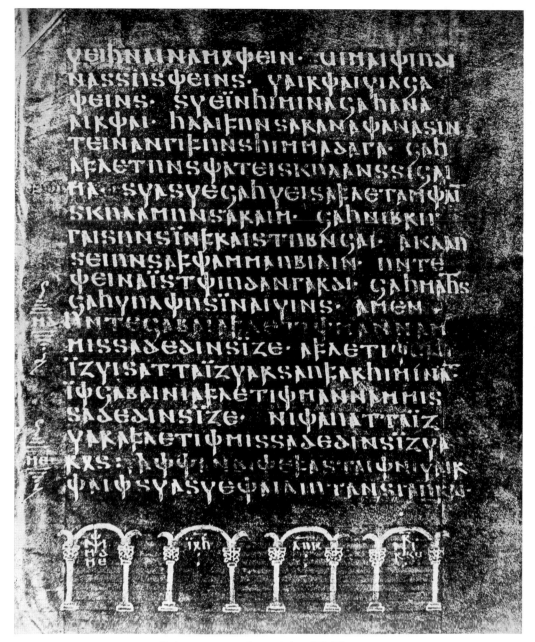

1. Codex argenteus der gotischen Bibelübersetzung

1. Der *Codex argenteus* wurde um 500 n. Chr. im ostgotischen Oberitalien mit silbernen, in der ersten Zeile jedes Abschnittes auch goldenen Lettern auf purpurgefärbtes Pergament geschrieben, wie es für Luxushandschriften verwendet wurde; er enthält Ulfilas gotische Übersetzung der Evangelien; von den ursprünglich 330 Blättern sind noch 187 erhalten. Die Handschrift kam 1669 nach Upsala. Zehn 1821–1834 gestohlene Blätter wurden 1857 vom Entwender auf dem Totenbett zurückerstattet. – Die Schrift ist eine nach dem griechischen Alphabet unter Zuhilfenahme runischer und lateinischer Buchstaben ausgebildete Unziale ohne Worttrennung innerhalb der Sätze; die Hauptabschnitte werden am Rand gezählt; unter den Bogen sind die Parallelstellen angemerkt. Die abgebildete Seite zeigt den Hauptteil des Vaterunsers nach Matth. 6, 9–13. – (Univ.-Bibl. Upsala Sign. DG 1 fol. 5 r)

2. *Goldenes Horn von Gallehus*

3. *Runenstein vom Ramsundsberg mit Darstellung der Siegfriedsage*

2. Das *Goldene Horn* (um 400 n. Chr.) wurde 1734 von einem armen Mann bei Gallehus in Schleswig gefunden, wo 1639 schon ein ähnliches, inschriftloses Horn gefunden worden war. Es war 50 cm lang und bestand aus einer inneren Schicht von Gold und Silber und einer äußeren, figurenreichen, aus reinem Gold – vermutlich ein Trinkhorn zu kultischem Gebrauch. Der Bildschmuck zeigt keltischen Einfluß. Oberhalb des obersten Bildstreifens lief als Band ringsum in schraffiert gefüllten Doppelstrichen mit Worttrennung durch je 4 Punkte die stabreimende urnordische Runeninschrift: ek HlewagastiR : holtijar : horna : tawido, d. h. ich Hlewagastir von Holt fertigte das Horn. – Beide Hörner wurden am 4. Mai 1804 aus der Königlichen Kunstkammer in Kopenhagen entwendet und sofort eingeschmolzen, so daß wir nur auf frühe Nachzeichnungen von 1734–1735 und auf die danach gefertigten silbervergoldeten Nachbildungen im Nationalmuseum Kopenhagen angewiesen sind.

3. Aus dem 11. Jahrhundert erst, um 1030, stammt die Darstellung der Jungsiegfriedsage auf dem *Runenstein von Ramsundsberg* in Sörmland/Südschweden: unten rechts tötet Siegfried mit dem Schwert den Drachen, ganz links erscheint der enthauptete Schmied mit seinem Werkzeug, Hammer, Blasebalg, Amboß und Zange; daneben brät Siegfried über einem Feuer das Drachenherz und trinkt das Drachenblut; auf dem Baum, an den sein Roß Grani gebunden ist, sitzen die zwei Meisen, deren Sprache Siegfried nunmehr versteht. Die Inschrift auf dem Drachenleib lautet: „siriPr : kiarPi : bur : Posi : muPiR : alriks : tutiR : urms : fur : salu : hulmkirs : faPu : sukruPar : buanta : sis", d. h. „Sigrid, Alriks Mutter, Orma Tochter, machte diese Brücke für die Seele Holmgeirs, ihres Gemahls, des Vaters Sigröds". Die stark ornamentalen und einheitlich künstlerisch stilisierten Figuren und Zierstücke sowie die Inschrift sind zwecks größerer Deutlichkeit ausgekreidet worden. Inhaltlich beruht die Darstellung auf der nordischen Fassung der Jungsiegfriedsage, die von der in Deutschland bekannten Version gelegentliche Abweichungen zeigt; der Gedanke einer bildlichen Darstellung der Heldensage stammt vermutlich von den Angelsachsen.

4. Eine Bamberger Ambrosiushandschrift des 12. Jahrhunderts aus der Abtei Michelsberg zeigt auf dem Titelblatt den Schutzpatron des Klosters, St. Michael, als Erzengel mit Szepter, von andächtigen Mönchen

betrachtet, und ringsum eine Schilderung der verschieden-artigen Arbeiten bei der *mittelalterlichen Buchherstellung* (von rechts oben im Uhrzeigersinn): Herstellung einer Lage von Pergamentbogen, Heften des Buches in der Heftlade, Zurechtschneiden des Pergaments mit Messer und Lineal, Herstellung einer Metallschließe auf dem Amboß, Unterricht aus dem Buch, Abschrägen der Kanten des Buchdeckels mit dem Beil, Abschaben des in einen Rahmen gespannten Pergaments mit dem Schabmesser, Eintragung von Notizen in eine Wachstafel, Zurechtschneiden der Feder mit dem Federmesser und Lektüre. Das Schreiben selbst ist nicht dargestellt; der Miniator bemalt die rechte Giebelkante. Die Anordnung der Bilder ist willkürlich und besagt nur, daß der Heilige an literarischen Arbeiten und Studien Gefallen findet.

5. Der *mittelalterliche Handschriftenband* bestand aus zusammengehefteten Pergament-, später Papierblättern; die Buchdeckel aus Holz mit abgeschrägten Kanten wurden mit Leder überzogen; Metallbeschläge an den Ecken oder (wie hier) vier hervorragende Metallbuckel oder beides schonen die oft ornamentalen Lederbände und verhüten ein Abreiben der Buchdecken bei der Benutzung auf den mittelalterlichen Lesepulten; zwei Schließen, in einfacher Form Lederstreifen, die auf dem Rückdeckel am Rand befestigt sind und mittels einer Krampe in eine metallene Halte am äußeren Vorderdeckel eingehakt werden, sollen das geschlossene Buch stets in gepreßtem Zustand erhalten. Eine Besonderheit des mittelalterlichen Buches ist die Kette, die durch einen Bügel am oberen Rande des Buchdeckels eingelassen war, das Buch an das Lesepult band und so gewiß besser vor Verlust schützte als die eingetragenen Bücherflüche, die für den Raub zeitliche und ewige Strafen androhten, denn gute Handschriften waren oft ganze Grundstücke wert.

4. Mittelalterliche Buchherstellung

5. Mittelalterliches Kettenbuch

6. *Merseburger Zaubersprüche*

6. Die *Merseburger Zaubersprüche*, das einzige deutsche Literaturdenkmal noch rein heidnischen Inhalts, umfassen zwei vollständige Zauberformeln mit einleitender Erzählung (spel) und anschließendem Zauberwort (galstar oder galdar), von denen der erste (Zeile 1–4) Kriegsgefangene von ihren Fesseln befreien, der zweite (Zeile 5–12) das verrenkte Bein eines Pferdes heilen soll. Sie wurden im Jahre 1841 von dem Historiker Georg Waitz in einer Missalehandschrift des 9. Jahrhunderts in der Bibliothek des Domkapitels zu Merseburg aufgefunden und Jacob Grimm zur Veröffentlichung überlassen. Eine Hand des 10. Jahrhunderts hat sie in karolingischer Minuskel auf die Vorderseite des ursprünglich leeren Vorsatzblattes des sechsten Teiles dieser Sammelhandschrift aufgezeichnet, die wohl nach Schrift und Dialekt im Kloster Fulda entstanden ist und unter anderem auch das Fränkische Taufgelöbnis enthält. (Merseburger Handschrift 136, Blatt 85 a)

7. Das *Hildebrandslied* wurde um 800 von zwei Schreibern auf die Vorderseite des ersten und die Rückseite des letzten Blattes einer theologischen Sammelhandschrift aus einer Vorlage abgeschrieben, vermutlich als Schreibübung: ein mit der Abschrift beauftragter Klosterschüler schrieb die 1. (rechte) Seite gemäß den größeren Zeilenabständen der Linierung größer; der Lehrer beanstandete seine Weitzügigkeit und schrieb mit seiner ausgeschriebenen Handschrift die ersten 7½ Zeilen der 2. (linken) Seite vor, und der Schüler fuhr fort, brach aber vor Ende des Liedes ab, als kein Raum zum Weiterschreiben vorhanden war. Die Verse, ursprünglich 68 stabende Langzeilen, sind wie Prosa geschrieben; die karolingische Minuskel zeigt Einfluß der insularen Schrift irischer Mönche. Die braunen Flecke der 1. Seite entstanden im 19. Jahrhundert durch Behandlung der Handschrift mit Galläpfeltinktur, um die undeutlichen Stellen lesbar zu machen. – Die Handschrift stammt aus Fulda und gelangte wohl in den Wirren des Dreißigjährigen Krieges nach Kassel; dort machte man den Würzburger Geschichtsforscher Eckhart 1729 auf einen merkwürdigen, schwer lesbaren Text in einer alten Bibelhandschrift aufmerksam; er veröffentlichte ihn als Prosafabel 1729 unter einem Wust lateinischer Anmerkungen; die eigentliche Entdeckung des Hildebrandsliedes für das Volksbewußtsein verdanken wir den Brüdern Grimm, die es als Kasseler Bibliothekare 1812 herausgaben. 1945 ging die wertvolle Handschrift verloren; nur die linke (2.) Seite fand sich 1952 in New York wieder und wurde der Landesbibliothek Kassel zurückerstattet.
Unsere Abbildung, vor dem Verlust angefertigt, zeigt den Codex umgekehrt auf den losgelösten Einband gelegt, so daß die erste und letzte Seite mit der Aufzeichnung des Hildebrandsliedes nebeneinanderstehen, die erste rechts, die zweite links. (Cod. theol. fol. 54 fol. 1 r und 76 v der Landesbibl. Kassel)

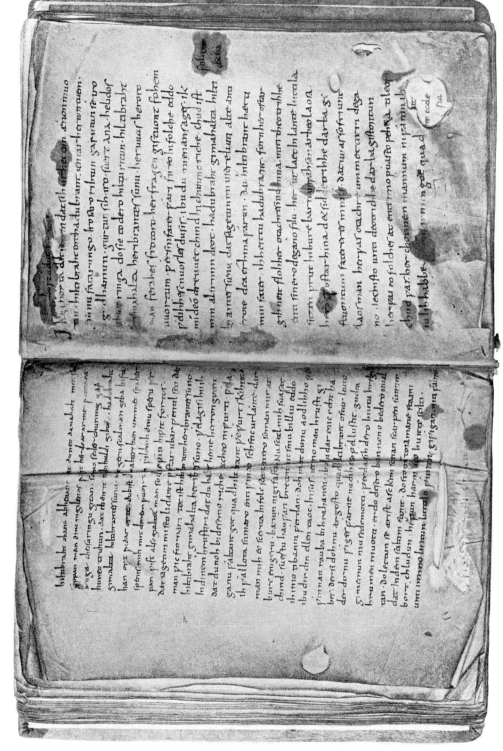

7. Das Hildebrandslied

8. *Abrogans*
Pariser Handschrift des 9. Jahrhunderts

9. *Wessobrunner Gebet*
Münchner Handschrift des 8. Jahrhunderts

10. *Muspilli*
Münchner Handschrift des 9. Jahrhunderts

11. *Evangelienharmonie des Tatian*
St. Galler Handschrift des 9. Jahrhunderts

12. Der Heliand. Münchner Handschrift des 9. Jahrhunderts

8. Die abgebildete *Abrogans*-Handschrift aus dem Anfang des 9. Jahrhunderts, wahrscheinlich aus Murbach, gibt die sprachlich altertümlichste Abschrift des ältesten deutschen Buches, eines lateinisch-lateinischen Wörterbuches zur Erklärung schwieriger biblischer Worte durch andere, deren Bedeutungsgleichheit der deutsche Bearbeiter nicht durchschaute und daher beide übersetzte. Als Titel diente gemäß der Gepflogenheit lateinischer Glossare das erste Wort. Die Abbildung zeigt den Anfang der ersten Spalte der ersten Seite mit dem Beginn der Überschrift „Incipiunt Glosae (ex novo et veteris testamenti)". Die für ein Wörterbuch prächtige Schrift läßt eine Abschrift für Karl den Großen vermuten. (Cod. lat. 7640 der Bibl. Nat. Paris, fol. 124a)

9. Das *Wessobrunner Gebet* ist auf zwei Seiten einer Sammelhandschrift überliefert, die wohl gegen Ende des 8. Jahrhunderts in St. Emmeran bei Regensburg geschrieben wurde und später als Geschenk nach Wessobrunn kam. Die Überschrift „de poeta" meint „etwas Dichterisches". Als Abkürzungen erscheinen unter angelsächsischem Einfluß die Rune ᚷ für „ga" und 7 für „enti". An das stabreimende Schöpfungsgedicht, dessen Zeilen durch Punkte getrennt sind, schließt sich ab Zeile 12 ein christliches Prosagebet, das dem Denkmal seinen unpassenden Namen gab. (clm. 22053 fol. 65v)

10. Von dem „*Muspilli*", dem Gedicht von Weltuntergang und Jüngstem Gericht, sind nur 103 Zeilen erhalten, die von unbeholfener Hand auf die leeren Seiten und Ränder (Abb.: unten) einer zierlichen Pseudo-Augustinus-Handschrift des 9. Jahrhunderts geschrieben wurden, möglicherweise von Ludwig dem Deutschen, dem die Handschrift um 825 geschenkt wurde. (clm. 14098 fol. 119)

11. Haupthandschrift des althochdeutschen *Tatian*, der Übersetzung einer ins Lateinische übertragenen Evangelienharmonie des Syrers Tatian, ist eine St. Galler Handschrift aus dem 2. Viertel des 9. Jahrhunderts aus Fulda. Links der lateinische Text, rechts fast zeilengleich die althochdeutsche Übertragung. An der Niederschrift glaubt man Hrabanus Maurus und Walahfried Strabo beteiligt (St. Galler Hs. 56, pag. 25)

12. Der *Heliand*, die stabreimende Evangeliendichtung eines niederdeutschen Mönchs umstrittener Herkunft, ist überliefert in einer Londoner Handschrift, um die sich Klopstock 1768–1769 vergeblich bemühte, und in der abgebildeten Münchner Handschrift des 9. Jahrhunderts, die erst 1794 in Bamberg entdeckt wurde. Sie zeigt wie alle althochdeutschen Denkmäler eine sehr schöne Form der karolingischen Minuskel mit großen Initialen der Hauptabschnitte und gelegentlich im Text. Die Oberlängen der l, b, d, k, h haben noch keulenförmige Ansätze, w wird durch uu ausgedrückt. (cgm. 25, fol. 43)

13. Wiener Otfrid-Handschrift 9. Jh.　　14. Einzug in Jerusalem. Wiener Otfrid-Hs.

13. Von *Otfrids* von Weißenburg Evangelienbuch liegt in der Wiener Pergamenthandschrift höchstwahr-scheinlich ein Handexemplar des Dichters vor, in dem er eigenhändig das ganze Werk – nur diese Hand-schrift enthält es vollständig – nach Wortwahl, Rechtschreibung und Akzenten durchkorrigiert und gelegentlich auch über den ersten, wohl noch unfertigen Entwurf der Vorlage hinaus verbessert hat. Diese in Weißenburg unter Aufsicht des Dichters kopierte Handschrift in karolingischer Minuskel setzt zwei gereimte Kurzverse durch Punkte getrennt zu einer Langzeile zusammen und malt die Anfangsbuch-staben der ungeraden Zeilen mit Mennigfarbe aus. (Hs. 2687 Österr. Nat.-Bibl. Wien, fol. 13 b)

14. Dieselbe Handschrift enthält 3 ausgemalte Federzeichnungen auf vorliniertem Papier. Auf dem Einzugsbild, das nach Ausweis der Architektur und Kleidung nach griechischem Muster gemalt wurde, hat eine ungeschicktere Hand (Otfrids?) später die Apostelköpfe hinzugefügt. Otfrid deutet den Einzug allegorisch: der Esel gleicht den Menschen, die ihn zu Christus führenden Jünger den Predigern, die ihm auferlegten Gewänder sind Lehre und Beispiel, die den Weg bezeichnenden Palmenzweige entsprechen den Bibellehren, das Ziel Jerusalem (16-I-M-E-15 später eingefügt) dem Himmelreich. (fol. 112 a)

15. Von dem großangelegten Übersetzungswerk *Notkers* des Deutschen fand allein die Psalmenüber-setzung weitere Verbreitung über St. Gallen hinaus. Die einzige vollständig erhaltene Handschrift, eine Pergamenthandschrift vom Anfang des 12. Jahrhunderts, stammt aus Einsiedeln und kam erst im 17. Jahr-hundert nach St. Gallen. Die Anfangsseite dieser kunstvollen Handschrift gehört zu den Meisterstücken mittelalterlicher Initialkunst, deren Buchstaben oft nicht in Zeilen, sondern in Verschlingungen stehen. Nach dem Titel folgt PsDD (rechts oben verschlungen = PSalmus DaviDi) und der Beginn des Psalms „Beatus vir . . ." (vom B am rechten Rand abwärts und am unteren Rand rechtsläufig, U und S, T und R verschlungen). (Cod. sangallensis 21, fol. 8 a)

16. Von der Nonne *Hrotsvitha von Gandersheim*, die um 965 die Lektüre des heidnischen Terenz durch christliche lateinische Dramen zu verdrängen suchte, gibt es kein Porträt; zur Druckausgabe ihrer Werke, die Konrad Celtis 1501 veranstaltete, schuf Dürer einen Holzschnitt, auf dem sie Kaiser Otto I. und dem Erzbischof von Mainz ihre Werke überreicht.

17. Der Abt *Williram* des bayerischen Klosters Ebersberg widmete seine Paraphrase des Hohenliedes Heinrich IV. Die Münchner Handschrift des 11. Jahrhunderts stammt aus seinem Kloster und mag viel-leicht unter den Augen des Verfassers, der eine gepflegte Schreibstube hatte, geschrieben und von ihm korrigiert sein. In der Mitte steht der lateinische Vulgata-Text, links die erläuternde Umschreibung in lateinischen leoninischen Hexametern, rechts die deutsche Übersetzung, alle drei Kolumnen durch Über-schriften und Anfangsworte der Absätze in Capitalis rustica möglichst zeilengleich gehalten, die Verse der ersten Spalte durch herausgerückte Anfangsbuchstaben abgesetzt. (cgm. 10, fol. 10 r, Textbeginn)

18. Die *Milstätter Genesis* ist eine illustrierte Bearbeitung der Wiener Genesis, einer gereimten deutschen Umschreibung des 1. Buch Mosis, die dem Laien den Hauptinhalt des Alten Testaments veranschaulichen soll. Die erst 1845 aufgefundene Handschrift aus dem Kloster Milstatt in Kärnten zeigt rote Bildüber-schriften und Federzeichnungen in roter und blauer Tinte; die Verse sind durch Punkte abgesetzt. (Bibl. des Kärntischen Geschichtsvereins Klagenfurt 6/19, fol. 22 a: Noah entläßt die Tiere und opfert Gott)

15. Notkers Psalter
St. Galler Handschrift, 12. Jahrhundert

16. Hrotsvitha von Gandersheim
Holzschnitt von A. Dürer, 1501

17. Willirams Paraphrase des Hohenliedes
Münchner Handschrift des 11. Jahrhunderts

18. Milstätter Genesis
Handschrift des 12. Jahrhunderts

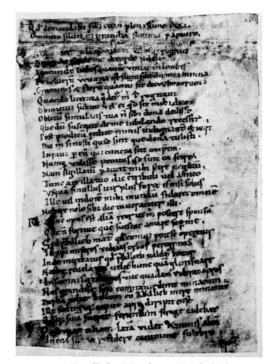

19. Waltharius. Karlsruher Handschrift   *20. Ruodlieb. Münchner Handschrift*

19. Der *Waltharius* verarbeitet die deutsche Sage von der Flucht Walthers und Hildegundes vom Hunnenhof und Walthers Kampf mit Gunther und Hagen in lateinischen Hexametern und ist nach neuerer Forschung wohl nicht Ekkehart I. von St. Gallen, sondern vielleicht einem Domgeistlichen Geraldus in Straßburg zuzuschreiben; der Zeitansatz ist unbestimmt. Die Haupthandschrift, Mitte 12. Jahrhundert in der Benediktinerabtei Hirschau abgeschrieben, dann als Hs. Rastatt 24 in Karlsruhe, verbrannte 1945. Unsere Abbildung zeigt den Anfang des Epos.

20. Vom *Ruodlieb*, dem Ritterroman in lateinischen Hexametern, den ein adliger Mönch des Klosters Tegernsee um 1050 verfaßte, sind nur 17 lose Doppelblätter erhalten, die aus den Einbanddeckeln von ehemals Tegernseer Handschriften mühevoll abgelöst wurden. In der flüchtigen Minuskel aus der Mitte des 11. Jahrhunderts, ohne Linien und von schwankender Buchstabengröße, liegt wohl die eigene Niederschrift des Dichters vor. Zeile 6–9 zeigt den Liebesgruß der Dame an Ruodlieb. (clm. 19486, fol. 33 r)

21. Die *Kaiserchronik*, eine Gemeinschaftsarbeit Regensburger Geistlicher, die in über 17 000 Reimpaarversen die Geschichte der römischen und deutschen Kaiser von Cäsar bis 1147 (der damaligen Gegenwart!), stark von legendären und anekdotischen Zügen durchsetzt, erzählt, ist in der frühen Fassung vollständig nur in einer Sammelhandschrift vom Ende des 12. Jahrhunderts im regulierten Chorherrenstift Vorau/ Steiermark erhalten. Die abgebildete Textstelle – inhaltlich die Zerstörung Jerusalems – zeigt die gleichmäßig schöne Minuskel der zweispaltig geschriebenen Handschrift, die Federzeichnung der Initialen, die Abgrenzung der nicht abgesetzten Verse durch Punkte und gelegentliche Korrekturen am Rand. (Vorauer Hs. 276/1, fol. 22 b)

22. Die Vorauer Sammelhandschrift (vgl. Abb. 21) enthält u. a. auch allein die echte Form des etwa gleichzeitig entstandenen *Alexanderliedes* vom Pfaffen Lamprecht, das unvollendet mit der ersten Perserschlacht und dem Tode des Darius abbricht und später von fremder Hand fortgesetzt wurde. (fol. 109 a)

23. Die bekannte Brautwerbungssage des *König Rother*, die ein rheinischer Geistlicher um 1150 in Bayern verfaßte, ist in einer Heidelberger Pergamenthandschrift aus dem Ende desselben Jahrhunderts erhalten, deren regelmäßige und kräftige, unverzierte Buchstaben sich durch eckigere Gestalt und häufigere Brechung der gotischen Buchschrift des 13. Jahrhunderts nähern. (cpg. 390, fol. 53 v)

24. Die deutsche Bearbeitung des französischen *Rolandsliedes*, die der Pfaffe Konrad in Regensburg wohl um 1170 auf Veranlassung Heinrichs des Löwen ausführte, ist einzig in einer Heidelberger Handschrift des 12. Jahrhunderts, die seinerzeit zur Bibliothek Ottheinrichs gehörte, vollständig erhalten; sie setzt die Verse nicht ab, kennzeichnet neue Abschnitte nur durch kunstlose rote Initialen inmitten der Zeilen und ist durch 39 Federzeichnungen von vorzüglicher, stilvoller Komposition illustriert. Die 24. Zeichnung zeigt Roland reitend und sein Schwert Durendart schwingend auf dem Schlachtfeld von Roncevalles inmitten von getöteten Heiden, deren Helme sämtlich durchhauen sind. (cpg. 112, fol. 74 v)

Immare wil willic si vn des ware.
Also der edel Hespanian di bure
die hierin gewan di ivden er ver
kaufen biel vnde niht da des verliel.
des der nulle oder frum was dar liet
saget vor war dal wil schiere er
sih beriate dal her biel er lazten
engegen babylone hedem aller
wirsten kunic der in dirre werlte
vnder disen himele iender lebete.

Der kunic Julian hiesh sin her inge
gen in vil varn er vor in ingegene.
mit michelr menige er hiet man
gen hiet künen manigen vanen
grünen manigen wiz vnde rot si
komen in grole not da mahte man
sehen glizen manige halsperge wi
te. manigen guldinen schilts rant. da was ma
manich _____ hiet wol gar. Gvius J gant.
nam romare van vil schiere rant
er den an der den vanen da vorlat
te den brahtu legrolen arbaitu.
dal sper er durh in stach dal wart
er vermellenlichen sprah. ledic sint
diniu lehen du nemaht dinem her
ren niemer nehain mere der von
gesagen. ih ist mit dur unsanfte er
haben. den schilt er uf ruhte. den na

21. Kaiserchronik
Vorauer Handschrift des 12. Jahrhunderts

Dih lit dah wir hi wurchen. dah
sult ir rehte merchen sin geuü-
ge ist vil reht. ir rihte der phaf
e lambrecht. ertate uns gerne ze mare.
wer alexander wart. alexander was
ein wise man. vil manec riche er ge
wan. er zestorte vil manec lant. phi
lippus was sin vater genant. O ih
mugit ir wol horen. in libro macha
beorum. alberich uon bisinzo. der brahte
uns diz liet zu. er hetez in valhisken
gerihtet. nu sol ich es euh in diutisken
berihten. ni man in shulde sin much.
louc er so leuge ich.

22. Alexanderlied
Vorauer Handschrift des 12. Jahrhunderts

Jch sage der wunders craft. Hi zo constanti
nopole Der vil meren burge was ein recke
herre vnde plach grozer eren. Daz schinit
mir immir an Her hat mer michil guot ge
tan. Ime waren die wisten alle holt. Her
gap in daz rotgruge golt. Daz re sichein man
zo deke werlde gewan. Sin hof stunt offin
wromeliche. Den armin vnde den richen.
Die wrdin an deme gotin. Uater vnde
muter. Sin wille was zo gebene. Her ne
rochte nicht zolebine. Mit sicheulis scazze
vberfur. Daz hetter urloge mite. Her sante
in naht vnde tac. Suer in duisint phunde
bat. Her gap sie ume also rouge. Also zwene
pennunge. Beide herre ich wil dir sagin
war umbe ich die rede han ir hauen.
other der gerne vurnam. Waz her selp
hette getan. Do sprach der riche mere. Jch

23. König Rother
Heidelberger Handschrift des 13. Jahrhunderts

24. Rolandslied
Heidelberger Handschrift des 12. Jahrhunderts

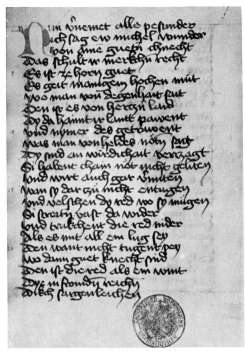

25. *Herzog Ernst. Wiener Handschrift*   26. *Salman und Morolf. Stuttgarter Handschrift*

25. Das Spielmannsepos *Herzog Ernst*, das den durch Uhlands Dramatisierung bekannten Stoff vom Abfall Herzog Ernsts von Schwaben mit anderen historischen Empörerliedern mischt und durch eine abenteuerliche Orientreise erweitert, entstand um 1170 am Niederrhein und ist nur in zwei Handschriften erhalten, von denen die abgebildete Wiener Papierhandschrift des 15. Jahrhunderts in oberrheinischer Bastardschrift mit rotdurchstrichenen Versanfängen wohl eine spätere Bearbeitung enthält; der Stoff lebte jedoch in Volksbüchern bis ins 19. Jahrhundert fort. (Wiener Hs. 3028, fol. 1 r, enthaltend Vers 1–24)

26. *Salman und Morolf*, das keckste der Spielmannsepen, berichtet von der zweimaligen Entführung und Wiedergewinnung der Salme, der Frau König Salmans (= Salomons). Morolf, Salmans listenreicher Bruder, findet, in der Haut eines alten Juden als Pilger verkleidet, Salme am Hof eines Heidenkönigs und erkennt sie beim Schachspiel an einer Wunde in der Hand. Diese Szene wird in einer südrheinfränkischen Papierhandschrift des 15. Jahrhunderts, ehemals im Besitz des Klosters Weingarten, der Haupthandschrift des Gedichts, dargestellt. Die merkwürdige Kopfhaltung Morolfs ist aus der Verkleidung verständlich. (Württ. Landesbibl. Stuttgart cod. HB XIII, 2 fol. 309 v)

27. Das um 1250 in Tirol entstandene Spielmannsepos *König Laurin* läßt Dietrich von Bern in den Rosengarten des Zwergenkönigs Laurin einfallen, den König besiegen und sich aus dessen erlisteter Gefangenschaft wieder befreien. Die älteste Überlieferung, eine Kopenhagener Pergamenthandschrift aus der Mitte des 14. Jahrhunderts zeigt eine frühe und strenge, noch stark die Senkrechten betonende Bastardschrift, eine Initiale, deren kunstvolles Rankenwerk die ganze Seite erfaßt, und ein farbig wechselndes Zeichen für den Anfang jeder vierzeiligen Strophe. (Univ. Bibl. Kopenhagen Ms. Magnaean. nr. 32)

28. Im *Großen Rosengarten* (Bayern, um 1270) lädt Kriemhild Dietrich von Bern und seine Getreuen zu einem Wettkampf mit zwölf ihrer Helden in ihren Rosengarten zu Worms, wo die Zweikämpfe stattfinden. Eine elsässische Papierhandschrift von 1418 illustriert das Turniergeschehen in 20 getuschten Federzeichnungen, deren Linien mit dem Pinsel nachgezogen sind. Unsere Abbildung zeigt den Einzug der Helden in Worms: das nach rechts ansteigende Bodenstück der Bildbühne wird von einer maßstäblich zu kleinen, doch perspektivisch einigermaßen richtigen Burg gekrönt, in welche die ohne Individualausdruck gezeichneten Berner Recken steilauf hineinreiten. (cpg. 359, fol. 1 v, Univ.-Bibl. Heidelberg)

29. *Ortnit*, der Sohn Alberichs, hat die Tochter eines Heidenkönigs entführt; dieser schickt ihm zur Rache zwei Drachen ins Land, denen Ortnit erliegt. Eine Heidelberger Papierhandschrift, die aus einer elsässischen Werkstatt von 1418 stammt und außer dem um 1225 von einem Bayern oder Österreicher gedichteten „Ortnit" auch den verwandten „Wolfdietrich" enthält, zeigt in einer unschraffierten und gedämpft kolorierten Federzeichnung Ortnit gegen den Drachen ausreitend (der, da das gesamte Bild sich über zwei Seiten erstreckt, auf der nächsten Seite abgebildet ist). (cpg. 365, fol. 1 v)

30. Von *Wolfdietrich*, dem Sohn Hugdietrichs, seiner Aussetzung unter die Wölfe, seinem vergeblichen

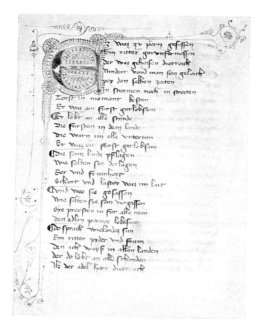

27. *Laurin. Kopenhagener Handschrift*

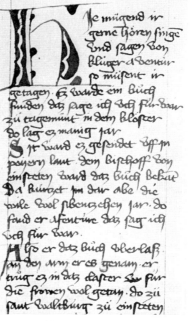

28. *Rosengarten. Heidelberger Handschrift*

29. *Ortnit. Heidelberger Handschrift*

30. *Wolfdietrich. Heidelberger Hs.*

Kampf um das Erbe, seinen langen Irrfahrten, auf denen er u.a. auch den Drachen tötet und Ortnits Witwe heiratet, und von seinem endlichen Sieg, berichten die Spielmannsepen in vier verschiedenen Fassungen. Eine Heidelberger Papierhandschrift vom Anfang des 15. Jahrhunderts bietet, obwohl sie nach Schrift und Sprache zu den ältesten Handschriften gehört, in der Fassung D eine alemannische Verschmelzung der einzelnen Überlieferungen. Sie ist zweispaltig in Bastardschrift geschrieben und setzt, wie auch einige Nibelungen-Handschriften, nicht die Verse, sondern nur die Strophen ab. Unsere Abbildung zeigt den Anfang des Epos. (cpg. 373, fol. 25 b)

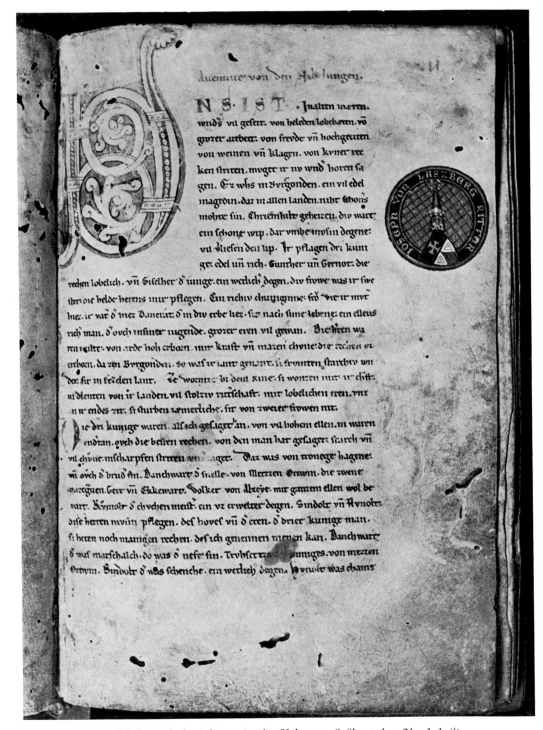

31. Nibelungenlied. Anfangsseite der Hohenems-Laßbergschen Handschrift
Anfang 13. Jahrhundert

32.–33. Miniaturen aus der Hundeshagenschen Nibelungenhandschrift. 15. Jahrhundert

31. Unter den 34 erhaltenen Handschriften und Fragmenten zum *Nibelungenlied*, die den derzeitigen Erfolg des Werkes beweisen, ist die Hohenems-Laßbergsche die älteste vollständige, Lachmanns C. Sie wurde im 1. Viertel des 13. Jahrhunderts sehr sorgfältig auf Pergament geschrieben, setzt jedoch weder Verse noch Strophen ab und bringt eine etwas geglättete und erweiternde höfische Fassung; nach der letzten Zeile „diz ist der Nibelunge liet" (statt „... nôt" wie die Handschriften A und B) gehört sie zu der „liet-Gruppe". Aus Schloß Hohenems in Vorarlberg kam sie in den Besitz des Freiherrn von Laßberg, Schwagers der Droste (vgl. zu Abb. 662), dessen Siegel die abgebildete Seite trägt, und nach dessen Tod 1855 mit den anderen Handschriften seiner Sammlung (vgl. Abb. 127) als Hs. 63 in die Fürstlich Fürstenbergische Hofbibliothek Donaueschingen. (fol. 1 r, Strophe 1 bis 11)

32.–33. Die einzige Bilderhandschrift der *Nibelungen*, eine Papierhandschrift des 15. Jahrhunderts (1426?), bezeichnet den Anfang jeder Aventiure durch eine Miniatur (16: Wie Sifrit erslagen wart = Abb. 32, 22: Wie Etzel mit Kriemhilde brute = sich vermählte, Abb. 33). Die Handschrift wurde 1815 von Bernhard Hundeshagen in Mainz gefunden und gehört seit 1867 der Staatsbibliothek Berlin. (Ms. germ. fol. 855)

34. Die *Kudrun* ist allein im sogenannten „Ambraser Heldenbuch" erhalten, das Kaiser Maximilian 1502–1514 von dem Zöllner Hans Ried aus Bozen aus älteren Sammlungen abschreiben ließ; dieselbe in kunstvoller Bastardschrift dreispaltig angelegte Handschrift enthält u. a. auch die Nibelunge Not, die Klage, den Biterolf, Hartmanns „Büchlein", Erec, Meier Helmbrecht (Abb. 91) u. a. m. Aus Schloß Ambras bei Innsbruck kam sie 1806 nach Wien; die Kudrun wurde erst 1817 bekannt und veröffentlicht. (Österr. Nat.-Bibl. Cod. Ser. nov. 2663, fol. 140)

34. Anfang der „Kudrun". Ambraser Heldenbuch

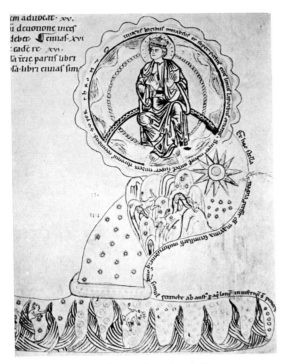

35. Vision der Hildegard von Bingen
Heidelberger Handschrift

36. Heinrich von Melk
Wiener Handschrift

37. Priester Wernher, Driu liet von der maget
Berliner Handschrift

38. Szenen zur Antichristsage
aus dem „Hortus deliciarum"

39. *Benediktbeurer Marienklage. Aus einem lateinischen Osterspiel in der Handschrift der Carmina burana*

35. Eine um 1200 entstandene Heidelberger Pergamenthandschrift des „Liber scivias" der *Hildegard von Bingen* versucht, die Visionen der Mystikerin bildlich zu gestalten: „Ich ... erblickte etwas wie einen eisenfarbenen Stein von unermeßlicher Größe, auf welchem eine weiße Wolke schwebte. Dieselbe trug einen Königsthron von runder Gestalt, auf dem jemand Lebendiges saß ... um seine Brust aber schlang sich ein schwarzer, gewaltig großer Streifen, mit Perlen und kostbaren Steinen besetzt. Und über dem Thronenden ... war ein goldner Reifen gespannt, derselbe glühte von innerem Feuer und reichte vom Himmel bis in die Hölle hinunter. Ich sah glänzende Sterne vom Throne ausgehen und zahllose Funken mit ihnen zusammenströmen. Da erloschen sie plötzlich, und ein Windstoß kam, der schleuderte sie weit umher, endlich sogar tief in den Abyssus hinunter." (Cod. Sal. X, 16, fol. 111 a)

40. *Darstellung einer lateinischen Osterfeier*

36. *Heinrichs von Melk* bittere Weltklage „des todes gehügede" (Erinnerung an den Tod) ist einzig in einer Wiener Sammelhandschrift des 14. Jahrhunderts erhalten. (Österr. Nationalbibl., Hs. 2696, fol. 42 r)

37. Die Berliner Handschrift der drei *Marienlieder des Priesters Wernher* ist wohl eine um 1220 entstandene Abschrift des Originals von 1172 und durch 85 stilvolle Miniaturen ein Kleinod unter den deutschen Handschriften. Die abgebildete Seite zeigt im Text Josephs Absicht, Maria zu verlassen, und in der Miniatur die Erscheinung des Engels vor dem schlafenden Joseph. (ms. germ. oct. 109, fol. 53 r)

38. Zu der im 12. Jahrhundert dramatisch bearbeiteten und auch in einem lateinischen Tegernseer „Ludus de Antichristo" erhaltenen *Antichristsage* gibt der (1870 in Straßburg verbrannte) „Hortus deliciarum" Herrads von Landsberg eine Reihe von Illustrationen: oben: der Antichrist trifft mit seinem Heer (links) in Jerusalem ein, enthauptet die vor ihm warnenden Propheten Enoch und Elias; Mitte: er lockt Könige, Priester und Volk durch reiche Geschenke; unten: er vollbringt falsche Wunder: läßt einen Baum plötzlich grünen, Feuerregen vom Himmel fallen und das Meer durch einen Sturm aufwühlen. (fol. 241 v)

39. Die Handschrift der Carmina Burana (vgl. zu Abb. 94—96) enthält auch das älteste erhaltene, lateinisch-deutsch geschriebene *Passionsspiel* aus dem 12. Jahrhundert. Die von lateinischen Regieanweisungen eingefaßten Reden sind z. T. deutsch und wurden in der Kirche gesungen; die über den Text gesetzten Neumen (Notenzeichen) spiegeln Stimmbewegung und Tonverbindungen in groben Zügen. (cgm. 4660, fol. 110 r)

40. Die Miniatur schildert eine *lateinische Osterfeier*: Drei Mönche, die Marien darstellend, kommen mit Weihrauchgefäßen an das im Mittelschiff der Kirche aufgestellte Grab Christi, in dem ein Engel ihnen die Auferstehung verkündet. (Bad. Landesbibl. Karlsruhe, Augiensis LX, fol. 93 v)

41. „Du bist min"   42. Der Kürenberger

41. In einem lateinischen Epistolar des angehenden 12. Jahrhunderts aus Tegernsee, das eine Mustersammlung von lateinischen Briefen und Urkunden enthält, finden sich drei zusammengehörige lateinische Liebesbriefe; den ersten und dritten schreibt die Dame an den Geliebten; der zweite enthält dessen Antwort. Der erste Brief schließt mit den deutschen Versen *Du bist min . . .* (3. Zeile v. o.), in denen man einen schlichten, volkstümlichen Liebesgruß überliefert glaubt. (Staatsbibl. München, clm. 19411, fol. 230)

42. Die folgenden Abbildungen entstammen der Großen Heidelberger Liederhandschrift, cpg. 848, die als Kopie einer ursprünglich Manesseschen Sammlung wohl in Zürich nach 1310 entstand (vgl. zu Abb. 61). Ihre Miniaturen entstanden also durchweg nach dem Tode der Dichter; sie sind nicht porträttreu, sondern unpersönlich und typenhaft, von ruhigem Gesichtsausdruck, wie auch der Minnesang keine Gefühlsergießung, sondern formale Gesellschaftsdichtung war; häufig verwenden sie Motive aus den Gedichten; auch diese Situationen kehren wie im Minnesang vielgestaltig wieder.
Der Kürenberger, von dem u. a. die Strophe „Ich zôch mir einen valken" stammt, steht in ruhiger Unterhaltung mit einer Fürstin im Freien. Beide sollten je ein Spruchband halten, daher fehlen einige Finger der erhobenen Hände. Das redende Wappen stellt eine kürn (Handmühle) dar. (fol. 63 a)

43. Den Decknamen *Spervogel,* den sich ein unbekannter bürgerlicher Spruchdichter (Herger?) gab, nimmt eine andere Miniatur zum Anlaß, ihn mit einer Speerstange, an der fünf Vögel kleben, in der Hand darzustellen; als Bürgerlicher hat er kein Wappen. Das vornehme Paar unter dem Thronhimmel mag seinen Gönner Wernhart von Steinsberg (bei Sinsheim) und dessen Gattin meinen. (fol. 415 a)

44. *Dietmar von Eist* erscheint als Händler verkleidet – den allerdings die graziöse Fußstellung verrät – hinter einem mit Spindeln beladenen Esel unerkannt vor der nichtsahnenden Geliebten und lockt das Weiberherz listig durch Schmuck; während seine Ware an der Stange hängt (Gürtel, Waidtaschen, Ziehbeutel, Spiegel), bietet er der Dame ein Kleinod als Liebesamulett: „Was ist für das Trauern gut, das ein Weib nach liebem Manne hat?" dichtete Dietmar. (fol. 64 a)

45. *Kaiser Heinrich VI.,* dessen Bild die ständisch geordnete Liederhandschrift eröffnet, konnte vom mittelalterlichen Maler nicht anders als in voller Würde, steif und zeremoniös mit seinen Attributen thronend, gemalt werden, obwohl sein Lied versichert „Dann sind mir Reich und Land untertan, wenn ich bei der Lieblichen bin." (fol. 6 a)

46. *Friedrich von Hausen* befindet sich auf der Überfahrt zum Kreuzzug, bei dem er 1190 durch einen Sturz vom Pferd sterben sollte. In schwermütige Abschiedsgedanken, wie seine Lieder sie gestalten, versunken, hält er sein Spruchband ins Wasser, in dem kämpfende Fabelwesen wohl die Schrecknisse des Meeres andeuten (vgl. Abb. 57). Die drei Matrosen sind, entsprechend ihrer geringeren Bedeutung, kleiner, in lebhaften Gebärden und charakteristischen Stellungen gezeichnet. (fol. 116 b)

43. Spervogel

44. Dietmar von Eist

45. Kaiser Heinrich VI.

46. Friedrich von Hausen

47. Heinrich von Morungen

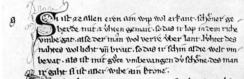

48. Heinrich von Morungen
Weingartner Handschrift

49. Reimar der Alte

50. Sängerkrieg auf der Wartburg

51. *Walther von der Vogelweide*
Heidelberger Handschrift

52. *Walther von der Vogelweide*
Weingartner Handschrift

47. *Heinrich von Morungen*, der Schöpfer des höfischen deutschen Tageliedes, ruht, mit einem Pergament-streifen in der Hand, im Bett, hinter dem die Geliebte mit einem Wachtelhündchen im Arm steht; vielleicht hat der Maler das Lied von der im Traum erscheinenden Geliebten zum Gegenstand genommen. Aus den Halbmonden des Wappens und des Dichters Namen, den man auf das Mohrenland bezog, schuf das Spätmittelalter die Volksballade von der Indienreise und Heimkehr des edlen Möringer. (fol. 76 b)

48. Eine frühere Schwesterhandschrift der Großen Heidelberger Liederhandschrift ist die *Weingartner Liederhandschrift*, die um 1300 in Konstanz entstand; sie ist bedeutend kleiner als jene und enthält heute die Lieder von 32 Dichtern mit 25 Miniaturen (Heidelberger: 140 Dichter, 137 Miniaturen). Auf der ab-gebildeten Textseite 81 beginnen die Lieder Heinrichs von Morungen („Si ist ze allen eren ...“). Die Verse sind nicht abgesetzt. (Württ. Landesbibl. Stuttgart AB XIII 1)

49. *Reimar der Alte*, von Hagenau, der Lehrer Walthers von der Vogelweide, sitzt, ein Spruchband in der Hand, in ruhiger Unterhaltung mit seiner Dame. Der gleiche Sitz und die gleichen Kleeblattbögen über den Personen deuten die Standesgleichheit an (vgl. dagegen die Abbildungen 43 und 44). Schon aus den Miniaturen spricht der Unterschied der beiden großen Minnesänger: der Visionär Heinrich von Morungen neben dem kunstbewußten, etwas selbstgenugsamen Hofdichter Reimar. (fol. 98 a)

50. In der Miniatur zum *Sängerkrieg auf der Wartburg*, einem spielmännischen Streitgedicht, treffen die Großen des Minnesangs am Hofe des Landgrafen Hermann von Thüringen zusammen: oben thront der Mäzen mit seiner Gemahlin, unten „kriegent mit sange“ Walther, Wolfram, Reimar von Zweter (nicht der Alte, wie die Inschrift meint), der „tugendhafte Schreiber“ (Kabinettssekretär des Landgrafen), Heinrich von Ofterdingen (dessen sonst unbekannte Gestalt von Novalis aufgenommen wurde), Klingsor von Ungerlant (eine Gestalt aus Wolframs „Parzival“) und ein in der Inschrift nicht genannter Dichter namens Biterolf. Wagners Oper „Tannhäuser“ gab diesem fiktiven Sängerkrieg neues Leben: wenn-gleich er nie stattfand, so hat sich doch der Landgraf Hermann von Thüringen als Förderer der Dichter Wolfram von Eschenbach, Walther von der Vogelweide, Heinrich von Veldeke, Herbort von Fritzlar und Albrecht von Halberstadt große Verdienste erworben. (fol. 219 b)

51/52. *Walther von der Vogelweide* wird in beiden, auf gemeinsame Vorlage zurückgehenden Lieder-handschriften dargestellt, wie er sich in seinem ersten Spruch schildert: Ich saz ûf eime steine, / und dahte (= bedeckte) bein mit beine: / dar ûf satz ich den ellenbogen: / ich hete in mîne hant gesmogen / daz kinne und ein mîn wange. / Diese symbolisch gemeinte Gebärde des Nachdenkens (hier über den Dualismus von Gott und Welt) wird in der mittelalterlichen Malerei – die darin mit der gleichzeitigen Dichtung über-einstimmt – ebenfalls symbolisch aufgefaßt und wiedergegeben. (fol. 124 v bzw. 139)

ein wíb· ist si nach ir wirde gefurtieret
die schône die si uzen zieret· kan ich
ir denne gedienen iht· des wirt bi selke
erenungelonet niht·

Swie noch mit fröide an zwiuel stat·
den mir dv gvte mag vil wol gebуs
sen· ob sis willen hat· son rvche eht wie
ich kvmbers dol· si vraget des mich nie
man vragen sol· wie lange ich welle br
ir beliben· si ist mir iemer vor allen wi
ben· ein wert der trost ze fröiden mir·
nv myze mir geschehen als das ich glo
be an ir·

Envge kvnnen deste bas· gerüden de
si bi liebe sint· swie dike ich ir noch bi
gesas· so weste ich munnet danne ein
kint· ich wart an allen minen synnen
blint· des wer ich anderswa vorzeret· si
ist ein wip dv nit gehôret· vn gvten wil
len kan gesehen· den han ich so iemer
myze liep geschehen·

Die grisen wolten mich des wider str
ten· dv welt gesvnde trvreklicher
nie· vn here an fröiden do genomen doch
streit ich zornliche wider sie· si moh tes
wol gedagen· es wirt niemer war· nie
was ir rede swar· svs streit ich mit den
alten· die hant den strit behalten· nv
wollen ger den ein iar·

Ein ôge michel wnder siht· die es vil
verdienen kvnnen denne ich· das dien
so schône heil geschiht· ôwe welt wie
kvmt es vmbe dich· ist got selch ebene
re er git dem einen gewin· dem andern
sin· so wene ich al se mere· ein richer tore
swere· so rich als ich armer bin·

Hie wr do wir alle waren vro· do wol
te nieman hôren mine klage· nv ist
svmelichen so· das si mir wol geloben sin
ich in sage· nv myze got erwenden uns
arbeit· vn gebe vns selkeit· das wir
die sorge sweiden· ôwe môhte ich veren
den ich han ein svnder leit·

Ein cheister las· trvme vn spiegel glas·
das si zem winde· bi der stete sin ge
zalt· lôp vn gras· das ie min fröide wr

swie ich nv erwinde· ich dvnke mich
also gestalt· dar zv bluven manig
walt· dü heide rot· der grvne walt· der
vogellin sane ein trurig ende hat· da
zu der linde· sitze vn linde· so we dir
welt· wie dirs gebende stat·

Ein cvmber wan· den ich zer welte ha
der ist wandelbere· wand er bôzs en
de git· ich solte in lassen· wan ich mich
wol verstan· das er iht gebere miner sele
grosse not· min armes leben in sorgen
lit· der bôze were michel zit· nv wolh
te ich siecher man den grimmen tot· das
er mit swere an mir gebere vor wolhte
bleichent mir dv wangen rot·

Wie sol ein man· der nv wan synden
kan· gedingen oder gewinne hohe
mvt· sit ich gewan· den mvt· das ich be
gan· zer welte dingen merken ybel
vn gvt· do greif ich als ein tore tôt· zer
vin stern hant rehte in die glvt· vn mit
te ie dem tievel sinen schal· des mvs ich
ringen mit sorgen· nv ringe vn senke
doch iesvs minen svel·

Heiliger crist· sit dv gewaltig bist· der
welte gemeine· die nach dir gebildet
sin· gip mir die list· das ich dich in kvr
zer vrist· alsam dine erwelten kint ge
meine· ich was mit gesehenden ôgen
blint· vn aller gvten dinge ein kint· swi
ich mine missetat· der welte hal mache
mich reine· e min sele versinke in das
verlozne tal·

Owe war sint verswvnden alle min
iar· ist min leben mir getrômet oder
ist es war· das ich ie wande das iht we
was das iht· darnach han ich geslaf
fen vn enweis es niht· nv bin ich erwa
chet vn ist mir vnbekant· das mir hie
vor was kvndie als min ander hant·
lüte vn lant· danna ich von kinde bin
geborn· die sint mir frôin de worden· reh
als ez ob es si gelegen· die mine gespiln
waren die sint trege vnde alt· bereitet
ist das velt· verhôwen ist der walt· wan
das do wasser fluzet als es wilent

53. Große Heidelberger Liederhandschrift. Eine Seite Walther-Text

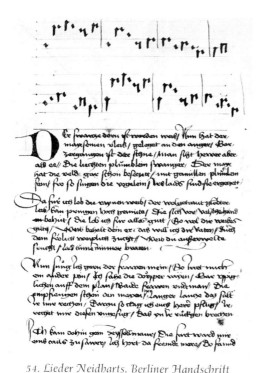

54. Lieder Neidharts. Berliner Handschrift

55. Neidhart von Reuenthal

53. Eine Seite (144 b) der *Großen Heidelberger Liederhandschrift* mit Gedichten Walthers zeigt die zweispaltige Anordnung der Handschrift (vgl. die Weingartner, Abb. 48) und die großen, kunstvoll und zum Teil mit originellen Figuren verzierten Initialen, deren Farbe wechselt, wo ein neuer „ton" beginnt. Die Verse sind nicht abgesetzt, die Schrift ist gotische Buchschrift.

54. Die Textseite der *Lieder Neidharts* aus dem 15. Jahrhundert weist die rhombischen Noten der seit dem 13. Jahrhundert üblichen, durch Taktstriche die Verszeilen abteilende gotische Choralnotation und bereits die heutigen 5 Notenlinien auf (vgl. Abb. 39, 141, 142, 153). Die schwungvolle Bastardschrift (vgl. Abb. 30) setzt die Einzelbuchstaben im Interesse schnellen Schreibens nicht mehr ab. (ms. germ. fol. 779, fol. 131 r, Staatsbibl. Berlin)

55. *Neidhart von Reuenthal* erscheint als Schöpfer der „dörperlichen Dichtung", umdrängt von seinen Bauern, die geckenhaft ritterliches Gebaren nachahmen und deren tölpelhaftes Benehmen Neidhart – bei aller Freude an ihrem natürlichen Leben – in seinen höfischen Liedern verspottet. Das Wappen ist nicht ausgemalt. (fol. 273 a)

56. Der blinde Spruchdichter *Reimar von Zweter* – daher die geschlossenen Augen und die eigentümlich lauschende Haltung – diktiert gleichzeitig einem Fräulein auf eine Pergamentrolle und einem Schreiber in eine Wachstafel (Diptychon). (fol. 323 a)

56. Reimar von Zweter

Ich hozte sagen ein meist gut
wat ze potzen dar reit ich
Man troſt des endelichen mich
vñ chöm ich kurzelichen dar
Er machte mir den vinger gar
Mit sin meiſtschaft gesunt
Ich reit zu m̄ sa an d' stunt
Do ich dar uf dem wege reit
von gedanchen mit min leit
Swant ein teil ich gedaht also
Ich mac wol im m̄ wesen vro
Daz ich d' werden dienen sol
Daz tut mir inneclihe wol
Min hze singen mir do riet
von min vrowen disiv liet.
Ein tanz wise vñ ist div seste wise
Ive daz mir div güte so verriet

57. *Ulrich von Lichtenstein*   58. *Ulrichs „Frauendienst". Münchner Hs., 13. Jh.*

57. *Ulrich von Lichtenstein,* der „Don Quijote des höfischen Minnedienstes", sprengt in voller Rüstung, so daß von ihm selbst nichts zu sehen ist (vgl. Abb. 66), auf prächtig gekleidetem Rosse dahin; merkwürdigerweise über Wasser, das von Fischen und kämpfenden Unholden (vgl. Abb. 46) bewohnt ist. Die Helmzier mag an die Ritterfahrt erinnern, die er als Frau Venus verkleidet unternahm. (fol. 237 a)

58. Im *Frauendienst* schildert Ulrich in achtzeiligen Strophen (durch Initialen abgesetzt) mit Minneliedern (die vorletzte Zeile der Abbildung leitet ein solches ein) seine Abenteuer im Minnedienst an seiner Dame, derzuliebe er ihr Waschwasser trinkt, sich schmerzhaften Schönheitsoperationen unterzieht und gar einen im Turnier halb abgestochenen Finger, den ihm ein Arzt in Bozen heilte (vgl. den abgedruckten Text), mutwillig abhacken läßt. (cgm 44, Staatsbibl. München, fol. 25 r)

59. *Gottfried von Neifen* steht in paralleler Anordnung neben einer höfischen Dame, beide durch sanfte Neigung des Hauptes und zurückgesetzten rechten Fuß in der für die Gotik charakteristischen S-Linie der Körperhaltung („gotischer Schwung"); doch die Dame wendet sich bedenklich von ihm ab: Gottfrieds beste Lieder besingen nicht sie, sondern huldigen zum Teil recht derb der Dorfschönen. (fol. 32 b)

60. *Der Tannhäuser* erscheint, wie Friedrich von Hausen (Abb. 46), als Kreuzfahrer im Mantel der Ordensritter; er beteiligte sich am Kreuzzug von 1228 und schildert in einem Lied lebensnah die Beschwerden der Seefahrt. Die Nachwelt freilich bemächtigte sich einer anderen Seite dieses durch Leichtsinn verarmten Lebemannes, den sie (Abb. 226) zum Helden der Venusbergsage machte. (fol. 264 a)

61. Den Züricher Bürger Meister *Johannes Hadlaub* hat sein Landsmann Gottfried Keller wohl zu Unrecht zum Sammler der von den Züricher Patriziern Rüdeger und Johannes Manesse geförderten Liederhandschrift gemacht, von der Hadlaub berichtet; immerhin ist auffällig, daß Hadlaub in der Großen Heidelberger Liederhandschrift das einzige Doppelbild für einen Einzelsänger und die größte und schönste Initiale erhält. Die Miniatur stellt von ihm geschilderte Szenen aus seinem Liebesleben dar: Bei der ersten, von Gönnern erreichten Begegnung mit der Geliebten, der er von Kindheit auf gedient hatte, fiel er ohnmächtig nieder. Erst als man seine Hand in die ihre legte und sie freundlich mit ihm redete, wurde ihm besser. Als er jedoch ihre Hand zutraulich festhielt, biß sie ihn, auf dem Bilde tut es das Hündchen, das sie wie manche Dame auf dem Schoß trägt. Ein andermal heftet er, als Pilger verkleidet, der Geliebten nach der Messe (im Bilde: davor) einen Minnebrief ans Gewand. (fol. 371 a)

62. Den Formvirtuosen *Frauenlob,* wie sich Heinrich von Meißen nach seinem Marienleich nannte, verehrten die Meistersinger als Begründer ihrer Kunst und Stifter der ersten Singschule in Mainz; ob mit Recht, ist fraglich. Die Miniatur zeigt ihn mit erhobenem Finger und gesenktem Stab, in Hermelinhut und -mantel, als „rex omnium histrionum" (Spielmannskönig) über einer Schar von neun mit Musikinstrumenten ausgerüsteten Spielleuten. (fol. 399 a)

59. Gottfried von Neifen

60. Der Tannhäuser

61. Meister Hadlaub

62. Frauenlob

63. Heinrich von Veldeke

64. Veldekes „Eneid"

63. *Heinrich von Veldeke,* der erste deutsche höfische Epiker und zugleich Minnesänger, beginnt sein erstes Lied: „Het is gūde nouwe māre / dat dī vogele openbāre / singen dā men blūmen sīt." Diese geistige Haltung des Dichters wandelt der Maler in eine körperliche und zeigt ihn in auffallend ähnlicher Haltung wie Walther (Abb. 51) sinnend vor einer Liederrolle, umgeben von Blumen, Vögeln und Eichkätzchen in phantasievoller Anordnung. (fol. 30 a)

64. Veldekes höfisches Epos *Eneid* verlegt nach französischem Vorbild die Schicksale des Äneas in höfische Umwelt; auch Dido endet nicht mehr auf dem Scheiterhaufen, sondern stürzt sich ins Schwert (vgl. den abgebildeten Text). Als Veldeke 1174 den Großteil des Werkes vollendet hatte, wurde ihm die Handschrift, die er entliehen hatte, geraubt; erst nach neun Jahren konnte der spätere Landgraf Hermann von Thüringen (Abb. 50) sie dem Dichter zurückerstatten. Die unvollständige, doch wegen ihrer Illustrationen berühmte Berliner Handschrift entstand etwa ein halbes Jahrhundert später, evtl. in Augsburg. Sie gibt den Text mit abgesetzten Versen in drei Kolumnen, mit roten Initialen jeder Strophe und herausgerückten Anfangsbuchstaben jedes Reimpaares; sonst ist die Minuskelschrift kunstlos. (ms. germ. fol. 282, S. 127)

65. Die 72 ganzseitigen und schlicht kolorierten Federzeichnungen der *Berliner Eneid-Handschrift* fallen durch die äußerst strenge und reine Stilisierung der stets im Vordergrund stehenden menschlichen Figuren auf, wie sie sonst nur im Liber matutinalis aus Scheyern (Abb. 98) erscheint: sie kennen nur einen Gesichtstyp zu ¾ en face mit stark stilisierten Augen und hervortretendem Kinn. Auch die Verteilung der Personen über die Fläche, aus der sie farbig herausgespart werden (wie Abb. 79) ist gleichmäßig. Die obere Miniatur gibt eine Tafelszene, wie sie der Miniator in zeitgenössischen Abendmahlsdarstellungen vorgeprägt finden konnte: Dido und Äneas (namentlich bezeichnet) beim Mahl, von ehrfurchtsvoll knienden Knappen bedient; die Königin mit Krone, Schleier und faltenreichem Mantel, ihr Gast in Ärmeltunika mit Überwurf. – Auf dem unteren Bild fordert Dido (im Spruchband!) Äneas auf, vom Fall Trojas zu berichten; beide sitzen, Marmorplatten als Fußbänke benutzend, in einer Säulenhalle, Dido wieder mit vor der Brust gekreuzten Händen, Äneas in der repräsentativen Haltung mit gespreizten Schenkeln (vgl. Abb. 45). In dieser fast schematischen Typik der Haltungen, Situationen und Gebärden findet höfische Lebensform ihre Stilisierung. (ms. germ. fol. 282, S. 22)

65. Dido und Äneas beim Mahl und der Erzählung von Trojas Fall
Illustration der Berliner Veldeke-Handschrift

66. *Hartmann von Aue. Weingartner Hs.*

67. *Beginn des „Armen Heinrich"*

68. *Iwein-Wandmalerei im Hessenhof zu Schmalkalden*

66. *Hartmann von Aue* erscheint in den Liederhandschriften wie Ulrich von Lichtenstein (Abb. 57) auf nach links sprengendem Rosse schwergewappnet und mit geschlossenem Visier, so daß von ihm selbst nichts zu sehen ist; als Schildwappen, Helmzier und auf der Roßdecke führt er Adlerköpfe. Die Ähnlichkeit dieses Wappens mit einem in Eglisau (Nordschweiz) beheimateten Wappen läßt jedoch nicht mit Sicherheit auf die Heimat des Dichters schließen. (Landesbibl. Stuttgart, AB XIII 1, fol. 33)

67. Eine Heidelberger Pergamenthandschrift, die wohl im ersten Drittel des 14. Jh. in Böhmen entstand und mit fast 60 000 Versen die größte mittelalterliche Sammelhandschrift von Reimpaargedichten ist, bietet eine freiere Überarbeitung des echten Textes von Hartmanns *Armem Heinrich*, dessen Eingangsverse mit der Selbstschilderung Hartmanns unsere Abbildung zeigt. Die einzelnen Gedichte, Erzählungen und Fabeln werden in der durchgehend geschriebenen, zweispaltigen Handschrift durch rote, zweizeilig ge-

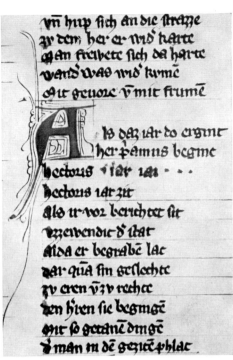

69. Wirnt von Grafenberg, „Wigalois"   70. Herbort von Fritzlar, „Buch von Troie"

reimte Überschriften und abwechselnd rote oder blaue Initialen abgesetzt; die in durchlinierte Zeilen
gesetzte gotische Buchschrift rückt die Anfangsbuchstaben ungerader Zeilen links heraus. (cpg 341, fol. 249 b)

68. In einem alten Kohlenkeller des sogenannten *Hessenhofes in Schmalkalden* entdeckte man gegen Ende
des 19. Jh. als Wand- und Deckenmalereien des Tonnengewölbes eine Bilderfolge zu Hartmanns höfischem
Epos „Iwein" oder dessen französischer Vorlage. Das Gebäude war unter Landgraf Hermann von Thüringen
(vgl. Abb. 50) Sitz des landgräflichen Verwalters gewesen, der ausgemalte, jetzt durch Erhöhung der
Straßen zum Kellergeschoß abgesunkene Raum hatte wohl als Trinkstube gedient. Bei den hier freigelegten
fünf teppichartig parallelen Bildstreifen in den Farben Rotbraun und Goldgelb handelt es sich um das
älteste bekannte Beispiel profaner Wandmalerei in Deutschland. Der abgebildete Ausschnitt eines Streifens
zeigt Iwein unter einer Linde am Zauberbrunnen, das Wasser aus dem goldenen Becken, das an dicker
Kette vom Baum hängt, auf die Brunnenplatte gießend. Sein Roß hat er hinter sich an einen symbolisch
nur aus zwei Blättern bestehenden Baum gebunden. Nach der Erzählung erhebt sich beim Aufgießen des
Wassers ein furchtbares Getöse und Ungewitter – der Maler hat seine Wirkung durch die erschreckt den
Baum umflatternden Vögel dargestellt – und der Herr des Zauberwaldes erscheint. Ihm stellt sich Iwein
(rechts) zu Roß mit eingelegter Lanze zum Zweikampf. Die Wandmalerei ähnelt in Darstellung und
Anordnung auffallend der Münchner Parzival-Handschrift (Abb. 74) und dem Wienhäuser Tristan-
Teppich (Abb. 76); sie läßt schmerzlich den Verlust vieler ähnlicher Darstellungen vermuten. (Abb. nach
Zeitschr. f. Bildende Kunst, N. F. 12)

69. Der um 1204 verfaßte Artusroman *Wirnts von Grafenberg* „Wigalois" war seinerzeit ein Publikums-
erfolg. Daher nahm ihn Diebold Lauber aus Hagenau (Elsaß), der 1427–1467 die größte bekannte Buch-
werkstatt des Mittelalters für volkstümliches Schrifttum leitete (noch heute sind rund 50 Handschriften
dieser Werkstatt bekannt) und mindestens fünf Zeichner und vier Schreiber gleichzeitig beschäftigte, in
sein „Verlagsprogramm" auf. Die schwungvoll-lockeren, volkstümlichen, leicht kolorierten Federzeichnungen
seiner Werkstatt (vgl. Abb. 80, 84, 129) mit erklärender Bildüberschrift wirken noch heute recht keck und
lebendig: Wigalois mit dem Rade (als Wappen und Helmzier) sticht dem Drachen Pfetan den Speer
durchs Herz (im Bilde nur durch den Hals), um das Königreich zu befreien und die Geliebte zu erringen.
(Hs. 71 der Fürstl. Fürstenbergischen Hofbibl. Donaueschingen, fol. 199; Verse 5066–5075)

70. *Herbort von Fritzlar* dichtete zwischen 1210 und 1217 seine Bearbeitung des Trojaromans im Auftrage
Landgraf Hermanns von Thüringen (s. zu Abb. 50); sein Werk galt als Anfang und Einleitung zu
Veldekes „Eneid": in der (einzigen vollständigen) Heidelberger Handschrift, die 1333 in Würzburg entstand, folgen beide aufeinander. Der abgebildete Text zeigt große Initialen, die rot getupften Anfangsbuchstaben der Verse und in Zeile 8/9 eine auf Rasur gesetzte Korrektur, die in der folgenden Zeile
wiederholt wird. (cpg 368, fol. 72 r)

71. *Wolfram von Eschenbach*

73. *Burg Wildenberg im Odenwald*

72. *Münchner Parzival-Handschrift, 13. Jh.*

71. *Wolfram von Eschenbach* steht voll gerüstet neben seinem von einer Covertiure bedeckten Roß, das ein – wie üblich kleiner gezeichneter – Knappe herbeiführt. Wappen und Helmzier sollen wohl zwei Armbrustschäfte darstellen und sind sicher falsch; Wolframs echtes Wappen war ein kannenförmiger Blumenhafen (fol. 149 b der Heidelberger Liederhandschrift).

72. Die *Münchner Parzival-Handschrift* aus der ersten Hälfte des 13. Jahrhunderts zeigt im ersten Teil dieselbe Handschrift wie Gottfrieds Tristan (Abb. 78, s. dazu); ihre großen Initialen heben die 30er Versgruppen voneinander ab. Vers 431, 30 bis 432,23. (cgm. 19, fol. 32 b)

73. Die *Burg Wildenberg* bei Amorbach im Odenwald, deren Name französisch Mont sauvage = Munsalvaesche ergibt, gilt als Wolframs Gralsburg; sicher hat Wolfram auch zeitweilig hier gelebt und gedichtet, wie aus einer Stelle im Parzival (230,12 f.) hervorgeht, wo er auf den abgebildeten riesigen Kamin des einstigen Rittersaales anspielt.

74. Die *Münchner Parzival-Handschrift* enthält vier ganzseitige Bildblätter von kontrastreicher, satter Farbwahl und ausgedehnt flächiger Raumverteilung in drei teppichartig untereinandergeordneten Streifenszenen. Das letzte Blatt zeigt oben die Ankunft Parzivals und seines Halbbruders Feirefiz im Lager des Königs Artus, darunter: Kundrie bittet vor der Tafelrunde Parzival um Verzeihung, und unten die Ankunft der von Kundrie geleiteten Brüder in der Gralsburg. Die Ähnlichkeit der Gestalten mit der Iwein-Wandmalerei (Abb. 68) ist auffallend.

74. Illustration aus der Münchner Parzival-Handschrift, 13. Jh.

d helm ist och benennet nicht.
noch and wapfen noch d schilt.
ob uch des urouwe nicht beuilt.
gebet mir sus unver stirte.
do gelobete im div gehure.
von silb von golde von andrem solde
des antwort ich dir genuch.
eher dan ich des ie gewuch.

Wolt ir nu horen urez geste
Vmbe den zorn den ir horet e
her den zv sune brachte
wie dem markise nachte
brouede vñ hoher mut.
vñ wie ir lip vñ ir gut.
vñ ir gunst mit herren sinne
div romische kuniginne
Gir truwen gap in sin geber
des was kyburge not.
ob dem markise wol gelanc
den minne vñ iamer twanc.
waz pfandes her h̄ gelazen dort.
siv pruhet ouch den grozen mort.
d uf alyscanz geschach.
dar zv dar uordrlich ungemach.
da kybur inne bleip.
div in nach helfe von ir arip.
kybure was sin liebeste pfant.
slach ir un sin urouwe swant.
vngeduldiclich muse h̄ leben.
syn esse un niemen über geben.

76. Bildteppich zur Tristansage. Linke Hälfte. Kloster Wienhausen, Anfang 14. Jahrhundert

75. Oben: Willehalm nimmt die Geldhilfe seiner Mutter an, Mitte: Der Dichter spricht von Willehalm, seiner Versöhnung mit der römischen Königin und den Toten von Alischanz, das W bezeichnet die Textstelle, unten: der Dichter berichtet, Willehalm denke besorgt an die Not seiner in der Burg Oranje eingeschlossenen Gemahlin Gyburc. (cgm 193 III, fol. 1 r)

76. Das Nonnenkloster Wienhausen bei Celle bewahrt einen gestickten *Bildteppich* des 14. Jahrhunderts, der zwischen vier Wappenreihen auf drei Friesen Figuren zu einer Tristansage aufweist, die Züge von Eilharts von Oberge und Gottfrieds „Tristan" mischt; die abgebildete linke Hälfte zeigt oben (1) Tristan vor König Marke und seinen Gefolgsleuten, (2) auf dem Ritt zum Zweikampf mit Marhold, (3) Tristan setzt mit seinem Pferd im Nachen zur Insel Marholds über, (4) der Zweikampf zu Roß; Mitte: (1) der im Kampf verwundete Tristan ersucht König Marke um Urlaub, um sich in Irland seine Wunden heilen zu lassen, (2) er läßt sich allein in einen Nachen legen, den ein Gefolgsmann Markes abstößt, und an die irische Küste treiben, (3) erscheint als Spielmann Tantris am irischen Königshof vor Isolde und Brangäne, die (4) ihn in die Burg aufnehmen; unten: (1) Tristan fährt mit Marke auf Brautsuche übers Meer, (2) kämpft mit dem Drachen, (3) schneidet dem erlegten die Zunge aus und wird (4) von Isolde und Brangäne im Moose schlafend gefunden.

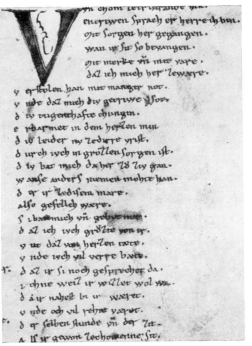

77. Gottfried von Straßburg

78. Münchner Tristan-Handschrift, 13. Jh.

77. *Gottfried von Straßburg* wird in der Heidelberger Liederhandschrift gezeigt, wie er in einem Zelt oder unter einem kuppeldachartigen Baldachin aus einem Diptychon (vgl. Abb. 56) einem Kreise von 5 Personen seine Dichtung vorgetragen hat und sich nunmehr gegen Lob und Kritik der erregt gestikulierenden Zuhörer wehrt. Der Erklärungsgestus der linken Hand und das auf die Knie gestützte Diptychon – als Motiv den künstlerischen Darstellungen Mosis verwandt – bezeichnen ihn als Dichter. Seine Mittelstellung zwischen dem thronenden Fürstenpaar links, gekennzeichnet durch Krone und Diadem, und den stehenden Gelehrten rechts vermittelt zwischen beiden Gruppen und gewinnt dadurch besonderes Interesse, daß er trotz seiner bürgerlichen Herkunft sitzend und in fast gleicher Kopfhöhe mit den Standespersonen gezeigt wird. Wachstafeln wurden nur für vorläufige Niederschriften verwendet; der Dichter hat also eine Probe seines augenblicklichen Schaffens gegeben. Da über das Leben des großen Epikers gar nichts bekannt ist, läßt sich auch der Personenkreis seiner Zuhörer nicht genauer bestimmen. Das Fehlen des Wappens kennzeichnet Gottfried als Bürgerlichen oder Gelehrten, „meister". (fol. 364 a)

78. Die älteste erhaltene *Tristan-Handschrift*, G, wurde noch in der 1. Hälfte des 13. Jahrhunderts wohl in Straßburg geschrieben und stammt vielleicht aus der bürgerlichen Schreibstube des Meisters Hesse, der 1230–1240 Vorsteher der Straßburger Kanzlei war. Sie enthält Gottfrieds unvollendetes Epos mit dessen Fortsetzung durch Ulrich von Türheim und weist die gleiche Handschrift auf, die auch der erste Teil des Münchner Parzival-Codex (Abb. 72), zeigt: eine sehr steile, kleine und zierliche Minuskel. Die Verse sind abgesetzt, ihre Anfangsbuchstaben etwas vorgerückt. Die verhältnismäßig großen, doch nicht besonders kunstvollen Initialen bezeichnen keine Sinneseinschnitte, sondern sind meist in diagonaler Anordnung zur Zierde in die zweispaltig geschriebene Handschrift eingefügt. (cgm. 51, fol. 75 v)

79. Dieselbe *Münchner Pergamenthandschrift* enthält wie die Parzival-Handschrift (Abb. 74), jedoch von zwei anderen Malern, eine Reihe einzeln gehefteter, meist dreistufiger Bildseiten, welche wie Abb. 65 die Figuren vom farbigen Hintergrund hell aussparen und durch Überschriften in den Zwischenzeilen kennzeichnen. Ihre Farbtöne sind gedämpfter als die Parzival-Miniaturen, die Bilder sind durch Feuchtigkeit sehr schadhaft geworden. Die abgebildete Seite zeigt oben: Tristan und Isolde erscheinen in demütiger Haltung und unterwürfigem Verhalten vor dem in Hermelinmantel, mit Krone und überkreuzten Beinen (vgl. Abb. 45) thronenden und sie mit der Geste des Empfangens heranwinkenden König Marke, Isoldens Gemahl; sie werden von ihm, der sie des geheimen Liebesbündnisses verdächtigt, verbannt und ziehen – diese zweite Phase ist auf demselben Streifen rechts gleichzeitig dargestellt – gemeinsam unter Führung Tristans in eine Höhle in der Wildnis. Mitte: König Marke findet auf der Jagd Tristan und Isolde (im Bild aus der Kavaliersperspektive gesehen) in der Minnegrotte schlafend; sie wurden jedoch gewarnt und haben zum Zeichen ihrer Unschuld sich voneinander abgekehrt und ein Schwert zwischen sich gelegt, so daß der König erneut an ihre Unschuld glaubt und sie (unten) an seinen Hof zurückrufen läßt, wo sie demütig erscheinen. (fol. 90 a)

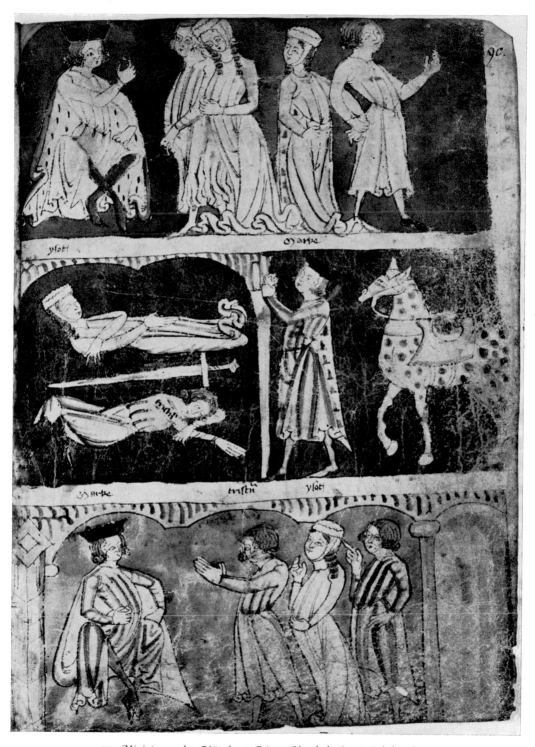

79. Miniaturen der Münchner Tristan-Handschrift, 13. Jahrbundert

80. Konrad Fleck, „Flore und Blancheflur"   81. Ulrich von dem Türlin, „Willehalm"

80. *Konrad Flecks* anmutvolle Erzählung der Kinderminne von Flore und Blancheflur entstand um 1220 und ist hauptsächlich in einer Heidelberger Bilderhandschrift erhalten, die aus der Werkstatt Diebold Laubers aus Hagenau 1430–1440 stammt und 26 ganzseitige getuschte Federzeichnungen unter den Kapitelüberschriften enthält: Flore reitet mit seinen Dienern seiner Geliebten nach, die während seiner Abwesenheit verkauft wurde, um sie durch selbstlose Liebe zu befreien. (cpg. 362, fol. 94 v)

81. Der Kärntner *Ulrich von dem Türlin* dichtete um 1260 für König Ottokar von Böhmen aus den Anspielungen in Wolframs „Willehalm" eine Vorgeschichte zu diesem Epos. Von einer fränkischen Bilderhandschrift des angehenden 14. Jahrhunderts sind nur acht Blätter erhalten; am eindrucksvollsten ein festliches Turnier vor der Königin. (Staatsbibl. Berlin, ms. germ. fol. 746, Bl. 2 v)

82. Die ehemalige Wernigeroder Pergamenthandschrift von *Rudolfs von Ems* „Weltchronik" enthält als Eingangsbild eine (natürlich nicht porträtgetreue) Abbildung des alten Dichters mit ehrwürdigem weißen Lockenhaar, der in einer romanischen Säulenhalle sitzt und, ein Spruchband in der Hand, mit der Gebärde des Belehrens dem vor ihm sitzenden jungen Schreiber diktiert. Dieser führt mit der rechten Hand die Feder, während die linke mit dem Radiermesser die Buchseiten festhält. (Zb 34 4°)

83. *Rudolfs* „Weltchronik" behandelte im Auftrag König Konrads IV. als deutsche Bibel in Reimen die Weltgeschichte von der Erschaffung der Welt bis zum Tode Salomons. Von diesem weitverbreiteten Werk ließ sich Ruprecht I. von der Pfalz 1365 eine äußerst kostbare Abschrift anfertigen, die mit zahlreichen Deckfarben-Miniaturen auf Goldgrund verziert ist. Die abgebildete Seite enthält Vers 4802–73 mit dem Bericht von der Zerstörung Sodoms und Gomorrhas. Auf der Miniatur schaut Loths Weib zurück auf die brennende Stadt, deren Bewohner sich vergeblich zu retten suchen, und wird zur Salzsäule: die Ziege leckt an ihr. (Fürstl. Fürstenbergische Hofbibl. Donaueschingen, Hs. 79)

84. *Konrads von Würzburg* unvollendetes Epos vom „Trojanerkrieg" liegt in einer Papierhandschrift der Werkstatt Diebold Laubers in Hagenau von 1430–1440 mit 98 kräftig bunt getuschten Federzeichnungen vor. Ihnen kommt es nicht auf Naturwiedergabe sondern auf Darstellung des Wesentlichen an, der sie Proportionen und Entfernungen ruhig opfern. In der abgebildeten Zeichnung vom Kampf der Trojaner gegen landende Griechen erscheint daher die Architektur wie bereits in Abbildung 80 unproportioniert klein und der Nahkampf für Bogenschützen ebenso unwahrscheinlich wie die fehlenden Füße der Diener in Abbildung 80. (Staatsbibl. Berlin, Ms. germ. fol. 1, Bl. 236 v)

85. Von *Albrechts von Scharfenberg* „Jüngerem Titurel", der bis ins 19. Jahrhundert hinein als ein Werk Wolframs galt, wurden 1809 37 Pergamentblätter einer sorgfältig in gotischer Minuskel mit abgesetzten Versen und Strophen geschriebenen Handschrift des frühen 14. Jahrhunderts gefunden, die um 1550 zu Aktendeckeln verwendet worden waren. (Staatsbibl. München, cgm. 7, fol. 10, Strophe 581–585)

82. Rudolf von Ems
Wernigeroder Handschrift

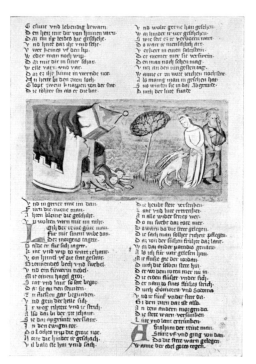

83. Rudolfs „Weltchronik"
Donaueschinger Handschrift

84. Konrad von Würzburg, „Trojanerkrieg"

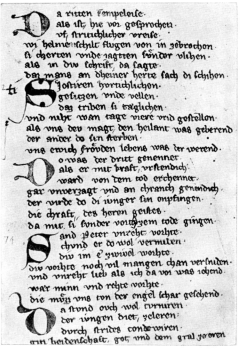

85. Albrechts „Jüngerer Titurel"

86. Thomasin von Zerklaere, „Welscher Gast"

87. Freidank, „Bescheidenheit"

88. Winsbeke. Heidelberger Liederhandschrift

89. Hugo von Trimberg, „Der Renner"

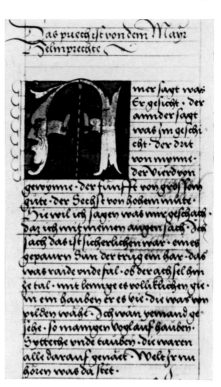

90. Der Stricker, „Pfaff Amis"   91. „Meier Helmbrecht"

86. Die Sittenlehre *Thomasins von Zerklaere* im „Welschen Gast" fand weite Verbreitung, zumal da, wie ein Vergleich der zahlreich erhaltenen Bilderhandschriften zeigt, wohl bereits das Original reich illustriert war. Unsere Abbildung nach einer Gothaer, um 1340 in Regensburg geschriebenen Handschrift zeigt eine Darstellung der sieben freien Künste durch jeweils einen ihrer Hauptvertreter und eine allegorische weibliche Figur: Priscian und die Grammatica halten ein aufgeschlagenes Buch, Aristoteles und die Dialectica eine in vier Dreiecke zerlegte Tafel, Tullius (= Cicero) und die Rhetorica Schwert und Schild, da die Redekunst zu Angriff und Verteidigung dient, Euclides und die Geometria veranschaulichen an zwei sich überschneidenden Kreisen die Aufgabe, über gegebener Grundlinie ein gleichseitiges Dreieck zu zeichnen, Pythagoras und die Arithmetica halten eine stufenförmige Rechentafel, ein Milesius (gemeint ist Thales von Milet) und die Musica zeigen an der harmonischen Teilung einer Saite den Oktav-, Quint- und Quartbogen, Astronomia und Ptolemäus veranschaulichen an einer windrosenähnlichen Figur exzentrischer Kreise den Höchststand der Sonne. (Bibl. Gotha Mbr. I Nr. 190, fol. 130)

87. *Freidanks* bürgerliche Spruchsammlung „Bescheidenheit" (d. h. Bescheidwissen) ist hauptsächlich in einer schmucklosen Heidelberger Handschrift des 13. Jahrhunderts mit roten Initialen, Überschriften und rot durchstrichenen Anfangsbuchstaben erhalten. (cpg. 349, Sp. 1 c)

88. Wie in dem Lehrgedicht *Der Winsbeke* ein bayrischer Ritter von Windsbach seinem Sohn Ratschläge und Lebensregeln erteilt, so schildert ihn die Miniatur der das Gedicht überliefernden Großen Heidelberger Liederhandschrift als einen vornehmen Herrn, der sitzend mit der Geste eindringlicher Belehrung dem vor ihm stehenden Zuhörer an den Fingern die Lebensregeln aufzählt. (fol. 213 a)

89. *Hugos von Trimberg* satirisches und an Beispielerzählungen reiches Lehrgedicht gegen die Sündhaftigkeit entstand 1290–1313 und erhielt den Namen „Der Renner" erst durch eine etwas spätere Handschrift des Michael de Leone: „Der Renner ist dies Buch genannt, denn es soll rennen durch das Land." Hierauf bezieht sich das Eingangsblatt einer Bilderhandschrift von 1468 in gotischer Buchkursive.

90. In den 12 Erzählungen vom *Pfaffen Amis* schuf der Stricker um 1230 das erste deutsche Schwankbuch, das viel gelesen und auch 250 Jahre später, nach Erfindung des Buchdrucks, durch Johann Prüss in Straßburg 1482 gedruckt wurde. Der Holzschnitt zeigt, wie der Pfaffe Amis auf Befehl des Bischofs dem Esel das Lesen beibringt, indem er Hafer zwischen die Seiten, auf denen „ia" steht, streut.

91. Wernhers des Gärtners realistische Dorfgeschichte von dem Bauernburschen *Meier Helmbrecht*, der als Strauchritter umkommt, ist trotz ihres unhöfischen Inhalts in das Ambraser Heldenbuch (s. zu Abb. 34) aufgenommen worden. (fol. 225 b)

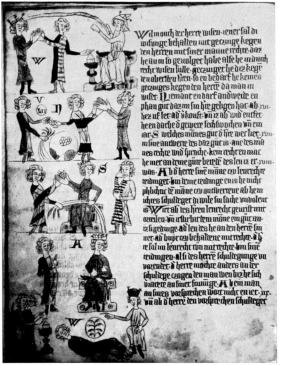

92. Sachsenspiegel. Heidelberger Hs., 13. Jahrhundert

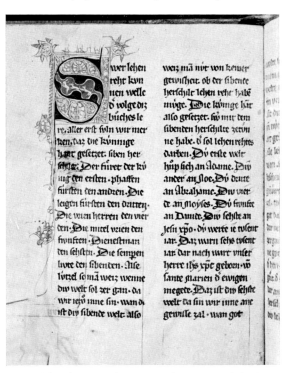

93. Schwabenspiegel. Donaueschinger Handschrift

92. Der *Sachsenspiegel*, in dem Eike von Repgow um 1230 das sächsische Land- und Lehnsrecht deutsch aufzeichnete, ist in vier Bilderhandschriften verbreitet, von denen die im Kriege vernichtete Dresdner und die abgebildete Heidelberger (um 1320) die eindrucksvollsten sind. Die Bilder sollen die Rechtssätze auch den des Lesens Unkundigen einprägen, Knappheit, Typik und Deutlichkeit sind daher ihr oberstes Gebot. Die Hälfte jeder Seite ist daher von den kolorierten Federzeichnungen ausgefüllt, die durch die beigefügten Initialen auf den Text verweisen. Schon Goethe, der sich 1810 mit der Oldenburger Bilderhandschrift beschäftigte, erkannte in den Zeichnungen „die Symbolik eines in Absicht auf die bildende Kunst völlig kindischen Zeitalters". Gerade den stummen Gesten der Rechtsakte eignet eine starke Symbolik der äußeren Handlung: Getreideähren bedeuten Grundbesitz, aufeinanderfolgende Handlungen werden durch drei und mehr Hände einer Person dargestellt, Schweigen durch Halten der Hand vor den Mund. Die abgebildete Seite enthält die §§ 15, 3–18 des Lehnsrechts: Verweisung eines Mannes an einen neuen Unterlehnsherren, Aufgabe und Wiederempfang des Gutes, Rechtsverlust durch Schweigen und Widerklage des Mannes. Die Heidelberger Handschrift entstand hundert Jahre nach der Aufzeichnung und ist die älteste Bilderhandschrift des Sachsenspiegels. (cpg. 164, fol. 4 v)

93. Der *Schwabenspiegel* entstand gegen 1275 nach Vorbild des Sachsenspiegels und ist schon in einer kunstvollen Pergamenthandschrift des Konrad von Lucelenheim aus dem Jahre 1287 erhalten, die aus dem Besitz des Freiherrn von Laßberg (vgl. zu Abb. 31) nach Donaueschingen kam. (Hs. 738)

94.–96. Die *Carmina burana*, wie der erste Herausgeber, J. A. Schmeller, 1847 diese größte erhaltene Sammlung mittelalterlicher Vagantendichtung nach ihrem Fundort benannte, kamen aus dem Kloster Benediktbeuren – wo sie wegen ihres verfänglichen Inhalts unter Verschluß bewahrt wurden – 1803 durch Säkularisation nach München. Die Handschrift, um 1225 in Zürich und am Bodensee wohl auf Anregung eines adligen Liebhabers gesammelt, enthält meist lateinische, z. T. auch lateinisch-deutsche und rein deutsche Natur-, Trink- und Liebeslieder mit oft frivol-blasphemischem Ton. Ihre Miniaturen geben in friesartigen Szenen das ungebundene Leben der verbummelten Studenten anschaulich wieder: Oben eine Würfelspielszene mit ausgesparten Figuren in zwei Gruppen, um die in Aufsicht gegebenen, beinlosen Tische angeordnet und durch Handbewegungen künstlerisch interessant in Beziehung gebracht, in der Mitte eine Liebesszene in höfischem Kostüm, in der der Vagant „der Blume die Blume" als Liebeszeichen überreicht, unten die verschiedenen Temperamente und Gesten einer Trinkszene. (clm. 4660, fol. 91 r, 72 v, 89 v)

Tessera blandita fuerat michi quando tenebam.

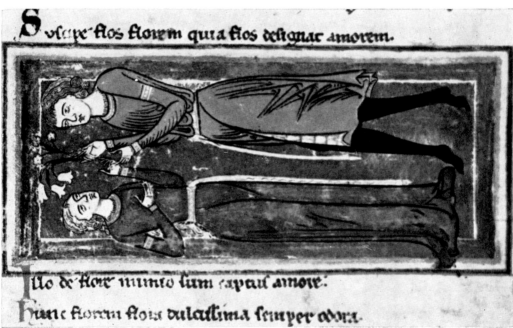

Suscipe flos florem quia flos designat amorem.

Illo de flore nimio sum captus amore.

Hunc florem flos dulcissima semper odora.

94–96. Spiel-, Liebes- und Trinkszene aus den Carmina burana

97. Donaueschinger Passionsspiel

98. Szenen zur Theophilus-Sage

99. „Die klugen und törichten Jungfrauen"

100. Kleiner Zimmernscher Totentanz

97. Das *Donaueschinger Passionsspiel* entstand um 1485 als Abschrift eines Luzerner Ur-Passionsspiels. Die aufgeschlagen abgebildete Handschrift in Registerformat war für die Verwendung als Spielbuch bestimmt. Die Regieanweisungen sind rot, die Sprechtexte schwarz mit abgesetzten Versen geschrieben; eingefügte lateinische Gesänge sind mit Noten versehen. (Nr. 137, fol. 41 v/42)

98. Die Legende von *Theophilus*, dem mittelalterlichen Faust, der, um sein Amt als Vicedominus von Adana (Kilikien) zu behalten, mit dem Teufel paktiert, aber durch Marias Fürbitte gerettet wird, wurde

101. Lucas van Leyden, Das große Ecce homo, 1510

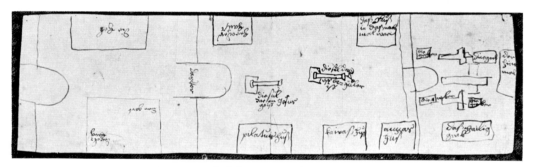

102. Szenengrundriß des Donaueschinger Passionsspieles

im 15. Jahrhundert mehrfach dramatisch bearbeitet. Die Miniaturen zur Legende aus dem Liber matutinalis des Konrad von Scheyern (Anfang 13. Jahrhundert) sind stilistisch denen der „Eneid" (Abb. 65) verwandt und zeigen erstmalig in der lebendigen Bewegung Affektäußerungen und psychologische Ausdrucksbewegungen. (Staatsbibl. München, clm 17401, fol. 64 r)

99. Das „*Spiel von den klugen und törichten Jungfrauen*" eines Eisenacher Dominikaners nach Matth. 25 wurde 1322 in Eisenach aufgeführt und soll den Landgrafen Friedrich den Freidigen von Thüringen so erschüttert haben, daß er einen Schlagfluß erlitt, der ihn zwei Jahre später zum Tode führte. Unsere Abbildung entstammt einem „Speculum humanae salvationis". (Hs. 2505, fol. 69 r der Hess. Landes- und Hochschulbibl. Darmstadt)

100. Das Mittelalter kannte keine *Totentanzspiele*, sondern nur bildliche Darstellungen mit Begleitversen, in denen der Tod die Vertreter einzelner Stände vom Bettler bis zum Kaiser zum Tanz auffordert. (Fürstlich Fürstenbergische Hofbibl. Donaueschingen, Hs. A III 54 fol. 105 b)

101. Der Stich *Lucas' van Leyden* gibt, wenn man die künstlerisch bedingten Freiheiten berücksichtigt, einen guten Eindruck von den mittelalterlichen Passionsspielen um 1500. (vgl. S. 44)

102. Der Spielplan des *Donaueschinger Passionsspiels*, später als die Handschrift (Abb. 97) und vielleicht für die Aufführung in Villingen 1585 entworfen, zeigt die am zweiten Spieltag erforderlichen Örtlichkeiten in drei durch Tore verbundenen Ebenen: in der Mitte die irdischen Orte mit den Häusern von Pilatus, Kaiphas, Anna, Herodes und dem Abendmahlshaus, links die Hölle mit dem Ölberg, rechts der Himmel mit Golgatha und dem Hl. Grab.

103. Der Luzerner Weinmarkt beim Osterspiel. Modell von Albert Köster

103. Den anschaulichsten Eindruck einer, wenn auch schon spätmittelalterlichen, geistlichen Dramen-
aufführung bieten die Pläne und Aufzeichnungen des Luzerner Stadtschreibers Renward Cysat, der 1583
die Spielleitung und Inszenierung eines von ihm selbst für die Aufführung bearbeiteten Osterspiels über-
nommen hatte. Die Aufführung, von einer Brüderschaft veranstaltet, nahm für zwei Tage den ganzen
Weinmarkt in Luzern (60 m lang, 16–22 m breit) ein und beschäftigte allein am ersten Tag 271 Darsteller,
in den Hauptrollen Geistliche und Patrizier. Als Zuschauerplätze dienten die Fenster der angrenzenden
Häuser und mit Rücksicht auf die Enge des Raumes besondere hochragende Tribünen an beiden Längs-
seiten und dem Vordergrund des Platzes. Innerhalb dieses Zuschauer-Halbkreises liegt die Zone der
Darsteller, die, soweit sie nicht beschäftigt sind, nach der Anordnung des Planes (Abb. 104) von ihren
Höfen aus dem Spiel zusehen. Diese Höfe, deren jeder nach einer Hauptperson heißt, liegen etwa 30 cm
erhöht und mit einem halbhohen Zaun versehen, rings um den Spielplatz. Der nunmehr innere Raum
bildet den eigentlichen Schauplatz der Handlung. Hier hat jeder Raumteil seine spezielle, durch symbolische
Dekoration angedeutete Bestimmung, und die agierenden Schauspieler ziehen auf der Simultanbühne von
Ort zu Ort. Das Rekonstruktionsmodell zeigt die Szenenanordnung des zweiten Spieltages: zwischen den
Erkern des „Hauses zur Sonne", über eine Leiter erreichbar, liegt der Himmel; neben der Treppe der
Ölberg, davor die drei Kreuze von Gethsemane, in der Mitte links der Baum, an dem sich Judas erhängt,
und rechts ein angedeuteter Tempel mit halbhoher Wand, dem Himmel gegenüber in der linken Ecke
(schräggestellt) der Eingang zur Hölle, durch eine scheußliche Tierfratze gekennzeichnet, auf dem erhöhten
Podium der Brunnen, der auch als Säule der Geißelung dient, davor die Grabstätte und der Abend-
mahlstisch. (ehem. im Theatermuseum München)

104. *Der Spielplan von Renward Cysat* für den ersten Tag der Aufführungen zeigt die Aufteilung der
Darsteller auf die einzelnen Höfe am Bühnenrand; die Bestimmung der einzelnen Örter ist am ersten
Spieltag, zum Teil mit denselben Dekorationen eine andere, der alttestamentlichen Vorgeschichte ent-
sprechende: unter dem Himmel links der Berg Sinai, rechts das Paradies, davor in Richtung zum Brunnen
hin: der Englische Gruß, das Tal Hebron, der Opferplatz Abrahams, der Tisch zum Gastmahl Simons
und Zachäus, der Opferplatz Kains und Abels, das Goldene Kalb, die eherne Schlange, der Baum des
Zachäus, der Brunnen der Samariterin, der Teich Siloe, die Taufstelle Johannes des Täufers, der Wasser-
fels Mosis, auf dem Brunnenpodium das Weihnachtshüttlein und der Hof der Hl. Drei Könige. (Bürger-
bibl. Luzern)

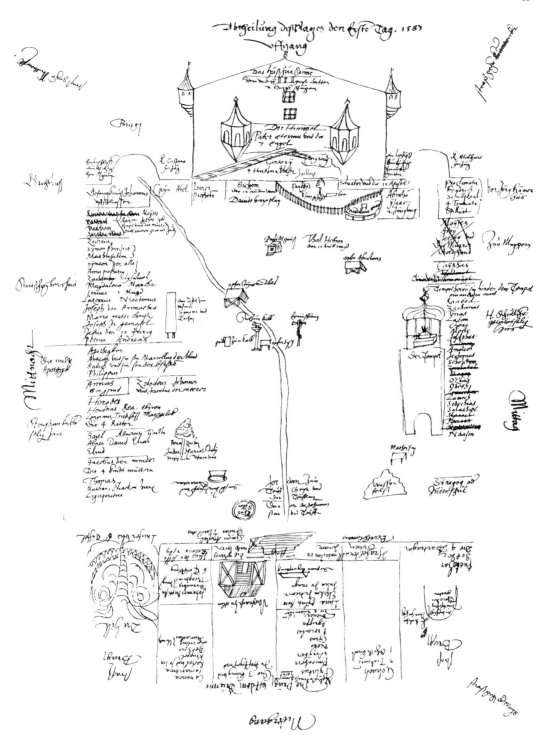

104. Renward Cysats Plan für das Luzerner Osterspiel, 1583

105. Legenda aurea. Münchner Handschrift   *106. Leben der Väter. Heidelberger Handschrift*

105. Die große lateinische Legendensammlung des Dominikaners und Erzbischofs von Genua Jacobus de Voragine, *Legenda sanctorum aurea* fand im Mittelalter ungeheure Verbreitung in vielen Übersetzungen und Bilderhandschriften. Unsere Abbildung aus einer im Jahre 1362 geschriebenen und illustrierten deutschen Übersetzung in elsässischer Mundart zeigt die Ermordung des Erzbischofs Thomas Becket am Altar der Kathedrale von Canterbury – ein durch die Bearbeitung von C. F. Meyer („Der Heilige") und T. S. Eliot („Mord im Dom") bekannter Stoff. (Staatsbibl. München, cgm 6, fol. 21 v)

106. Das *Leben der Väter* berichtet ebenfalls nach lateinischer Quelle von dem Leben der ersten Mönche und Einsiedler in der oberägyptischen Wüste; die 1477 entstandene oberschwäbische Papierhandschrift in Heidelberg enthält 36 ganzseitige holzschnittartige und mit kräftigen Deckfarben bemalte Federzeichnungen mit gut individualisierten Figuren und Köpfen, während die stark von oben gesehene, horizontlose Bildbühne durch die unproportionierten Größenverhältnisse mehr kulissenhaft wirkt. (cgp 90, fol. 3 v)

107. Die Predigten des Franziskaners *Berthold von Regensburg* (rund 1215–1272), des ersten gewaltigen deutschen Volkspredigers, hatten solchen Zulauf – nach Angabe der Chronisten 60 000–100 000 Hörer – daß er meist im Freien, von Türmen, Bäumen oder Gerüsten herab sprechen mußte. Die Federzeichnung einer Wiener Handschrift von 1447 zeigt ihn daher auf einer Außenkanzel vor der Kirche, wie er sein Wort (im Spruchband: „Nun merket auf") an ein mit den Augen des 15. Jahrhunderts leicht karikiertes Publikum von zusammengekauerten armen Sündern richtet. Die lebhafte Charakteristik bezeugt die andauernde Wirkung dieses wortgewaltigen Sittenpredigers. (Wiener Hs. 2829, fol. 1 v)

108. Des Straßburger Dominikaners *Johannes Tauler* (rund 1300–1361) deutsche Predigten sind in einer Engelberger Pergamenthandschrift erhalten, die im Jahre 1359, also noch zu Lebzeiten Taulers, entstand und auf eine früher in Köln entstandene, vielleicht vom Verfasser selbst durchgesehene Sammlung seiner Predigten zurückgeht. Die saubere und gleichmäßig schöne gotische Minuskel setzt Sinnesabschnitte durch das Zeichen ❡ ab; die abgebildete Schlußseite enthält als Nachschriften eine Datierung und einen Schreibervers: „Gedenkt des Menschen, der dies Buch geschrieben hat." (Hs. 124, fol. 197 v)

109. *Geiler von Kaisersberg* (1445–1510), dessen lebensnahe Predigten und Erbauungsbücher noch der junge Goethe las, war seit 1479 Domprediger in Straßburg. Als solchen zeigt ihn das Gemälde von Hans Burgkmair aus dem Jahre 1490 mit weitgeöffneten Augen und einem etwas satirischen Zug um den Mund: Wirklichkeitsnähe und Verspottung der Laster kennzeichnen sein Werk.

107. *Berthold von Regensburg. Wiener Hs.*   108. *Taulers Predigten. Engelberger Hs.*

109. *Geiler von Kaisersberg*   110. *Heinrich von Laufenberg*

110. *Heinrich von Laufenberg* (rund 1390–1460), der Dichter geistlicher Lieder und Kontrafakturen welt-
licher Volkslieder, zeitweilig Dekan in Freiburg (vgl. das Spruchband), erscheint in der farbigen Eingangs-
miniatur einer 1870 in Straßburg verbrannten Handschrift seines „Buches der Figuren" nach dem bekannten
Motiv des schreibenden Evangelisten (vgl. Abb. 82, 138) in einem geöffneten Buch schreibend vor einer
mit Büchern belegten mittelalterlichen Schreiblade. (Abb. nach Ch. M. Engelhardt, Der Ritter von Stauffen-
berg, 1823)

111. Mechthild von Magdeburg. Einsiedler Hs.   *112. Meister Eckhart, „Opus sermonum"*

111. Die Zisterzienserin und bedeutendste deutsche Mystikerin *Mechthild von Magdeburg* (1207–1282) schrieb ihre Visionen einer mystischen Gottesminne „Das fließende Licht der Gottheit" ursprünglich in niederdeutscher Sprache auf einzelne Blätter und sandte sie ihrem Seelsorger Heinrich von Halle, dessen Ausgabe jedoch verloren ging. Man war also auf eine 1290 erfolgte lateinische Bearbeitung angewiesen, bis 1861 in Einsiedeln eine oberdeutsche Übersetzung ihres Werkes entdeckt wurde. Diese einzige erhaltene deutsche Handschrift ist eine Abschrift der hochdeutschen Übersetzung, die Heinrich von Nördlingen 1344/45 aus dem Niederdeutschen für seine Seelenfreundin Margarete Ebner herstellte. (Hs. 277)

112. Die Predigten *Meister Eckharts* (1260–1327), des Hauptes der deutschen Mystiker, sind nur in Nachschriften der Hörer erhalten. Unsere Abbildung zeigt einen Ausschnitt aus einer zweispaltigen Handschrift des lateinischen „Opus sermonum" in Kurrentschrift von 1444 aus dem Besitz des Nicolaus Cusanus, von dessen Hand auch die Randbemerkungen stammen. (Hospitalbibl. Cues Nr. 21, fol. 140 v)

113. Ein Ölbild aus der Ulmer Schule des 15. Jahrhunderts stellt *Heinrich Seuse* (rund 1295–1366) auf Goldgrund dar, das energische Gesicht mit dem dennoch träumerischen Blick von einem Heiligenschein umgeben. In der rechten Hand hält er einen Rosenkranz, in der linken einen spitzen Griffel, mit dem er sich seinerzeit in verzückter Jesusminne auf das Herz die Buchstaben IHS (= Jesus) eingegraben hat „gleichwie weltliche Liebhaber den Namen ihrer Dame am Kleide tragen". Dies Merkmal blieb ihm bis zum Tode; nur drei Vertraute wußten darum. (Besitz der Prinzessin von Urach auf Schloß Lichtenstein)

114. Anläßlich einer Gesamtausgabe seiner Werke im „Exemplar" entwarf *Seuse* Zeichnungen dazu, die den Eindruck der Worte verstärken und die mystischen Erlebnisse symbolisch darstellen sollten. Diese höchst originell erfundenen und organisch aus dem Text erwachsenen Bilder wurden von späteren Abschriften wiederholt. Auf dem Schoß des sitzenden Seuse, um dessen Haupt zwei Engel einen Kranz von Rosen halten, umarmen sich die ewige Weisheit, als kleine Figur, und Seuses Seele, als nacktes Kind dargestellt: „Er hat mich und ich ihn minniglich umfangen." Aus einer dem Dominikanerkloster zu Konstanz entstammenden Papierhandschrift des 15. Jahrhunderts. (Stiftsbibl. Einsiedeln Nr. 710, fol. 28 v)

115. Eine elsässische Handschrift des 15. Jahrhunderts, die einen *mystischen Traktat aus dem Eckhart-Kreis* enthält, zeigt als Eingangsblatt in leuchtenden Deckfarben und kräftiger Modellierung die Hl. Dreifaltigkeit; die Einheit von Gottvater und Sohn wird durch den gemeinsamen Mantel betont; auch der Heilige Geist als Taube trägt den Heiligenschein (Staatsbibl. Berlin, ms. germ. fol. 1030, Bl. 3 r)

116. Die mystische Lebenslehre eines *Frankfurter* Deutschherrn vom Anfang des 15. Jahrhunderts machte auf den jungen Luther so starken Eindruck, daß er sie 1516 im Auszug und 1518 vollständig drucken ließ; die einzige, erst aus dem Jahr 1497 stammende Handschrift wurde 1930 an einen unbekannten Empfänger verkauft und ist seither verschollen.

113. Heinrich Seuse
Anonymes Ölgemälde, 15. Jh.

114. Seuses „Exemplar"
Einsiedler Handschrift

115. Miniatur aus einem mystischen Traktat

116. „Theologia deutsch". Druck von 1518

117. Heinrich von Neustadt, „Apollonius von
Tyrland", Gothaer Handschrift um 1400

118. „Karlmeinet"
Darmstädter Handschrift 15. Jahrhundert

119. Ulrich Füetrer, „Buch der Abenteuer"
Münchner Handschrift 15. Jahrhundert

120. Maximilian I., „Teuerdank"
Erstdruck 1517

117. Der *Apollonius von Tyrland* des Wiener gelehrten Arztes Heinrich von Neustadt (um 1300) ist eine erweiternde Bearbeitung eines spätantiken Abenteuer- und Liebesromans im Zeitgewand; dementsprechend zeigen die Miniaturen der Gothaer Handschrift (um 1400) bereits den Gebrauch von Feuerwaffen. Im Vordergrund eine klagende Frau vor einem brennenden Dorf, in das Bewaffnete eindringen, im Hintergrund belagert Apollonius die Burg seines Gegenspielers Nemrot mit Fußvolk, Reiterei, Kanonen und fünf großen Mörsern, durch Palisaden getrennt. Die Eingeschlossenen wehren die auf Leitern heransteigenden Belagerer mit Kanonen und Handfeuerrohren ab, andere schleudern Steinblöcke auf die Anstürmenden. Geschickte Gruppierung und lebhafte Bewegung kennzeichnen die Miniatur. (Gothaer Hs. cod. chart. A 689, fol. 82 v)

118. Der *Karlmeinet* ist eine um 1320 entstandene unselbständige Kompilation von sechs Epen der Karlssage, deren erstes, „Carolus magnitus" (= der kleine Charlemagne) der sagenhaften Biographie den Namen gab. Die einzige vollständige Handschrift, eine Darmstädter Papierhandschrift des 15. Jahrhunderts, beginnt mit einer durch kunstvolle Initiale und umgreifende Blumenornamentik verzierten Eingangsseite. (Hess. Landes- und Hochschulbibl. Darmstadt, Nr. 2290, fol. 1 r)

119. *Ulrich Füetrer* aus Landshut, der auch als Maler hervortrat, schrieb etwa 1473–1478 im Auftrag Herzog Albrechts IV. von Bayern sein 41 500 Verse umfassendes „Buch der Abenteuer der Ritter von der Tafelrunde", das alle Artus- und Gralsepen aus stofflichem Interesse zusammenfaßt. Die Münchner Pergament-Handschrift vom Ende des 15. Jahrhunderts stammt aus dem Besitz Herzog Albrechts und umfaßt 696 Seiten im Format 54 × 36 cm (!); sie ist von Füetrer selbst korrigiert.

120. *Kaiser Maximilians I.* „Teuerdank" enthält in allegorischer Einkleidung die Geschichte seiner Brautwerbung um Maria von Burgund, um zahlreiche Abenteuer erweitert, die ihm seine drei Feinde Fürwittig (= jugendlicher Übermut), Unfalo (= Unfall) und Neidelhart (= Intrige) bereiten. Auf der abgebildeten Seite beginnt das 21. Kapitel „Wie Fürwittig den Edlen Tewrdannck aber in ein anndre geferlicheit füret mit einem Pallier rad": Als Teuerdank im Breisgau einen großen Schleifstein sieht, verleitet sein frevler Übermut ihn zu dem etwas kindischen Versuch, ob er seinen langen Schnabelschuh ohne Schaden unter dem Polierstein durchbringen könne. Es gelingt seiner Geschicklichkeit, und Fürwittigs Nachstellungen scheitern. Der Erstdruck des „Teuerdank" in der Überarbeitung durch die kaiserlichen Sekretäre Melchior Pfinzing und Marx Treitzsaurwein erfolgte 1517 bei Schönsperger/Nürnberg mit Holzschnitten von Hans Schauffelein und besonders angefertigten Typen und Zierschriften; er stellt in seiner künstlerischen Vollendung ein schönes Zeugnis für die schnelle Entwicklung der Buchdruckerkunst dar.

121. Das *Dresdner Heldenbuch* wurde 1472 von Kaspar von der Roen und einem unbekannten Schreiber für den Herzog Balthasar von Mecklenburg geschrieben und faßt die deutschen Heldenepen, zum Teil in starker Kürzung, zusammen. Die abgebildete Seite aus dem „Rosengarten" stammt von Kaspar. (Sächs. Landesbibl. Dresden M 201, fol. 162)

122. Das erste gedruckte *Heldenbuch* (Straßburg 1477) enthält Ortnit, Wolfdietrich, Laurin und Rosengarten und ist durch recht drastische Holzschnitte illustriert: Alberich, in der Sage durch seine Tarnkappe unsichtbar, rauft dem Heidenkönig, dessen Tochter Ortnit gewinnen will, den Bart aus.

121. Kaspar von der Roen, Heldenbuch. 1472

122. Ältester Druck des Heldenbuches

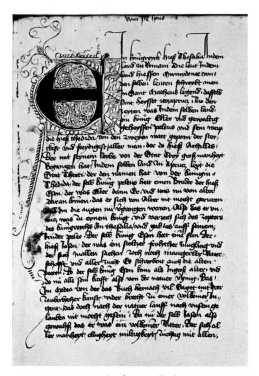

123. Buch von Troja
Münchner Handschrift von 1448

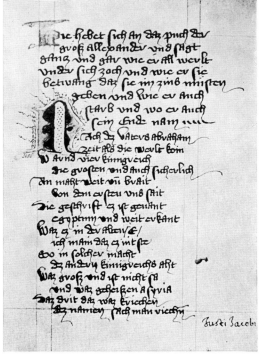

124. Der Große Alexander
Wernigeroder Handschrift von 1397

125. Hugo Scheppel
Hamburger Handschrift um 1465

126. Die Sieben weisen Meister
Donaueschinger Handschrift 15. Jh.

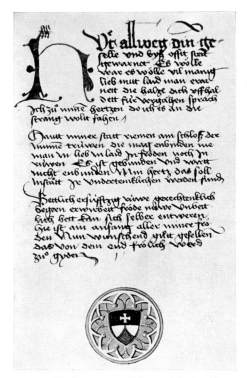

127. Hadamar von Laber, „Die Jagd"   128. Heinrich von Mügeln, „Der Meide Kranz"

123. Hans Mair von Nördlingen übersetzte 1392 erstmalig den lateinischen *Trojaroman* von Guido de Columna, Historia destructionis Troiae (1287) in deutsche Prosa. Sein Werk ist in einer Münchner Hs. des Jahres 1448 mit sehr sorgfältiger Bastardschrift und reicher Initiale erhalten. (cgm 267, fol. 7 r)

124. Der *Große Alexander*, die freiere Übersetzung eines unbekannten Alemannen von Quilichinus' de Spoleto „Alexander" in Reimpaaren, entstand 1390–1397 und liegt in der ehemaligen Wernigeroder Papierhandschrift aus demselben Jahr 1397 aus Bayern in einer gleichzeitigen Abschrift, wo nicht dem Original selbst, vor. Der Text (Vers 1–16) beginnt unter dem Vorspruch mit der recht dürftigen Initiale N und setzt die Anfangsbuchstaben der ungeraden Zeilen links heraus. (Hs. Z b 2 4° fol. 1 r)

125. *Hugo Scheppel*, der bekannteste der vier 1430–1440 von Elisabeth von Nassau-Saarbrücken übersetzten französischen Prosaromane, ist die sagenhafte Geschichte des französischen Königs Hugo Capet, der vom Sohn eines Adligen und einer Metzgerstochter bis zum König von Frankreich aufsteigt. Die durch den perspektivischen Versuch interessante Miniatur, auf der Hugo Scheppel an der Tafel der Königin einen gebratenen Pfau erhält, stammt aus der einzigen erhaltenen Handschrift, einem bildgeschmückten Prunkexemplar, das Elisabeths Sohn Johann II. in einer rheinischen Schreibstube um 1465 zu Ehren seiner Mutter anfertigen ließ. (cod. ms. 12 Staats- und Univ.Bibl. Hamburg)

126. Die orientalische Erzählung von den *Sieben weisen Meistern*, die durch das Erzählen von Geschichten die Urteilsvollstreckung an einem Königssohn verhindern, bis er sich rechtfertigen kann, wurde 1412 von dem im Dienste des Erzbischofs von Köln stehenden Dichter Hans dem Büheler als „Diocletians Leben" in deutsche Verse übersetzt und ist die erste deutsche Rahmenerzählung. Die abgebildete Donaueschinger Handschrift des 15. Jahrhunderts mit kolorierten Federzeichnungen beginnt mit einer predigthaften Ermahnung zur Reinerhaltung des Gewissens, die ein Meister dem Volke predigt. Die Zeichnung erinnert an Abbildung 107. Die Überschrift ist irreführend. (Hs. 145, fol. 5 a)

127. *Hadamars von Laber* Minneallegorie „Die Jagd" (ca. 1335) ist am besten in einer Donaueschinger Papierhandschrift von 1493 überliefert, die nach Ausweis des Siegels auf der ersten (abgebildeten) Seite aus der Sammlung des Freiherrn von Laßberg (vgl. Abb. 31) stammt. (Hs. 92, fol. 1 r)

128. In dem Lehrgedicht *Der Meide Kranz* (1350–1360), das Heinrich von Mügeln Kaiser Karl IV. widmete, entscheidet der Kaiser einen Rangstreit der zwölf als Jungfrauen personifizierten Wissenschaften und Künste zugunsten der Theologie. Eine 1407 entstandene bayrische Handschrift, wohl Kopie einer besseren Vorlage, stellt die zwölf Jungfrauen mit ihren Attributen in unschraffierten, getuschten Federzeichnungen dar, hier die Astronomie mit einem Sextanten. (Univ. Bibl. Heidelberg, cpg 14, fol. 14 v)

129. *Konrad von Ammenhausen, „Schachzabelbuch"*
Stuttgarter Handschrift

130. *Heinrich Wittenwilers „Ring"*
Meininger Handschrift um 1410

129. Der Thurgauer Mönch und Leutpriester *Konrad von Ammenhausen* bearbeitete 1337 das lateinische
Schachzabelbuch des Dominikaners Jacobus de Cessolis in deutschen Versen und gab in der allegorischen
Einkleidung der Schachfiguren eine breite Ständeschilderung. Etwa 25 erhaltene Handschriften bezeugen die
weite Verbreitung des Buches; eine illustrierte Stuttgarter Handschrift aus der Werkstatt Diebold Laubers
von Hagenau zeigt auf dem Eingangsblatt den Verfasser in einer prunkvoll ausgestatteten Mönchsklause
beim Übersetzen. (Cod. poet. fol. 2, Württ. Landesbibl., Stuttgart)

130. In seinem umfangreichen Epos „Der Ring" erzählt der Schweizer Magister *Heinrich Wittenwiler*
um 1410 mit einer merkwürdigen Mischung von grosker Komik und ernsthafter Belehrung von der
Bauernhochzeit des Bertschi Triefnas aus Lappenhausen, die in einen Raufexzeß ausartet und mit der
Vernichtung des Dorfes endet. Um seinen Zweck einer Enzyklopädie der Lebensführung zu verdeutlichen,
versah der Dichter die ernsthaften Partien (außer der Vorrede) mit roten, die schwankhaften mit grünen
Randlinien. Die einzige erhaltene Handschrift, die wohl unter den Augen des Dichters um 1410 als
Abschrift entstand, zeigt auf der Eingangsseite in der D-Initiale das Brustbild eines Mannes, der auf den
edelsteingeschmückten Ring verweist, darunter des Dichters Wappen. (Landesarchiv Meiningen, Nr. 29)

131. Der Rottenburger Hofkaplan *Antonius von Pforre* übersetzte vor 1480 im Auftrag der Pfalzgräfin
Mechthild nach einer lateinischen Vorlage die indische Fabelsammlung Bidpais „Pantschatantra" als
„Buch der Beispiele der alten Weisen" ins Deutsche und widmete sie dem Sohn seiner Auftraggeberin,
Graf Eberhard mit dem Barte von Württemberg. In der reichillustrierten Heidelberger Handschrift um
1480 liegt wohl dieses Widmungsexemplar vor, das vielleicht anläßlich der Gründung der Tübinger Universität 1477 angefertigt wurde. Die Fabel vom gierigen Hund, der, nach dem Spiegelbild des Knochens
im Wasser schnappend, seine Beute verliert, ist in einer skizzenhaft flüchtigen, doch sehr lebendigen Federzeichnung von weicher malerischer Wirkung dargestellt. Das phantastische orientalische Stadtbild im
Hintergrund deutet den Ursprung der Fabel an. (cpg 84, fol. 16 r, Univ. Bibl. Heidelberg)

132. Des Berner Dominikaners *Ulrich Boner* Fabelsammlung „Der Edelstein" von 1349 war eines der
beliebtesten Bücher des Mittelalters – 19 Handschriften sind erhalten – und wurde 1461 in Bamberg als
erstes deutsches Buch gedruckt. Unsere Abbildung aus der Münchner Papierhandschrift des 15. Jahrhunderts zeigt die Federzeichnung zur Fabel von Stadtmaus und Feldmaus. (cgm 576, fol. 13 v)

133. Das bekannte Tierepos vom *Reineke Fuchs*, die beliebteste Tierdichtung des Mittelalters, erschien in
niederdeutscher Bearbeitung zuerst Lübeck 1498 im Druck. Der mehrmals verwendete Holzschnitt zeigt,
wie der Hahn den Fuchs vor dem Löwen verklagt.

131. *Antonius von Pforre, Deutscher Bidpai. Heidelberger Hs. um 1480*

132. *Ulrich Boner, „Der Edelstein"*

133. *„Reynke de Vos"*

Hie fuert der pfarrer die pauren
nackat ein den sal vnd der her
tzog saß zu tisch mit der frawen
vnd seinen herren

Hie will der pfarrer mit dem
creütz gan vn nam die puch
für einen fan

134/135. Holzschnitte (von Dürer?) zum „Pfarrer von Kalenberg" (Nürnberg bei P. Wagner um 1490)

136/137. Holzschnitte zu „Neidhart Fuchs", vor 1500

134/135. Philipp Frankfurters *Geschichte des Pfarrers vom Kalenberg* (1473) sammelt eine Reihe von Schwänken über Verspottung der Bauern und Belustigung des Hofes um eine vielleicht historische Gestalt. In einem nur in einem Exemplar erhaltenen Druck von 1490 finden sich 36 relativ hochstehende Holzschnitte, in denen man Frühwerke Dürers, der in seiner Gesellenzeit auch als Buchillustrator tätig war (vgl. Abb. 16, 197, 198, 221), zu besitzen glaubt. Auf Abbildung 134 führt der Pfarrer eine Abordnung der Bauern zum Herzog, läßt sie sich aber nackt ausziehen, angeblich da der Herzog sie im Schwitzbad empfangen wolle, und bringt sie dann zur Belustigung der Gäste vor die tafelnde Hofgesellschaft. Auf Abbildung 135 trägt der Pfarrer bei einer Prozession statt einer Kreuzfahne eine Hose voran und zwingt die Bauern durch solche Schande, der Gemeinde eine neue Fahne zu kaufen.

136/137. Aus echten und unechten Liedern *Neidharts* von Reuenthal (Abb. 55), dessen Name noch mit einem historischen Neidhart Fuchs verwechselt wurde, schuf ein Verleger vor 1500 durch derbe Kompilation eine Schwanksammlung in biographisch angeordneten Liedern und Bauernschwänken, die ein Augsburger (?) Druck durch recht derbe Holzschnitte illustriert. Abbildung 136 zeigt einen der ältesten Neidhart-Schwänke, „Neidhart mit dem Veilchen": Eines Tages im Frühjahr findet Neidhart das erste Veilchen; er deckt es mit seinem Hut zu, um die Herzogin zu holen, damit sie es pflücke; ein Bauer hat ihn jedoch beobachtet und legt in seiner Abwesenheit Kot unter den Hut. Abbildung 137 zeigt einen im Druck fünfmal wiederholten Holzschnitt, der nach Art früher Drucke jeweils für die Kämpfe Neidharts mit den Bauern oder der Bauern untereinander eintritt.

138. Heinrich der Teichner. Berliner Hs.

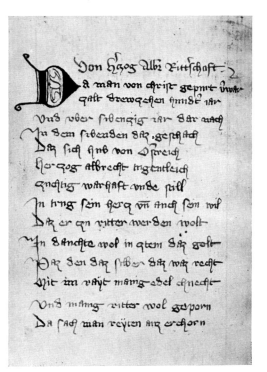

139. Suchenwirt. Wiener Handschrift

138. Heinrich der Teichner (ca. 1310–1377), mit den 70 000 Versen seiner „Reimreden" wohl der fruchtbarste deutsche Spruchdichter des Mittelalters, war kein Geistlicher, wie ihn die Miniatur darstellt, sondern ein bürgerlicher Laie aus Wien. Eine schwäbische Handschrift des Jahres 1472, geschrieben von Konrad Bollstatter genannt Müller, einem der bekanntesten mittelalterlichen Schreiber, stellt ihn in einer getuschten Federzeichnung am Schreibpult sitzend dar: „Hie heb ich an zu tichten und will gaystlich und weltlich Sachen verrichten." (Ms. germ. fol. 564, fol. 7 v, Staatsbibl. Berlin)

139. Der Spruchdichter Peter Suchenwirt (um 1330 bis 1395), der sich durch Ehrenreden auf verstorbene Fürsten und durch Wappendichtung einen Namen machte, beschreibt in seinem berühmtesten Gedicht „Von Herzog Albrechts Ritterschaft" eine Preußenfahrt Herzog Albrechts III. von Österreich aus dem Jahr 1377, an der er selbst teilnahm, die jedoch trotz seiner großen Worte außer wackeren Zechgelagen keine militärischen Erfolge zeitigte. Unsere Abbildung zeigt den Beginn des Gedichts in einer Wiener Hs. des 15. Jh. (Hs. 13 045, fol. 267, Österr. Nationalbibl. Wien)

140. Der Nürnberger Fastnachtsspiel- und Spruchdichter Hans Rosenplüt der Schnepperer (um 1400–1470) pflegte sich in seinen anspruchsvolleren Gedichten am Schluß selbst zu nennen: „Also hat geticht Hanns Rosenplüt". Die abgebildete Dresdner Papierhandschrift des 15. Jahrhunderts aus dem Besitz des Altdorfer Professors Chr. G. Schwarz enthält u. a. auch Rosenplüts Fastnachtsspiele und wurde von Gottsched für seinen „Nötigen Vorrat zur Geschichte der deutschen dramatischen Dichtkunst" (1757–1765) benutzt. (M 50, fol. 18 a, Sächs. Landesbibliothek Dresden)

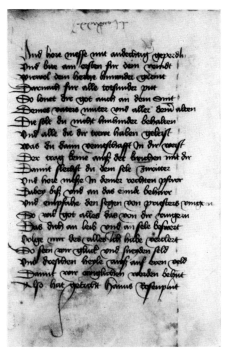

140. Rosenplüt. Dresdner Handschrift

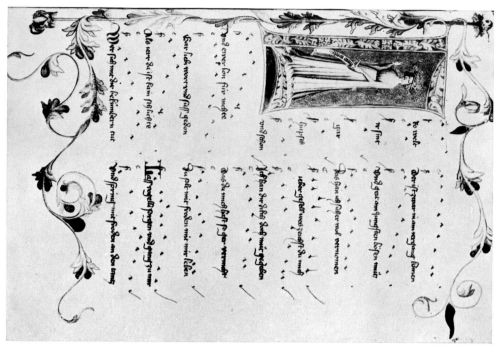

141. Hugo von Montfort. Heidelberger Handschrift um 1400

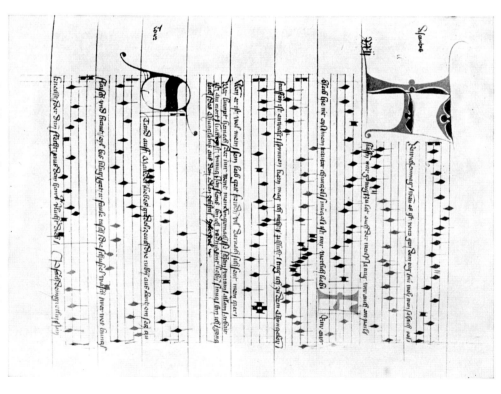

142. Oswald von Wolkenstein. Wiener Handschrift 1425

143. Oswald von Wolkenstein   *144. Burg Hauenstein in Tirol*

141. Graf *Hugo von Montfort* (1357–1423), der gewandte Staatsmann und zeitweilig – wie Ulrich von Lichtenstein – Landeshauptmann von Steiermark, ließ seine im ganzen recht farblosen Minne- und Ehelieder von seinem „getrüwen knecht" Burk Mangold in Bregenz vertonen und noch vor seinem Tode in einer prächtigen, mit reichen und sorgfältig gezeichneten Blattwerk- und Figureninitialen verzierten Pergamenthandschrift sammeln. Die abgebildete Seite zeigt eine dreiseitige Blattranke, die links um einen Stab gewunden ist. In der blauen Blattwerkinitiale (F) steht eine Frau mit einem Blütenkranz im Haar und einem Spruchband mit der Aufschrift „fraw werlt"; doch das Lied preist die Weltentsagung: „Fro welt, ir sint gar hüpsch und schön / und ewer lon für nichte." Die Singweise ist in gotischer Choralnotation aufgezeichnet. (cpg 329, fol. 33 r, Univ. Bibl. Heidelberg)

142. Der Südtiroler Ritter *Oswald von Wolkenstein* (1377–1445) ließ seine erlebnishaften, blutvollen Lieder in mehreren Handschriften sammeln, unter denen die Wiener Pergament-Handschrift von 1425, die aus einem Tiroler Kloster nach Wien kam, lange als eigenhändig galt. Das auf der unteren Bildhälfte mit der Singweise abgebildete Lied „Stand auff, Maredel, liebes Gredel" parodiert das höfische Wächterlied. die von der Hausfrau nach einer Liebesnacht mit dem Knecht geweckte Magd weigert sich, aufzustehen und die Hausarbeit zu besorgen: „arbait ist ain mort." (Österr. Nationalbibl. Wien, Nr. 2777, fol. 14 v)

143. Mit dem Porträt *Oswalds von Wolkenstein* in einer Innsbrucker Pergamenthandschrift, die 1442 von seinem Schreiber angefertigt wurde, besitzen wir das erste authentische und charakteristische Bildnis eines deutschen Dichters. Aus ihm spricht das eigenwillige und bewegte Leben dieses Mannes, der wohl schon in früher Jugend ein Auge verlor, zehnjährig von Hause wegging und sich dann 14 Jahre lang bis zum Tode seines Vaters als Pferdeknecht, Ruderknecht, selbst als Koch in der Fremde herumtrieb, die Türkei, Vorderasien, Nordafrika, Griechenland, Preußen, Livland, Rußland und England bereiste, zehn Sprachen beherrschte und auch später im Dienste Kaiser Sigmunds nach Savoyen, Frankreich und Spanien kam.

144. Die *Burg Hauenstein* am Nordhang des Schlern in Tirol fiel Oswald 1407 durch Erbteilung zu einem Drittel zu; die übrigen zwei Drittel gehörten der letzten Sprossin des Hauensteiner Geschlechtes, Barbara, verehlichte Jäger, mit der die Wolkensteiner durch mutwillige Übergriffe in dauernden Besitzstreitigkeiten lagen. Oswald, in einer seltsamen, auf Berechnung und Leidenschaft beruhenden Liebe zu deren Tochter Sabina Jäger ergriffen, wurde sogar durch sie in die Falle gelockt und gefoltert, doch ohne Erfolg: „es schat nicht, was die liebe tuet." Erst nach Sabinas Tod kam es zu einem Ausgleich, und Oswald konnte seinen Lebensabend auf Hauenstein verbringen, wie er es in einem Gedicht schildert: „Auff ainem kofel (= Kegel) rund und smal, /mit dickem wald umbvangen, /vil hoher perg und tieffe tal, / stain, stauden, stock, snestangen, / der sich (= sehe) ich täglich ane zal." Unser Bild zeigt den heutigen Zustand der Ruine.

Ern manūg d̄ cristēheit widd̄ die durkē

O Almechtig könig in hīmels tron
Der off ertrich ein dorne crone Vn̄
ein streit baner vō bluet roit Das heilge
crutze in sterbend not Selb̄ hat getragē
zu d̄ mart grois Vn̄ d̄ bitti dot nackt
vn̄ blois Dar an vmb mentschlich heil
gelittē Vn̄ vns do mit erloist vn̄ erstrittē
Vn̄ den bosē fyant vb wüttern Hilff vns
vorbas in allē stüden widd̄ vnser fynde
durcken vn̄ heiden Mache en pren bosen
gewalt leidē Den sie zu cōstantinopel in

146. „Ermahnung der Christenheit wider die Türken". Früher Typendruck 1454

Zu der non zeit
risset ihus mit lau-
te sym mein got
mein got wie hast-
tu mich verlassen
vnd neygt sein ha-
ubt vnd empfal
seinen geist seinem
himelischen vatte
herr kum vns zehilf

145. Holztafeldruck um 1450

145. Für die weitere Verbreitung der Literatur wurde der um 1440 von Johannes Gutenberg aus Mainz erfundene Buchdruck mit beweglichen Lettern von größter Bedeutung. Ein Vorläufer des Drucks mit beweglichen Lettern ist der etwa gleichzeitig weitverbreitete, jedoch meist nur für kleinere Texte erbaulicher Art wie hier zum Beispiel eine „Deutsche Passion" angewandte *Holztafeldruck*. Bei ihm wurden entsprechend dem Holzschnitt die Buchstaben stempelartig in einem Holzblock stehengelassen, eingefärbt, einseitig auf Papier abgezogen und ergaben Einblattdrucke und Blockbücher.

146. Der *Typen-(Buchstaben-)druck* vermeidet die Unregelmäßigkeit dieser Buchstaben, indem die Typen gleichmäßig ausgerichtet werden und gleiche Typen aus derselben Matrize stammen. Größere Initialen, Zierstriche für Großbuchstaben und für Überschriften wurden vom Rubricator nachträglich mit der Hand hineingemalt. Unsere Abbildung zeigt den Anfang des sogenannten „Türkenkalenders" für 1455, vermutlich des ersten deutschsprachigen Drucks, der nach den neuesten Forschungen jedoch nicht von Gutenberg selbst, sondern einem kleineren Mainzer Konkurrenten stammt.

147–150. Guten Einblick in eine Druckerwerkstatt bieten die Holzschnitte *Jost Ammans* aus Hans Sachs' „Eygentliche Beschreibung aller Stände ..." (1568): Der Formschneider schneidet nach Entwürfen die Patrizen (gehärtete Stahlstempel), von denen durch Einschlagen in gewalztes Kupfer die Matrizen (Hohlformen) abgenommen werden; der Schriftgießer füllt diese in ein

147. *Formschneider*

148. *Schriftgießer*

149. *Buchdrucker*

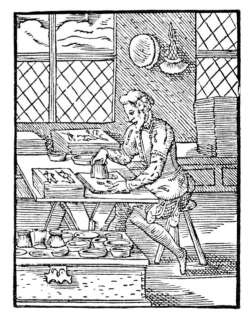

150. *Briefmaler*

zweischenkliges Gießinstrument – die wesentlichste Erfindung Gutenbergs – eingespannte und justierte Matrize vermittels eines Gießlöffels mit heißem Blei und schafft dadurch die Typen, die vom Schriftsetzer (Abb. 149 hinten) seitenweise zusammengesetzt werden; die Buchdrucker färben den Satz ein (Abb. 149 links) und ziehen ihn in der Presse auf einzelne Bogen ab (Abb. 149 rechts); der Briefmaler malt die Holzschnitte und Initialen mit dem Pinsel oder Stempeln farbig aus.

151. Flügelschrein der Nürnberger Meistersinger von 1621

152. Singschule. Ölgemälde um 1630

151. Eine im Jahre 1621 aus älteren Bestandteilen zusammengestellte Nürnberger Meistersingerlade in der Form eines kleinen Altarschreins enthält im Mittelteil drei im Jahre 1583 von dem Nürnberger Maler Franz Hein festgehaltene Szenen aus der Welt und dem Leben dieser meistersingerlichen Kunstübung. Auf der oberen Hälfte des inneren Bildes erscheint der königliche Psalmist David, der durch seine eigenen Psalmendichtungen und sein Harfenspiel zum Vorbild aller Meistersinger geworden war, verzückt vor der – in der Art der Darstellung stark an Dürer gemahnenden – auf einer dunklen Wolke einherschwebenden Heiligen Dreifaltigkeit, während über dem Haupt des königlichen Sängers zwei Engelputten mit Krone, Kranz und Szepter schweben; rechts an der Wand lehnt seine Harfe. Der untere Teil der Innentafel ist durch eine hölzerne Säule unsymmetrisch zweigeteilt: Auf dem linken Bilde sitzt (am äußeren linken Bildrand) Hans Sachs (vgl. Abb. 158, 161, 163) in einer Tafelrunde von zwölf Meistersingern, in denen man die sagenhaften zwölf Stifter der Kunstübung im 13. Jahrhundert zu erkennen glaubt, u. a. Wolfram von Eschenbach, Konrad von Würzburg, Reimar von Zweter, Klingsor, Heinrich von Ofterdingen, Heinrich Frauenlob, der Marner, Bartel Regenbogen, Heinrich von Mügeln. An der Vorhangstange im Hinter-

grund hängen ein „Gehänge", d. h. eine Kette mit dem Bilde Davids, der Ehrenpreis für das Schulsingen in der Kirche, und ein kleiner goldener Kranz, der Preis für den Sieger im weltlichen Zechsingen. Auf dem rechten Bild erscheinen in einer Kirche elf andere Meistersinger in drei Reihen sitzend, während ein zwölfter vom kanzelartigen Singstuhl aus – er befand sich in der Nähe der Predigtkanzel – seine neue Weise vorträgt. Die beiden aufgeschlagenen Flügeltüren des Schreins zeigen innen medaillonartig die vier hervorragendsten Meistersinger des 16. Jahrhunderts: Hans Gleckler, Thomas Grillenmaier, Georg Hager und Wolff Bauttner. (Germanisches Nationalmuseum Nürnberg)

152. Auf einem *Nürnberger Ölgemälde* um 1630 sitzt Hans Sachs auf dem Singstuhl vor einem Publikum von zwei Männern, zwei Frauen und zwei noch der Aufnahme in die Meistersingerzunft harrenden „Schülern" (vorne), während vom Vortragenden durch eine Wand getrennt hinter der hölzernen Balustrade die vier „Merker" Platz genommen haben und auf die Verstöße gegen die Tabulatur, das Regelbuch der Meistersinger, achten; hier sind es vier der sogenannten Stifter: Herr Frauenlob (s. zu Abb. 62), Herr Regenbogen, Herr Marner und Herr Mügling (= Heinrich von Mügeln, s. Abb. 128). (Germ. Nationalmuseum Nürnberg)

153. *Michael Behaim* (1416 bis rund 1474) aus Sulzbach bei Weinsberg, seines Zeichens Weber und Soldat, der bedeutendste Meistersinger des 15. Jahrhunderts, führte ein unstetes Wanderleben im Dienste verschiedener Fürsten und ließ viel Persönliches in seine Dichtungen einströmen, die er in mehreren Meistergesangbüchern zusammen mit den Singweisen in Choralnotation eigenhändig aufzeichnete. In dem abgebildeten Gedicht „in trummetten weis" aus der Münchner Handschrift schildert er allegorisch, wie er noch am Webstuhl „hinter die Kunst des Gedichts" kam, und vergißt sich selbst nicht zu nennen: „Ich michel peham von weinsperg sultzbach …" Die Notenschrift zeigt, auf 6 Linien geschrieben, bereits Tonartenschlüssel (c, f) und Zeitwerte; mit der Einfügung des Taktstrichs im 16. Jahrhundert fanden die Bestrebungen zur Aufzeichnung der Melodiebewegung (Abb. 39, 54, 97, 141, 142) ein Ende. (cgm 291, fol. 157 r)

154. Die Münchner Handschrift enthält auf dem ersten Blatt auch das *Wappen Michael Behaims.* Das Wappenschild mit einer Notenreihe kennzeichnet ihn als Meistersinger; als Helmzier dient eine gekrönte Sirene mit Schuppenschwanz, die ebenfalls ein Notenblatt in Händen hält. Nach einem bei Sulzbach stehenden Sühnkreuz mit einem ähnlichen Wappen wurde Behaim dort nach 1474 als Bürgermeister seiner Vaterstadt erschlagen. (cgm 291, fol. 1 v)

153. *Behaims Meistergesänge. Münchner Hs. 15. Jh.*

154. *Wappen des Michael Behaim. Münchner Hs.*

155. *Hans Folz. Zeichnung von H. Schwarz, um 1520*   156. *Hans Folz, Gedichte. Münchner Hs. 1496*

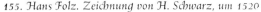

Von dem kunig Salomon
Vnd Marckolffo / vnd einem narrn / an hübsch Faßnacht spil new gemacht.

157. *Fastnachtsspiel von Hans Folz*

155. *Hans Folz*, der Barbier (= Wundarzt) aus Worms, verpflanzte 1479 den Meistersang nach Nürnberg und wurde gleichzeitig sein Reformator, indem er außer den Tönen der zwölf alten Meister auch neue Töne zuließ und den Meistertitel nur den Erfindern neuer Töne zuerkannte.

156. Die *Meisterlieder von Hans Folz* liegen in einer teilweise von ihm selbst geschriebenen Münchner Papierhandschrift von 1496 vor. Ihr vorwiegend religiöser Charakter zeigt sich gleich zu Anfang in dem ersten der Sammlung, dem Lied von Abendmahl und Passion Christi: „Einen fast andechtigen passian duglich zu singen in des munchs langem thon und in drey teil geteillt." (cgm 6353 fol. 1 r)

157. In Nürnberg lernte Hans Folz das *Fastnachtsspiel* kennen und führte ihm literarische Stoffe zu; so arbeitete er das Volksbuch von Salman und Morolf (s. Abb. 26) zu einem schwankhaften Streitgespräch der beiden um, an das sich eine Reihe von Streichen anschließt. Hans Folz besaß vermutlich neben seiner Baderstube eine eigene Druckerei, wo er seine Dichtungen in fliegenden Blättern selbst vervielfältigte.

158. Die *Einladung zu einer Singschule* der Nürnberger Meistersinger vom Ausgang des 16. Jahrhunderts (Originalgröße 14,9 × 25,3 cm), wie sie wenige Tage vor der Veranstaltung „an den äußern Thor, wordurch man zu der Catharinen-Kirch gehet, angemacht" wurde, ist mit einem Holzschnittporträt des Hans Sachs geschmückt, das Jost Amman zuerst 1578 nach einem Ölgemälde von Andreas Herneisen ausführte. Dieses etwas herbe und kraßrealistische Porträt des 81jährigen ist zum Vorbild

Uff heutiger Sing Schul geben etliche Liebhaber der Kunst den Meistersingern etliche Gaben zuversingen.

Hanns Sachs seines Alters 81. Jahr.

Darumb soll erstlich in dem Frey-
singen gesungen: Römische/und andere warhafftige Historien.

Soll das gemeß seyn/von 12 biß auff 4
Zu dem gleichen aber von 11 biß auff 12

In dem Hauptsingen soll gesungen werden auß dem alten
vnd newen Testament.

Soll das gemeß seyn von 20 biß auff 30
Zu dem gleichen aber von 30 biß auff 100

Man wird auch vorher ein schön
new Lied auff vnser Art vnd Weiß
zusammen singen.

Ihr Singer singt zu Gottes Lob/
Beweist der Kunst heut eine prob/
Wer das best thut/den wird man preisen/
Soll auch die best Gaß davon reissen/
Drumb ihr Singer thut euch befleissen.

Wer solches hören will / der komm nach ge-
haltener Mittags Predigt zu S. Catha-
rina/ so wird man anfangen.

158. Einladung der Nürnberger Meistersinger mit dem Bild Hans Sachs', Ende 16. Jh.

159. Hans Sachs' Wohnhaus in Nürnberg

160. Adam Puschmann

fast aller der zahlreichen späteren Hans-Sachs-Bildnisse geworden. (German. Nationalmuseum, Nürnberg)

159. Im Jahre 1542 erwarb der damals 48jährige Hans Sachs nach 23jähriger Ehe mit Hilfe der Erspar-
nisse, die ihm sein Handwerk und der Verkauf anderer Grundstücke eingebracht hatten – die Dichtungen
warfen damals kaum soviel ab – ein *neues Haus* in der Nähe des Nürnberger Spitalplatzes, in dem er
seinen Lebensabend zubrachte. Das Haus wurde nachher Gasthaus „zum güldenen Bären" und hat bis
zum Jahre 1832, aus dem die abgebildete Zeichnung von J. F. Klein stammt, seine äußere Gestalt kaum
verändert.

160. *Adam Puschmann* (1532–1600), ein Schüler des Hans Sachs, ist der Hauptvertreter des ostdeutschen
Meistersangs. Sein „Gründtlicher Bericht des Deudschen Meistergesangs mit angeheffter Schulordnung"
(1571) ist unsere Hauptquelle für den Meistersang. Das abgebildete Porträt von 1586 ist nach einer
Zeichnung in seinem Meistergesangbuch (Breslau, Stadtbibl.) umgezeichnet.

Als ich in Conterfeyhen wardt
am Tisch nach Poetischer art
Ein Kleines ketzlein wie ich sprich
Sie umb sein Vardt hier unner feriel
Ich Sprach Herr sachs sol ich darneben
dem ketzlein auch seine farb gebn
wie es sich da Streicht aufdem   Julde
bei leib nein sprach man geb mir
                                              diemuidt
das ich solt ein knarxbruder seiit
Darumb so mallt mirs Ja nit
                                    Hirein ~

161. Hans Sachs. Doppelbildnis von Andreas Herneisen. 1574

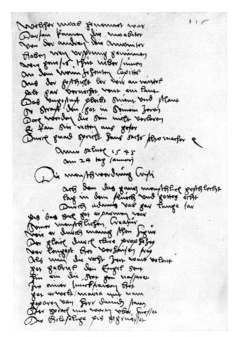

162. Handschrift des Hans Sachs

1545 : HANS . SACHS n. ALTER . 5 1 . IAR

163. Hans Sachs. Holzschnitt von M. Ostendorfer, 1545

Die Wittenbergisch Nachtigall
Die man yetz höret vberall.

Ich sage euch/wa dise schweygē/so werden die stein schreyt Luce.19.

Disputation zwischen einem Chorherren und Schuchmacher darin das wort
gottes vnnd ein recht Christlich
wesen verfochten würdt.
Hanns Sachs.
M D XXiiij.

Ich sage euch/wo dise schweygen/so werde die stein schreyen. luce.19

164. „Die Wittenbergisch Nachtigall". Druck 1523   165. Ein Reformationsdialog des Hans Sachs. 1524

161. Ein Ölgemälde auf Holz von Andreas Herneisen vom Jahre 1574 zeigt den achtzigjährigen Hans Sachs mit schneeweißem Haar, doch immer noch – zwei Jahre vor dem Tode – rüstig mit der Feder am gewohnten Schreibpult in seinem Arbeitszimmer. Er trägt unter einem pelzbesetzten ärmellosen Kittel eine helle Ärmeljacke und wendet sein Gesicht dem Beschauer voll zu. Auf seinem Pult spaziert ein graues Kätzlein, das der Maler auf des Dichters ausdrücklichen Wunsch ebenfalls im Bilde festgehalten hat: „Ein Kleines ketzlein wie ich sprich / Sie umb sein Bardt hier umer strich / Ich Sprach Herr sachs sol ich darnebn / dem ketzlein auch seine farb gebn" steht auf der an den Tisch gelehnten Tafel. Hans Sachs gegenüber sitzt in spanischer Tracht der Maler und vollendet ein zweites Brustbild des Dichters. (Herzog August Bibliothek, Wolfenbüttel)

162. Bei seinem Tode im Jahre 1576 hinterließ Hans Sachs seinen Enkeln als Zeichen seiner ungeheuren Schaffenskraft 34 handgeschriebene Bände seiner Dichtungen mit genauer Datierung der einzelnen Werke; von ihnen sind heute noch etwa 20 Bände erhalten. Unsere Abbildung zeigt in Zeile 13 die Namensnennung des Dichters am Schluß des Gedichts, anschließend die Datierung und den Anfang des nächsten Gedichts: „Die Menschwerdung Christi." (ms. germ. fol. 591, Staatsbibl. Berlin, fol. 116)

163. Das früheste erhaltene Bildnis des Hans Sachs, ein Holzschnitt von Michael Ostendorfer vom Jahre 1545, der 1546 von Hans Guldenmund als Einblattdruck verbreitet wurde, zeigt den 51jährigen auf der Höhe seines Wirkens, mit reichem Vollbart und in der Haltung und Kleidung eines stolzen Würdenträgers, eine beschriebene Rolle in der Hand, und im Gesicht den Ausdruck eines gütigen, zufriedenen Lächelns.

164. In der Wittenbergisch Nachtigall (1523) gab Hans Sachs seiner Sympathie zu Luther allegorisch Ausdruck: Beim Truglicht des Mondes (= der falschen Kirchenlehre) hat der Löwe (= Papst Leo) die Herde (= Christen) von ihrem Hirten (= Christus) in die Wüste veräußerlichten Gottesdienstes fortgelockt; dort fielen sie ihm und den Wölfen (= Priestern) zum Opfer oder wurden von habgierigen Schlangen (= Mönchen und Nonnen) ausgesogen, bis die Nachtigall (= Luther) den Aufgang der neuen Sonne (= des Evangeliums) verkündet, die die Herde wieder zu Christus weist. Der Titelholzschnitt stellt diese Allegorie bildlich dar; auch die Gegner Luthers, Hieronymus Emser, Dr. Eck und andere polemisierende Gelehrte, sind als Bock, Wildschwein und quakende Frösche vertreten.

165. Die Disputation zwischen einem Chorherren und Schuchmacher (1524) setzt die Propaganda für die Reformation unter demselben Motto (vgl. Abbildung) fort: Ein Schuhmacher (= Hans Sachs) bringt dem Chorherrn ein Paar neue Pantoffeln. Dieser erzählt, er habe gerade beim Gebet seine Nachtigall gefüttert, schimpft auf die „Wittenbergisch Nachtigall" und deren Verfasser und wird von dem bibelfesten Schuhmacher in die Enge getrieben, weil er sich im Evangelium nicht auskennt und, als seine Köchin ihm das „alte, verstaubte Buch" holt, sich in ihm nicht einmal zurechtfindet.

166. Gelehrte disputierend. Anonymer Kupferstich

166. Für das Zeitalter des *Humanismus und der Renaissance* als Reaktion gegen die mittelalterliche Weltanschauung ist die Rückkehr zur strengen, rationalen Wissenschaft und eine Reform des Bildungswesens zu freier wissenschaftlicher Forschung charakteristisch, die sich vor allem in der Gründung von Universitäten als Pflanzstätten humanistischen Geistes ausprägt. Die neue geistige Aufgeschlossenheit führte zu einer betriebsamen Gelehrsamkeit in der Erörterung auch philologischer und textlicher Fragen, wie sie unsere Abbildung darstellt.

167. Der Ulmer Arzt *Heinrich Steinhöwel* (1412–1482) übersetzte um 1475 das „Buch und Leben des hochberühmten Fabeldichters Äsopi". Auf der Rückseite des Titels der Erstausgabe, Ulm bei Joh. Zainer um 1475, zeigt ein Holzschnitt Äsop als groteske, bucklige Narrengestalt mit den Zügen eines derben Spaßmachers, doch einem sehr ausdrucksvollen Kopf, wie er mit demonstrierender Geste der Finger seine Lehre vorträgt, während um ihn herum, in freier Ausfüllung der Fläche, die Gegenstände, Tiere und Figuren seiner Fabelwelt als entmaterialisierte Elemente schweben.

168. *Niklas von Wyle* (um 1410–1478), Stadtschreiber zu Eßlingen und seit 1469 württembergischer Kanzler des Grafen Eberhard mit dem Barte, verdeutschte in seinen „Translationen" lateinisch-humanistische Kunstprosa. Der Holzschnitt auf dem Titelblatt eines Straßburger Drucks von 1510 zeigt eine höfische Widmungsszene (vgl. Abb. 16, 220) – die Translationen waren dem württembergischen Landhofmeister Georg von Absberg gewidmet. Links von dem Herrscher, vor dem der Verfasser kniet, sitzt sein geistliches, rechts sein weltliches Gefolge, davor Musikanten, Turnierreiter, Knappen und ein Herold.

169. Der gelehrte Bamberger Domherr *Albrecht von Eyb* (1420–1475) übertrug zwei Komödien des Plautus in zeitgenössische deutsche Umwelt und fügte sie als abschreckende Beispiele seinem „Spiegel der Sitten" an. Ein Holzschnitt aus dem Augsburger Erstdruck von 1511 zeigt den Verfasser nach dem alten Motiv des schreibenden Evangelisten (vgl. Abb. 82, 110, 129, 138) in seiner Gelehrtenstube am Schreibpult, bedächtig die Feder ansetzend. Neben dem Bild des disputierenden Gelehrten (Abb. 166) ist dieser Holzschnitt – wie auch die Hieronymus-Darstellungen von Dürer und Ghirlandaio – zum Sinnbild des in einsamer Klause schaffenden Gelehrtendaseins und damit des Humanismus schlechthin geworden.

170. Der Ulmer Bürgermeister *Hans Nythart* gab 1486 mit dem „Eunuchus" die erste deutsche Terenzübersetzung heraus, die der Ulmer Drucker Konrad Dinkmuth durch mehrere Holzschnitte illustrierte. Unsere Abbildung zeigt die Hetäre Thais und daneben den ihr nachstellenden Soldaten Thraso mit seinem Parasiten Gnatho, während Parmeno, der Sklave von Thais' Geliebtem, ihr als Geschenke seines Herren eine Mohrin und den Eunuchen Dorus zuführt, der jedoch ein verkleideter Liebhaber von Thais' Magd ist. Wie die Kleidung der Figuren dem deutschen Zeitstil, so entspricht auch die des Eunuchen mit Schellenkappe und Pritsche vollkommen der des deutschen Narren. Die eigenartigen perspektivischen Künste des Illustrators, der stark aus der Vogelschau zeichnet und die Figuren oft nur als Staffage seiner Architekturen benutzt, sollen jedoch kein Bühnenbild darstellen; die Übersetzung war durchaus als Lesedrama gedacht.

167. Heinrich Steinhöwel, Äsop. 1475

168. Niklas von Wyle, Translationen. 1510

169. Albrecht von Eyb. Holzschnitt 1521

170. Hans Nythart, Eunuchus. 1486

171. *Martin Luther*
Holzschnitt 1520

172. *Martin Luther*
Gemälde von Lukas Cranach, 1526

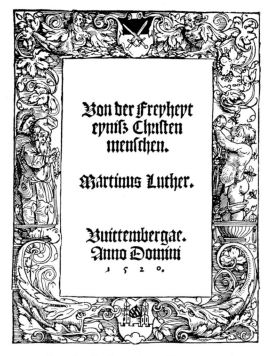

173. *„Von der Freiheit eines Christenmenschen"*
Titelblatt des Erstdrucks, 1520

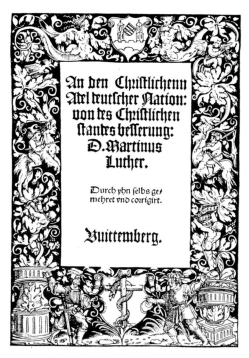

174. *„An den christlichen Adel deutscher Nation"*
Titelblatt der 2. Bearbeitung, 1520

175. Die Lutherstube auf der Wartburg. Heutiger Zustand als Gedenkstätte

171. Ein Holzschnitt von 1520 aus der Werkstatt von Lukas Cranach d. Ä. in Wittenberg, wie er in den Flugschriften der Reformationszeit verbreitet wurde: *Luther als Mönch* ohne Kopfbedeckung, zur Zeit des Reichstages von Worms (1521).

172. Ein Ölbild von 1526 zeigt *Luther* im Predigertalar und mit schwarzem Barett, zur Zeit nach dem Wartburg-Aufenthalt, der Übersetzung des Neuen Testaments, Luthers Heirat und den Bauernkriegen. (Kunstmuseum Bern)

173. Im Jahre 1520 erscheinen die Hauptschriften der Reformation, *Von der Freiheit eines Christenmenschen* (Druck von Johann Grünenberg in Wittenberg) bezeugt Evangelium und Glaube als einzige Stütze des Christen.

174. *An den christlichen Adel deutscher Nation* (Druck von Melchior Lotther in Wittenberg), von dem unsere Abbildung die Erstausgabe der zweiten, erweiterten Bearbeitung im gleichen Jahr (1520) zeigt, ist die eigentliche Programmschrift der Reformation.

175. Auf der *Wartburg* hielt sich Luther vom 4. Mai 1521 bis zum 3. März 1522 verborgen und übersetzte hier das Neue Testament.

176. *Philipp Melanchthon* (1497–1560) kam im August 1518 als Griechischlehrer nach Wittenberg und wurde der Freund und Berater Luthers in wissenschaftlichen Fragen. (Staatl. Gemäldegalerie Augsburg)

176. Philipp Melanchthon
Gemälde von Lukas Cranach, 1532

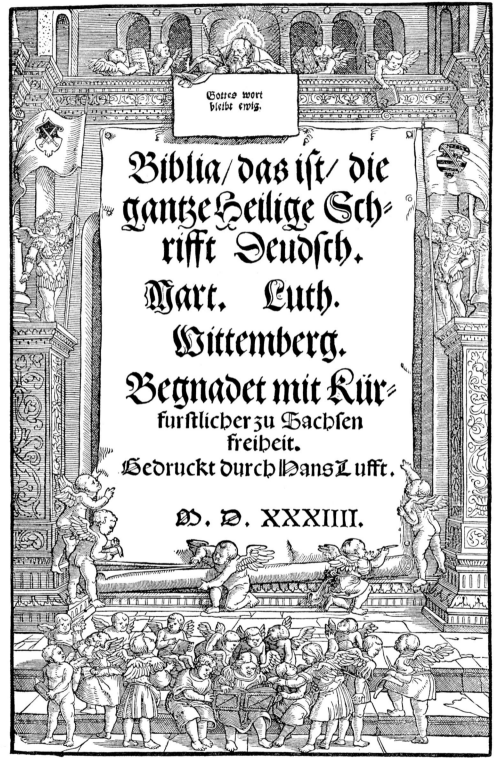

Gottes wort
bleibt ewig.

Biblia/ das ist/ die gantze Heilige Schrifft Deudsch.

Mart. Luth.

Wittemberg.

Begnadet mit Kür-furstlicher zu Sachsen freiheit.

Gedruckt durch Hans Lufft.

M. D. XXXIIII.

177. Titelblatt des Erstdrucks von Luthers vollständiger Bibelübersetzung, 1534

178. Luther mit anderen Persönlichkeiten der Reformationszeit. Gemälde von Lukas Cranach d. J., 1558

177. Im Jahre 1534 erschien bei Hans Lufft in Wittenberg, mit Holzschnitten aus der Werkstatt von Lukas Cranach d. Ä., die erste Gesamtausgabe der *Bibelübersetzung*, an der Luther über 17 Jahre lang gearbeitet hatte und die er bis zu seinem Tode ständig verbesserte. Das Werk trug durch seine weite Verbreitung über den deutschen Sprachraum entscheidend zur Bildung der neuhochdeutschen Schriftsprache bei; allein in den nächsten zwölf Jahren bis zu Luthers Tod (1546) erschienen 20 weitere Gesamtausgaben und über 300 Teil- und Nachdrucke.

178. Auf einem Gemälde „Die Auferstehung des Lazarus" von Lukas Cranach d. J. in der Blasiuskirche in Nordhausen erscheint *Luther im Kreis von anderen Persönlichkeiten der Reformationszeit:* ganz rechts Philipp Melanchthon (vgl. Abb. 176), anschließend Kaspar Cruciger, der mit Luther 1524 das erste evangelische Gesangbuch herausgab, Justus Jonas, der Mitarbeiter und Freund Luthers und spätere Reformator und Superintendent in Halle, Erasmus von Rotterdam (vgl. Abb. 181, 196) und Johannes Bugenhagen, der als Pfarrer in Wollin Luthers Bibelübersetzung 1534 ins Niederdeutsche übertrug.

179. Energie, Klarheit und Vernünftigkeit sprechen aus dem Leben wie aus dem Bild des Schweizer Reformators *Ulrich Zwingli* (1484–1531), das der bekannte Züricher Maler Hans Asper von dem Reformatoren in der Tracht eines Geistlichen schuf und dem er, als Zwingli im Entstehungsjahr dieses Bildes in der Schlacht bei Kappel gegen die Katholiken fiel, die Inschrift „Occubuit anno aetatis XLVIII, 1531" gab.

179. Ulrich Zwingli

Je nach volged etlich zema
le klüger vnd subtiler rede wi
sed / Wie einer wz genät d̃ ac
kermā von böhem / dem gar ein schö
ne liebe Frowe sin gemahel gestozbē
was / beschilcet den tod vnd wie der
tod im wider antwurt / vn̄ setzent al
so ie ein capittel vmb dz ander / der ca
pittel sint · xxxij · vnd vahet der acker
man an also zů klagen ·

180. „Der Ackermann und der Tod"
Basler Druck

Karst Hanns.

182. „Karsthans". Titel, 1521

181. Erasmus von Rotterdam
Gemälde von Hans Holbein d. J., 1523

180. Um 1400 schrieb Johann von Tepl (rund 1350 bis 1414), Notar in Saaz und Prag, das Streitgespräch zwischen dem *Ackermann aus Böhmen* und dem Tod, der ihm seine Frau genommen hat. Der Ackermann, der der stoisch-augustinischen Auffassung des Todes von der Nichtigkeit des Lebens das Recht des Menschen auf Leben, Schönheit und Glück entgegenhält, muß am Ende durch den Schiedsspruch Gottes erfahren, daß „jeder Mensch dem Tode das Leben, den Leib der Erde, die Seele uns zu geben pflichtig ist". Dieses erste und bedeutendste Denkmal der deutschen Renaissancedichtung ist in 16 Handschriften und 17 verschiedenen Frühdrucken erhalten. Unsere Abbildung zeigt den Basler Druck von Martin Flach 1474, ein koloriertes Exemplar mit eingemalten Initialen: oben eine Zusammenfassung des Inhalts, unten ein Holzschnitt, auf dem der Tod mit Köcher und Bogen, auf das Sterbebett gestützt, sich mit dem Bauern, der einen Dreschflegel über der Schulter trägt, unterhält. (Staatsbibl. Berlin, Eq. 9330, Bl. 1 r)

181. *Erasmus von Rotterdam* (1466–1536), der Hauptvertreter des deutschen Humanismus, gab mit den „Vertrauten Gesprächen" (Colloquia familiaria, 1518) seinen Beitrag zur humanistischen Dialogliteratur. Das Gemälde von Hans Holbein d. J. zeigt den Gelehrten, der seine Hauptwerke bereits geschrieben hat, auf der Höhe seines Lebens, mit einem Stilus und reichberingter Hand am Pult schreibend. Männliche Reife, würdiger Ernst und konzentrierte Geistigkeit sprechen aus seinen Mienen, und nur ein ganz leichter Anflug eines Lächelns um die Mundwinkel und um die dünnen Lippen gemahnt daran, daß derselbe Erasmus auch ein „Lob der Torheit" (Abb. 196) geschrieben hat.

182. Die Gestalt des *Karsthans*, des Bauern mit seiner zweizinkigen Hacke (= Karst) ist seit der abgebildeten, wohl Joachim Vadianus zuzuschreibenden Flugschrift eine stehende Figur der Reformationsdialoge geworden. Wie er hier zusammen mit seinem Sohn Studens gegen Thomas Murner (mit dem Katzenkopf) und Mercurius seinen evangelischen Glauben verteidigt und sich über die Niederlage

183. Huttens „Gesprächsbüchlein". Titel, 1521

184. Ulrich von Hutten. Holzschnitt 1521

¶Ain new lied herz Ulrichs von Hutten.

¶Ich habs gewagt mit sinnen
    vnd trag des noch kain rew
Mag ich nit dzan gewinnen
    noch můß man spüren trew
Dar mit ich main
    nit aim allain
Wen man es wolt erkennen
    dem land zů gůt
Wie wol man thůt
    ain pfaffen feyndt mich nennē

Wer wais ob ichs werd rechen
    Stat schon im lauff
So setz ich drauff
    Můß gan oder bzechen

¶Dar neben mich zů tröften
    Mit gůtem gwiffen hab
Das kainer von den böften
    Mir eer mag brechen ab
Noch sagen das

185. Huttens Lied „Ich habs gewagt mit Sinnen". Einblattdruck von 1521 (Ausschnitt)

Dr. Ecks in der Leipziger Disputation freut, so wird er in vielen späteren Flugschriften zum typischen Vertreter der Lehre Luthers aus den unteren Schichten, der gegen die Feinde des evangelischen Glaubens bisweilen auch grob und mit dem Dreschflegel dreinzufahren weiß.

183. Auf den vier Holzschnitten zu Huttens deutschem *Gesprächsbüchlein*, das Hutten bei Franz von Sickingen auf der Ebernburg übersetzte, erscheint oben König David, den zürnenden Gott besingend, links Luther über die Wahrheit grübelnd, rechts der streitbare Verfasser selbst und unten der Kampf gegen die katholische Priesterschaft.

184. Der fränkische Reichsritter *Ulrich von Hutten* (1488–1523) erscheint in dem Holzschnitt aus seinem „Gesprächsbüchlein" 1521 in fester Rüstung, mit dem 1517 erworbenen Dichterlorbeer gekrönt.

186. Nikodemus Frischlin. Anonymes Gemälde, 1634

Ein Geiſtlich ſpiel / võ
der Gotfurchtigen vñ keuſch=
en Frawen Suſannen / gantz luſtig
vnd fruchtbarlich zu leſen.

187. Rebhuhn, „Susanna". Titel, 1536

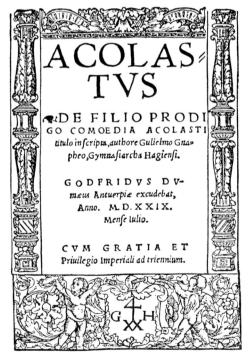

188. Gnaphäus, „Acolastus". Titel, 1529

189. Der Triumph Reuchlins. Holzschnitt, 1519

190/191. Gengenbach, „Die Gouchmatt", 1516

186. Der Tübinger Professor und bedeutendste neulateinische Dramatiker *Nikodemus Frischlin* (1547
bis 1590), dessen Humor und Temperament bei
seinen Kollegen viel Anstoß erregten, im 42. Lebensjahr; Ölgemälde im Besitz der Universität Tübingen.

187. Der Titelholzschnitt zu *Paul Rebhuhns* (rund
1505–1546) dramatischer Bearbeitung des biblischen
Susanna-Stoffes zeigt rechts den Überfall der
lüsternen Alten auf Susanna im Garten und gleichzeitig links im offenen Hause die Gerichtsszene.

188. *Wilhelm Gnaphäus* (1493–1568) gab in der
Bearbeitung des Verlorenen Sohn-Stoffes zu einer
lateinischen Schulkomödie das Vorbild für die
spätere Schuldramatik. Titelblatt der Antwerpener
Erstausgabe mit Holzschnittbordüre von Jan van
Ghelen.

189. Vom neulateinischen Komödiendichter und
Humanisten *Johann Reuchlin* (1454–1522) ist kein
echtes Porträt erhalten. Unsere Abbildung bildet
einen Ausschnitt der Illustration zu einer Schrift
Huttens, die Reuchlin als Sieger im Dunkelmänner-
streit feiert.

190/191. *Pamphilius Gengenbachs* (rund 1480 bis
1524) Fastnachtsspiel „Die Gouchmatt" (= Narrenwiese) läßt Vertreter verschiedener Stände von Frau
Venus zum Tanze geladen und ausgeplündert werden. Die beiden Figurinen zeigen den Krieger vor
und den Ehemann nach der Ausplünderung.

192. Der größte Schweizer Reformationsdramatiker
Nikolaus Manuel (rund 1484–1530) trat mit dem
Schweizerdolch-Monogramm auch als bedeutender
Maler hervor und illustrierte seine Schriften zum
Teil selbst. (Kunstmuseum Bern)

193. *Burkart Waldis* (1495–1557) schuf die bedeutendste Dramatisierung der Parabel vom Verlorenen Sohn: Der Vater steckt dem Heimgekehrten
den Ring an den Finger, ringsum warten die Diener
mit Lamm, Kleid und Schuhen.

192. Nikolaus Manuel, Selbstbildnis

De parabell vam vorlorn Szohn
Luce am rv. gespelet vnnd Christlick gehandelt
nha ynnholt des Teres, ordentlick na dem
geystliken vorstande sambt aller vn-
stendicheit vthgelacht, Tho
Ryga ynn Lyfflande, Am
rvij. dage des Monts
Februrij.
M. D. rrvij.

*193. Burkart Waldis, „Der verlorene Sohn".
Titel, 1527*

194. „Epistulae obscurorum virorum" II, 1517   195. Kaspar Scheidt, „Grobianus". 1551

196. Erasmus' „Lob der Torheit" mit Randzeichnungen von H. Holbein d. J.

194. Die *Epistulae obscurorum virorum* (= Briefe der Dunkelmänner) sind der Todesstoß der Humanisten gegen die mittelalterlich Scholastik, fingierte Briefe scholastischer Theologen, in schlechtem Küchenlatein verfaßt, in karikierter Beschränktheit und Frömmelei. Verfasser der ersten Sammlung war Crotus Rubeanus, der zweiten Sammlung, deren Titelbild in portalähnlicher Umrahmung die lesend und schreibend im Kreise sitzenden Dunkelmänner zeigt, waren Hutten und Graf Hermann von Neuenaar.

195. *Kaspar Scheidt* (1520–1565), der Wormser Schulmeister und Lehrer Fischarts, übersetzte und erweiterte 1551 den lateinischen „Grobianus" des Lüneburger Pfarrers Friedrich Dedekind. Diese satirische Tischzucht, das erfolgreichste Buch ihrer Art (in 10 Jahren 23 Ausgaben!) bekämpfte den Sittenverfall ironisch, indem sie das flegelhafte Benehmen der als Schweine, Hunde usw. dargestellten Grobianer der Lächerlichkeit preisgab und zur Nachahmung empfahl. Die auf dem Titelholzschnitt der Erst-

197. Brants „Narrenschiff". Titelblatt, 1494

198. Der Büchernarr aus dem „Narrenschiff"

ausgabe (Worms, Gregorius Hoffmann) dargestellten Situationen scheinen diesem Zweck der
Abschreckung vollkommen zu entsprechen.

196. Im Jahre 1510 schrieb Erasmus von Rotterdam
in England im Hause seines Freundes Thomas
Morus, um sich die Zeit des Wartens auf seine
Bücher zu verkürzen, sein *Encomion morias seu laus
stultitiae* (= Lob der Torheit). Ein Exemplar der
2. Auflage (Basel 1516) hat Hans Holbein d. J. mit
köstlichen Randzeichnungen versehen: Panfiguren.
(Öffentliche Kunstsammlung Basel)

197/199. Das *Narrenschiff* des Basler Doktors Sebastian Brant (1457–1521) bildet den Anfang der
zeitgenössischen Narrenliteratur, die die Narrhei-
ten verschiedener Personen und Stände aufzeigt.
Die Grundidee, alle Narren auf einem Karren
(oben) oder einem Schiff (unten) zu sammeln, wird
jedoch nicht konsequent durchgeführt. Die 114 Holzschnitte des Basler Erstdrucks von 1494 (Joh. Berg-
mann von Olpe) nach Brants Angaben stammen
vermutlich von Albrecht Dürer, der schon in seiner
Gesellenzeit als Buchillustrator tätig und 1492–1494
in Basel beschäftigt war.

198. Der *Büchernarr:* „Von büchern hab ich großen
hort, / Verstand doch drinn gar wenig wort / Und
halt sie dennacht in den eren, / Das ich inn wil der
fliegen weren. / Do mit loß ich begnügen mich, /
Das ich vil bücher vor mir sich (= sehe)."

199. Sebastian Brant
Holzschnitt von 1590 aus Reußners „Icones"

Der schelmē zūfft

Die schelmen zunfft hatt mich erwelt
Und für eyn schreyber har gestelt
Für sy alle vornan dran
Den ich eyn schelmen kennen kan

200. Murner, „Schelmenzunft". Titel, 1512

201. Murner, „Schelmenzunft"

Cantzler.

Welch im feld geuch faßen wellen
Die müssendt geuch zü locken stellen
Darumb das ich wol locken kan
Handt sy mich gestellet vornan dran
Guck guck, faß ich zům ersten an

202. Murner, „Die Geuchmatt"

Von dem grossen
Lutherischen Narren wie in
docto: Murner beschworen hat. ꝛc.

203. „Von dem großen Lutherischen Narren", 1522

Esopus/
Gantz New gemacht/ vnd
in Reimen gefaßt. Mit sampt
hundert Newer Fabeln/
vormals im Druck nicht ge
sehen/noch außgan-
gen/ Durch

Burcardum Waldis.

Anno **M. D. XLVIII.**

Etliche fabel Esopi
verteutscht vnnd
ynn Rheymen bracht durch
Erasmum Alberum.

Sampt anderen newen Fabeln
fast nutzbarlich vnd
lustig zu lesen.

Getruckt zu Haganaw Im Jar
M. D. XXXiiij.

204. *Waldis*, „Esopus". 1548   205. *Alberus*, „Etliche Fabeln Esopi". 1534

200. Der Straßburger Franziskaner Thomas Murner (um 1470–1535) setzte die von Brant begonnene Narrenliteratur fort und wandte sich in satirischen Schriften gegen die Reformation. Seine *Schelmenzunft*, die von volkstümlichen Redensarten ausgehend, die sittlichen Schäden der Zeit aufzeigt, erschien 1512 in der Frankfurter Druckerei seines Bruders Beatus Murner in einer sehr schönen, mit Randleisten und 34 Holzschnitten verzierten Ausgabe. Die recht primitiven Holzschnitte dieser Erstausgabe gehen vielleicht auf Entwürfe von Murner selbst zurück, der sich auch späterhin als Zeichner betätigt hat. Der Titelholzschnitt zeigt den von drei Fliegen umschwärmten Schreiber der Schelmenzunft im Gespräch mit dem Zunftmeister oder einem anderen vornehmen Mann, dessen Namen er notiert.

201. In der zweiten Auflage seiner „Schelmenzunft", Straßburg 1512, ließ Murner die aus Frankfurt mitgebrachten Holzschnitte der Erstausgabe verwenden; die neu hinzugekommenen Teile erhielten teils keine, teils dieselben, teils aber auch ganz fremde Holzschnitte. So stammt der charakteristisch scharfe Holzschnitt zum *Verlorenen Sohn*, der sich dem Stil der übrigen Illustrationen nicht anpaßt, vermutlich aus einem anderen Straßburger Werk über dies beliebte Thema. Die drei um einen runden Tisch sitzenden Zechenden gießen einem vierten, der auf dem Tisch liegt, aus einem Becher Wein in den Mund; ein fünfter Trunkener liegt bereits an der Erde. Die Anfügung des „Verlorenen Sohnes" als Abschluß gab der „Schelmenzunft" eine geistliche Wendung, indem seine Abkehr vom Schelmentreiben als beispielhaft dargestellt wird.

202. Murners Satire auf die Liebesnarrheit, *Die Geuchmatt* (= Narrenwiese, vgl. Abb. 190/191), konnte erst vier Jahre nach der Entstehung, 1519, gedruckt werden, da das Manuskript auf Betreiben des Ordens beschlagnahmt worden war. Am Anfang des Basler Drucks von Adam Petri von Langendorf steht auf Blatt 8 a ein Holzschnitt von Ambrosius Holbein, der den Kanzler der Gäuche darstellt. Aus dem zugehörigen Text und der für einen Kanzler der Gäuche recht auffälligen Mönchskutte geht hervor, daß es sich bei diesem Holzschnitt um ein Porträt Murners handelt. Die Stellung des Kanzlers entspricht übrigens der des Schreibers der Schelmenzunft (Abb. 200), die herkömmliche künstlerische Darstellung der des schreibenden Evangelisten (vgl. Abb. 169).

203. Murners aggressiv persönlich gehaltene Reformationssatire wurde mit Holzschnitten nach Murners eigenen Entwürfen illustriert, denen bei aller dilettantischen Kunstlosigkeit ein dramatisches Element eignet. Unter dem Spruchband, dessen lateinische Inschrift besagt, daß es bisweilen höchste Klugheit sei, die Torheit zu zermalmen, zieht Murner mit dem Katzenkopf – er wurde als Murr-Narr verspottet – dem unter einer Narrenkappe steckenden Luther eine Bruch (= Unterhose) und allerhand kleine Narrenkobolde aus dem Munde. Diese Hose, wohl eine Anspielung auf eine Spottgeschichte um Murner, der sich einmal nach einem galanten Abenteuer nur mit der Hose in der Hand habe retten können, wird später in den Hochzeitskuchen eingebacken und von Luther und den anderen Gästen verzehrt.

204/205. Die beiden wichtigsten Fabelbücher der Reformationszeit. Vgl. Abb. 167 und 193.

206. Johannes Pauli „Schimpf und Ernst". 1522

207. Jakob Frey „Die Gartengesellschaft"

208. Michael Lindner „Rastbüchlein"

209. H. W. Kirchhof „Wendunmut". 1563

Das Rollwagen büchlin.

Ein neuws / vor vnerhörts Büchlein
darin vil guter schwenck vnd Historien begriffen
werden / so man in schiffen vñ auff den rollwegen/
desgleichen in scherheüsern vñ badstuben / zuläg
weiligen zeit erzellen mag / die schweren Melan
colischen gemüt damit zu ermunderen / vor aller
menigkklich sunder allen anstos zu lesen vnd hört
allen Kauffleuten so die Messen hin vñ wider
brauchẽ / zu einer kurtzweil an tag bracht
vnd widerum erneuwert vñ gemeert
durch Jörg Wickramen / Statt
schreiber zu Burckhaim /
Anno 1 5 5 7.

Der Goldtfaden.

Ein schöne liebliche vnd

kurtzweilige Histori von eines armẽ hir
ten son / Lewfrid genant/ welcher auß seinem fleißigen studie
ren / vnd der dienstbarkeyt / vnd Ritterlichen thaten eines Gra
uen Tochter vberkam/ allen Jungen knaben sich der tugendt
zübefleissen/fast dienstlich zü lesen/Newlich an tag
geben durch Jörg Wickram von
Colmar.

Getruckt zü Straßburg bey
Jacob Frölich.

210. *Jörg Wickram „Rollwagenbüchlein"*   211. *Jörg Wickram „Der Goldfaden".* 1557

206. Am Anfang der deutschen Schwankbücher steht die Sammlung *Schimpf* (= Scherz) *und Ernst* des Elsäßer Franziskaners Johannes Pauli (um 1450–1530), von deren 693 Erzählungen zwei Drittel dem Scherz, ein Drittel dem Ernst gewidmet sind. Trotz der im Gegensatz zu den späteren Sammlungen bieder-moralischen Grundhaltung verwundern die heiligen und biblischen Gestalten auf dem reichverzierten Titelblatt (unten: St. Sebastian, Enthauptung Johannes des Täufers, St. Christophorus, links St. Martin, rechts der Sündenfall, oben St. Georg u. a. m.): Der Straßburger Drucker Johannes Grieninger verwendete den Titelrahmen des im gleichen Jahre bei ihm erschienenen Evangelibuches einfach zum zweitenmal.

207. Für ein derberes Publikum als die harmlosen Erzählungen Paulis und viel realistischer, bis zur Neigung zur Zote, ist Jakob Freys *Gartengesellschaft* (zuerst 1527), deren 129 Schwänke, wie der Titel angibt, zum Vorlesen oder Erzählen „in den schönen Gärten, bei den kühlen Brunnen, auf den grünen Wiesen bei der edlen Musik, auch andern ehrlichen Gesellschaften" bestimmt sind. Eine solche Gesellschaft erscheint auf dem abgebildeten Holzschnitt eines späten Nachdrucks um 1600.

208. Michael Lindners *Rastbüchlein* enthält 28 Schwänke „den Feiernden oder sonst Ruhenden lieblich zu lesen und anzuhören" und erschien zuerst 1558. Der vermutlich spätere Wolfenbüttler Druck ohne Ort und Jahr zeigt auf dem Titelholzschnitt eine solche Erzählsituation zwischen einem mit ineinandergelegten Händen sitzenden Liebespaar, zu deren Füßen ein Hund liegt, während die Frau hinter einem Baumstamm die beiden zu belauschen scheint.

209. Hans Wilhelm Kirchhof (um 1525–1603), der Landsknecht und spätere Burggraf zu Spangenberg, veröffentlichte mit seinem 2083 Erzählungen in sieben Büchern umfassenden *Wendunmut* 1563–1603 die umfangreichste Schwanksammlung. Titelblatt der Erstausgabe des ersten Buches.

210. Das *Rollwagenbüchlein* (zuerst 1555) des Kolmarer, später Burgheimer Ratschreibers und Buchhändlers Jörg Wickram (um 1505–1562) wendet sich im Titel besonders an die auf Rollwagen zur Messe reisenden Kaufleute und zeigt im Titelholzschnitt dementsprechend ein solches vierspänniges Beförderungsmittel, auf dem sich im Vordergrund, zwischen den Rädern sitzend, zwei Kaufleute unterhalten. (3. Aufl. 1557)

211. Jörg Wickrams Liebesroman *Der Goldfaden*, der von der Liebe eines Hirtenknaben zu einer Grafentochter erzählt, wurde noch während des Drucks (1554–1557) umgestaltet. Der gerichtliche Zweikampf eines nackten Mannes mit einem Löwen, wie ihn der schon 1554 gedruckte Titelholzschnitt darstellt, entfiel vermutlich bei dieser Gelegenheit, so daß der Holzschnitt zum Roman keine Beziehung mehr hat.

Ein Schöne vnd doch klägliche History / von dem sorglichen anfang

vnd erschrocklichen vßgang / der brinnenden liebe / Namlich vier Personen betreffen / zwen Edle Jüngling von Pariß / vnd zwo schöner junckfrawē vß Engelandt / eine des Künigs schwester / die an der eines Graffen tochter. Allen junckfrawen ein güte warnung fast kurtzweilig zū lesen.

Amadis auß Franckreich. 451

Das XX. Capitel.

Wie Amadis vom Arcalao verzaubert worden / als er das Fräwlin Grindalia / vnd andere auß der Gefencknuß erlöst. Folgendts wie er von solcher zauberey durch der Vrganden hülff / erlöst worden.

As Freuwlin Grindalia / welche Amadis auß d' gefecknuß erledigt / bekümert vñ stellet sich so erbärmlich vmb jne / daß solches billich mitleidens verdient habē solt / vñ sagt zu des Arcalaus weib vñ Gg ij andern

212. Wickram, „Gabriotto und Reinhard". 1511

213. Amadis. Holzschnitt von Virgil Solis, 1569

212. Wickrams Ritterroman *Gabriotto und Reinhard* ist der erste deutsche Originalroman nach vollständig eigener Erfindung: die tragische Liebe von Rosamunda, der Schwester des Königs von England, und deren Genossin, der Grafentochter Philomena, zu den bürgerlichen Jünglingen Gabriotto und Reinhard. Auf dem Titelholzschnitt des Erstdrucks (Straßburg, bei Jakob Frölich) überreicht Philomena dem in ritterlicher Rüstung einherschreitenden Gabriotto einen Ring, der ihm später zum Verderben werden soll.

213. Der galant-ritterliche Liebes- und Abenteuerroman *Amadis aus Frankreich* wurde 1569–1595 in 24 Büchern unter Mitwirkung Fischarts ins Deutsche übersetzt und erschien bei Sigmund Feyerabend in Frankfurt mit Holzschnitten von Virgil Solis. Auf unserer Abbildung (zu Buch I, Kap. 20) befreit eine Jungfrau den durch Zauberei gefangenen Helden Amadis (= Amadeus) aus dem Kerker des Arkalaus.

214. Die nach 1570 für seinen Verleger Jobin entstandene Zeichnung zeigt den Satiriker und Polemiker *Johann Fischart* (1546–1590) im reifsten Mannesalter mit scharfgeschnittenen, kräftigen Gesichtszügen und großen, streng blickenden Augen in der damals üblichen spanischen Modetracht mit zugespitztem Vollbart, hohem, rundem Hut und emporstehender Halskrause. Sie erschien 1607 in Fischarts „Ehezuchtbüchlein".

215. Fischarts *Aller Praktik Großmutter*, die er zuerst in der abgebildeten kürzeren Fassung unter dem Namen Winhold Wüstblüt vom Nebelschiff (siehe Zeile 7 des Titels) veröffentlichte, ist eine glänzende Parodie der damals weitverbreiteten Horoskop- und Wahrsager-Praktiken. Auf dem Titelholzschnitt läßt sich ein rittlings auf dem Ziegenbock sitzender, tölpelhafter Bauer mit Sense von einer auf einem zweirädrigen Karren wie auf einem Triumphwagen hockenden, schlampigen Frau prophezeien, die links einen Speer (Siegeszeichen) und rechts eine Gans (Symbol der schwatzhaften Alten) und einen bogenschießenden Affen (Symbol des Teuflischen) hält.

216. Fischarts *Glückhaft Schiff von Zürich* besingt die schnelle Fahrt der Zürcher Mannschaft rheinab zum Straßburger Schützenfest am 20. Juni 1576, die als Zeichen der Hilfsbereitschaft und Nachbarschaft einen in Zürich gekochten Hirsebrei nach 18 Stunden dort noch warm überreichte. Unsere Abbildung zeigt eine der beiden Straßburger Originalausgaben von 1577 nach dem verlorenen Erstdruck von 1576, mit dem Druckfehler „Gesellchaft" (Zeile 5). An der Fahrt hat Fischart selbst teilgenommen.

217. Der Titel der zweiten, stark erweiterten Auflage von Fischarts *Geschichtsklitterung* (1582), einer stark aufschwellenden Übersetzung des 1. Buches von Rabelais' „Gargantua et Pantagruel" ist charakteristisch für seine in deutscher Sprache einzigartigen und nachfolgelosen Wortverdrehungen.

214. *Johann Fischart. Holzschn. von Chr. Maurer*

Aller Practick Großmutter.

Ein dickgeprockte Newe
vnnd trewe / laurhaffte vnnd jmmer-
daurhaffte Procdick / auch possierliche / doch mit
verführliche Ptuchnasticatz sampt einer gecklichen vnd auff alle jar
gerechten Laßtasseln : gestellet durch güt duncken / oder güt truncken des Stirn-
weisen H. Winhold Wäßtblät vom Nebelschiff / des Königs Artjus von
Landagrewel höchsten Himmelgaffenden Sterngauckler / Practick-
träumer vnd Kalender reimer : Sehr ein räß kurtzweilig
geläß / als wann man Haberstro äß.

Kumm Kratzen vnd Brieffelegen / nach
laut der Pructick.

M. D. LXXII.

215. *„Aller Praktik Großmutter". 1572*

Das Glückhafft Schiff
von Zürich.

Ein Lobspruch / vonn der
Glücklichen vnd Wolfertigen Schiffart / einer
Burgerlichen Gesellchafft auß Zürich / auff das auß-
geschriben Schiessen gen Straßburg den 21. Junij /
des 76. jars / nicht vil erhörter weis
vollbracht.

Dazu eines Neidigen Verunglimpfers schant-
licher Schmachspruch / von gedach-
tem Glückschiff:

Samt desselbigen Notwendigem
Kehrab ist gethan worden.

Sal. iij.
Sein zeyt hat bawen vnd die freüd /   Fürnemlich aber hat sein zeyt
Sein zeyt hat brechen vnd das leyd: Schweigen vnd Reden / Fried vnd Streitt

216. *„Das glückhaft Schiff". 1577*

Affenteurlich Naupengeheurli-
che Geschichtklitterung /

Von Thaten vnd Rahten der
vor kurtzen langen weilen Vollenwol-
beschreiten Helden vnd Herrn

Grandgusier/Gargantoa vnd Panta-
gruel / Königen inn Vtopien / Jedewelt vnd Nienen-
reich / Soldan der Neuen Kannarien vnd Oudyssen
Inseln: auch Großfürsten im Nubel Nibel Nebelland / Erbvögte
auff Nichtburg / vnd Niderherren zu Nullibingen / Nul-
lenstan vnnd Niergendheym.

Etwan von M. Frantz Rabelais Frantzösisch ent-
worffen : Nun aber vberschrecklich lustig inn einen Teut-
schen Model vergossen / vnd vngefärlich obenhin / wie man den Grindigen laußt /
inn vnser Muterlallen vber oder druder gesetzt. Auch zu disem Truck wider auff den Ampoß gebracht / vnd dermassen Pantagruelisch ver-
posset / verschmidt vnd verdängelt / daß nichts ohn ein
Eisen Näsi dran mangelt:
Durch Huldrich Elloposcleron.

Si laxes crepit: Si premas erumpit.
Zu luck entrnetztzt: Ein Truck entzwechtz.

Im Fischen Gilts Mischen.
Getruckt zur Grensing im Günsserich. 1582

217. *„Geschichtsklitterung". 1582*

218. *Georg Rollenhagen. Kupferstich von 1671*   219. *Rollenhagen, „Froschmeuseler". 1595*

218. *Georg Rollenhagen* (1542–1609), der als Prediger und Rektor in Magdeburg das Magdeburger Gymnasium zur besuchtesten Schule Norddeutschlands machte, verfaßte neben mehreren deutschen Schuldramen biblischen Stoffes, die von seinen Schülern aufgeführt wurden, das politisch-satirische Tierepos „Froschmeuseler".

219. Rollenhagens *Froschmeuseler* wurde schon 1571 in einem poetischen Wettkampf begonnen und erschien in Magdeburg 1595 unter dem Verfassernamen Marcus Hüpffinsholtz von Meusebach. Nach dem Vorbild der pseudohomerischen „Batrachomyomachie" vom Kampf der Mäuse und Frösche entstand ein humorvolles Zeitbild in Tiergestalt. Auf dem Titelholzschnitt stehen sich die Heere der Frösche und Mäuse in Schlachtordnung gegenüber, im Vordergrund die beiden gekrönten und berittenen Könige, mit Schild und Lanze ausgerüstet.

220. Holzschnitt auf der Rückseite des Titelblattes der von Celtis 1501 besorgten ersten Druckausgabe der Werke des Hrotsvitha von Gandersheim (s. Abbildung 16): *Konrad Celtis* (1459–1508), der Humanist und bedeutendste neulateinische Lyriker, erster deutscher gekrönter Dichter, überreicht mit dem Lorbeerkranz in der Hand dem Kurfürsten Friedrich von Sachsen seine Hrotsvitha-Ausgabe. Der Holzschnitt geht vermutlich auf eine etwa 1494 entstandene Zeichnung von der Hand Dürers zurück, die von einem weniger geübten Formschneider in Holz geschnitten und dabei etwas verzerrt wurde.

221. Die Darstellung der *Philosophie* in Celtis' lateinischer Gedichtsammlung „Quattuor libri amorum" („Vier Bücher Liebschaften", Nürnberg 1502) stammt nach Ausweis des Monogramms am Ende des herabhängenden Schriftbandes von Albrecht Dürer; die etwas steife Komposition hingegen geht auf genaue Vorschriften des Dichters selbst zurück: inmitten eines Kranzes von viererlei verschiedenem Laub thront die gekrönte Philosophie mit Büchern und Szepter in den Händen. Die vier runden Schilder des Kranzes zeigen oben Ptolemäus als Vertreter der ägyptischen Priesterschaft, rechts Platon als Vertreter der griechischen Philosophie, unten gleichzeitig Cicero und Vergil für die lateinische Dicht- und Redekunst und links Albertus Magnus als Vertreter deutscher Weisheit. Die vier Windeshäupter in den Ecken sind Sinnbilder zugleich der vier Elemente und der vier Temperamente: oben links Zephir-Feuer-Choleriker, rechts Eurus-Luft-Sanguiniker, unten rechts Auster-Wasser-Phlegmatiker und links Boreas-Erde-Melancholiker. Allen Zeiten und Naturgewalten steht die Philosophie als eine einzige, einheitliche Kraft gegenüber.

222. Die *Insignien der Dichterkrönung*, Szepter mit Reichsadler, Ring, Barett, Siegel des Wiener Dichterkollegiums und Lorbeerkranz, wurden von Kaiser Maximilian I. dem schon 1487 von Friedrich III. zum Dichter gekrönten Konrad Celtis verliehen, der als Leiter des am 31. Oktober 1501 eingesetzten und am

220. Konrad Celtis. Holzschnitt von A. Dürer, 1501

221. Die Philosophie. Holzschnitt von A. Dürer, 1502

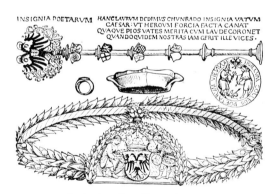

222. Insignien des „Poeta laureatus".
Holzschnitt von Hans Burgkmair, 1505

1. Februar 1502 feierlich eröffneten Wiener Dichterkollegiums kraft dieser Insignien die kaiserliche
Vollmacht hatte, an Stelle des Kaisers Dichterkrönun-
gen vorzunehmen.

223. Der Erfurter Humanist Helius Eobanus Hessus
(Eoban Koch, 1488–1540), ein hessischer Bauern-
sohn, war neben Celtis die dichterisch bedeutendste
Persönlichkeit unter den deutschen Humanisten.
Der Holzschnitt, vielleicht von Dürers eigener
Hand, der in einfachen Zügen das kräftige, geist-
reiche und energische Gesicht des Dichters zeigt,
wiederholt eine Zeichnung Dürers von 1526.

223. Eobanus Hessus. Holzschnitt von A. Dürer, 1526

**Zwey schöne ne
we Lieder / Das erst / Es
steht ein Lind in jenem Thal/ze.
in seiner eygnen Me
lodey.**

**Das ander / ich müß von
hinnen scheiden /ze. In seiner
eygnen weiß zü singen.**

ES steht ein Lind in jenem Thal/
ist oben breit vnd vnden schmal/
ist oben breit vnd vnden schmal.

Ist oben breit vnd vnden schmal/
darauff da sitzt fraw Nachtigal/da
rauff da sitzt fraw Nachtigal.

Ich meint du bist ein kleines wald
vögelein/du fleugst den grünen wald
auß vnd ein / du fleugst den grünen
wald auß vnd ein.

Fraw Nachtigal du kleines wald
vögelein / ich wolt du solst mein bot
te sein / ich wolt du soltst mein botte
sein.

Ich wolt du soltst mein botte sein/
vnd fahren zü der hertz aller liebsten
mein / vnnd fahren zü der hertz aller
liebsten mein.

Fraw Nachtigal schwantz ihr ge
fyder auß / sie schwang sich für eins
A ij

Goldschmidts hauß/sie schwang sich
für eins Goldschmits hauß.

Da sie kam für des Goldschmidts
hauß/ da bot man ihr zü trincken he
rauß/ da bot man ihr zü trincken her
auß.

Ich trinck kein bier vnd auch kein
wein/Dann bey güten gesellen frisch
vnd frölich sein/ dañ bey güten gesel
len frisch vnd frölich sein.

Ach Goltschmidt lieber Goldt
schmit mein/ mach mir von Goldt
ein ringelein / mach mir von Goldt
ein ringelein.

Mach mir von Goldt ein ringelein/
es gehört der hertz allerliebste mein/
es gehört der hertz aller liebste mein.

Vnd da das ringlein war bereit/
groß arbeit war daran geleit/ groß
arbeit war daran geleit.
Fraw

224. Die ersten drei Seiten eines Einzeldrucks zweier Volkslieder
Druck von Thiebold Berger, Straßburg um 1560

224. Das weltliche Volkslied, das im Spätmittelalter seine höchste Blüte fand, gerät als dichterische Schöpfung im 16. Jahrhundert in Erstarrung und wird nur als musikalische Form weiterhin gepflegt. Dagegen bietet die Entwicklung des Buchdrucks die Möglichkeit zu weiter Verbreitung der Texte. Diese erscheinen meist als Einblattdrucke oder in kleinen, ungebundenen Heften zu 4–8 Seiten, mit Holzschnitten verziert, und wurden in dieser Form bis ins 19. Jahrhundert hinein auf Jahrmärkten feilgeboten. Unsere Abbildung der drei ersten Seiten des bekannten Volksliedes *Es steht ein Lind in jenem Tal* – der ganze Einzeldruck umfaßt 6 Seiten – stammt aus Uhlands Sammlung solcher Einzeldrucke für seine Ausgabe der „Alten hoch- und niederdeutschen Volkslieder". Der Holzschnitt hat, wie oft, wo er als bloßer Augenfang dient, keine Beziehung zum Text.

225. Charakteristisch für den unheroischen Geist des Spätmittelalters ist die Umbildung des tragischen Heldenliedes zur humoristischen Volksballade: An die Stelle des tragischen Vater-Sohn-Kampfes im älteren Hildebrandslied (s. Abbildung 7) tritt im spielmännischen *Jüngeren Hildebrandslied* des 13. Jahrhunderts nach groteskem Kampf das fröhliche Wiedererkennen der Verwandten und die Rückkehr in den Familienkreis. Von diesem „Jüngeren Hildebrandslied", das erst im 15./16. Jahrhundert mehrfach belegt ist, bietet der achtseitige Einzeldruck, dessen Titelseite wir abbilden, die kürzere, 20strophige Fassung. Der Holzschnitt soll wohl kaum Hildebrands Ausritt nach Bern darstellen; er gehört wohl eher zu einem Druck der Möringerballade.

226. Der Minnesänger *Tannhäuser* wurde für das Spätmittelalter aus einigen Andeutungen in seinen Liedern zum Helden der Venusbergsage in der Volksballade, die auch Wagner seiner Oper zugrunde legte. Auf dem Titelholzschnitt verabschiedet sich Tannhäuser von der weinenden Frau Venus und ihren Hofdamen: „Eur minne ist mir worden laid, / Ich hab in meinem sinne: / fraw Venus, edle fraw so zart! / ir seind ain teufelinne." Als der Papst ihm jedoch erklärt, seine Sünde würde ihm ebensowenig vergeben werden, wie ein in die Erde gestoßener dürrer Stab anfangen könne zu grünen, kehrt Tannhäuser in den Venusberg zurück, und die Boten des Papstes, die ihm das Grünen des Stabes und den Erlaß seiner Schuld verkünden sollen, finden ihn nicht mehr.

227. Das nach seinem Druckort sogenannte *Frankfurter Liederbuch*, nach dem Fundort des einzigen erhaltenen Exemplars, Schloß Ambras bei Innsbruck auch Ambraser Liederbuch genannt, enthält 262 Volks- und Gesellschaftslieder und erlebte noch im 16. Jahrhundert mehrere Auflagen, deren älteste von 1578 jedoch verloren ist. Es bildete die wichtigste Quelle für Uhlands „Alte hoch- und niederdeutsche Volkslieder". Der Titelholzschnitt zeigt eine Gesellschaft junger Männer beim Musizieren nach Noten, obwohl das Liederbuch selbst keine Melodien enthält.

228. Neben die allgemeinen Volkslieder treten seit dem Aufkommen der *Landsknechte* – 1492 unter Kaiser Maximilian I. – die Lieder dieses neuen Standes, die neben dem Alltagsleben der Söldnertruppen auch ihre Feldherrn und ihre Siege besingen. Ihr meistbesungener Sieg war die unter Anführung Georg von Frundsbergs und Pescaras am 24. Februar 1525 geschlagene Schlacht gegen die Franzosen bei Pavia, die mit der Gefangennahme Franz I. von Frankreich endete. Ein undatierter Druck des Liedes von Hans von Würzburg auf einem fliegenden Blatt zeigt als Titelholzschnitt einen Landsknecht in seiner Tracht.

Der edle Hilte brant.

225. Das „Jüngere Hildebrandlied"
Straßburger Erstdruck Ende 15. Jh.

Das lyedt von dem Danheuser

226. „Das Lied vom Tannhäuser"
Erstdruck von Jobst Gutknecht, Nürnberg 1515

Lieder Büchlein/ Darinn begriffen sind Zwey hundert vnd

sechtzig / Allerhand schöner weltlichen
Lieder / Allen juhgen Gesellen vnd züchti-
gen Jungfrawen / zum newen
Jahr / in Druck ver-
fertiget.

Auffs newe gemehret mit viel schönen Liedern/
die in den andern zuuor außgegangenen Drü-
cken nicht gefunden werden.

Frölich in ehren/   Sol niemand wehren.

M. D. LXXXII.

227. Das Frankfurter Liederbuch von 1582

Ein schönes lied von der

schlacht vor Pauia geschehē / Ge
dicht vñ erstlich gesungen
(durch Hansen vō
Würtzburg)
in einem newen thonn.

228. Lied auf die Schlacht von Pavia

229. Melusine, Druck von Johannes Bämler,
Augsburg 1479

230. Fortunatus, Druck von Johann Otmar,
Augsburg 1509

229. Der Berner Schultheiß Thüring von Ringoltingen übersetzte 1456 aus dem Französischen die Sage von der Meerfee *Melusine*, die den Grafen Raymund von Poitier unter der Bedingung heiratet, daß er sie an dem Tag, an dem sie sich zurückziehe, nicht belausche. Als ihr Gatte das Gelübde bricht und ihre Nixengestalt entdeckt, entflieht sie und mit ihr sein Glück. Dieser Augenblick ist in dem abgebildeten Holzschnitt aus der ersten illustrierten Ausgabe des Volksbuches dargestellt. Das Buch wurde noch bis ins 18. Jahrhundert hinein gedruckt und noch von dem jungen Goethe gelesen.

230. Das in der 2. Hälfte des 15. Jahrhunderts entstandene Volksbuch vom *Fortunatus* wurde 1509 durch den Augsburger Apotheker Johann Heybler zu drucken verordnet und erlebte zahlreiche Neudrucke und Bearbeitungen bis ins 19. Jahrhundert. Auf dem wohl Jörg Breu d. Ä. zuzuschreibenden Titelholzschnitt der Erstausgabe sitzt Fortunatus mit seinem Wunderhütlein, das ihm jeden Wunsch erfüllt, und seinem Glückssäckel, das sich von selbst mit Geld füllt, während zu seinen Füßen seine beiden Söhne Ampedo und Andolosia spielen, von deren Lebensgeschichte der zweite Teil des Buches berichtet.

231. Das Volksbuch vom *Till Eulenspiegel*, das eine ganze Reihe zum Teil uralter Schwänke, bei denen es meist um die wörtliche Erfüllung einer Redensart geht, um die historische Person eines 1350 zu Mölln verstorbenen Kneitlinger Bauernsohnes sammelt, erschien zuerst in einer verlorenen niederdeutschen Fassung um 1480. Der erste erhaltene Druck, dessen einziges Exemplar das Britische Museum in London aufbewahrt, zeigt auf dem Titelholzschnitt Eulenspiegel zu Pferde, eine Eule mit der rechten, einen Spiegel mit der linken Hand emporhaltend, mit einem in allen Zeichnungen wiederkehrenden, bis auf die Knie reichenden, unten blätterartig ausgeschnittenen Rock, also nicht in direktem Narrenkostüm.

232. Der kursächsische Sekretär und Schüler Luthers, Veit Warbeck, übersetzte das französische Volksbuch von der *schönen Magelone* und widmete sein Werk dem Kurprinzen Johann Friedrich zu seiner Vermählung 1527. Die Erzählung berichtet von der Trennung und wunderbaren Wiedervereinigung zweier Liebender: Magelone, die nach der gemeinsamen Flucht aus einem tiefen Schlaf erwacht, findet sich von ihrem Geliebten verlassen – er war aufs nahe Meer hinausgetrieben – und steigt mit vieler Mühe auf einen Baum, um sich in der Gegend umzusehen. (Ms. germ. quart. 1579)

233. Die erste Druckfassung – nach einer verlorenen lateinischen Lebensbeschreibung und einer Wolfenbüttler Handschrift – des berühmten Volksbuches *Historia von D. Johann Fausten, dem weitbeschreyten Zauberer und Schwartzkünstler* erschien 1587 bei Johann Spies in Frankfurt und erlebte schon nach drei Monaten vier Nachdrucke. Dieser Erstdruck, dessen einziges vollständiges Exemplar die Sammlung Kippenberg besitzt, bildet die Grundlage aller späteren Bearbeitungen des Faust-Stoffes.

234. Das Volksbuch *Die Schildbürger*, das in Frankfurt 1597 vordatiert auf 1598 erschien, stellt einen ziemlich getreuen Abdruck der im Vorjahr erschienenen Schwanksammlung des „Lalebuches" dar, deren Schauplatz es erstmalig in die sächsische Kleinstadt Schilda verlegt und damit endgültig lokalisiert.

Ein kurtzweilig lesen von Dyl Nlenspiegel gebore vß dem land zů Buunßwick. Wie er sein leben volbracht hatt, xcvi. seiner geschichten.

231. *Till Eulenspiegel*
Druck J. Grieninger, Straßb. 1515

232. *Die schöne Magelone,*
Federzeichnung der Berliner Handschrift, 16. Jh.

HISTORIA

Von D. Johañ
Fausten/ dem weitbeschreyten
Zauberer vnd Schwartzkünstler/
Wie er sich gegen dem Teuffel auff eine benandte zeit verschrieben/ Was er hierzwischen für seltzame Abenthewr gesehen/ selbs angerichtet vnd getrieben/ biß er endtlich seinen wol verdienten Lohn empfangen.

Mehrertheils auß seinen eygenen
hinderlassenen Schrifften/ allen hochtragenden/ fürwitzigen vnnd Gottlosen Menschen sam schrecklichen Beyspiel/ abschewlichem Exempel/ vnnd trewhertziger Warnung zusammen gezogen/ vnd in Druck verfertiget.

IACOBI IIII.
Seyt Gott vnderthänig/ widerstehet dem Teuffel/ so fleuhet er von euch.

CVM GRATIA ET PRIVILEGIO.

Gedruckt zu Franckfurt am Mayn/
durch Johann Spies.

M. D. LXXXVII.

233. *Das Volksbuch vom Dr. Faustus*

Die Schiltbürger.
Wunderseltzame A-
bentheurliche/ vnerhörte/
vnd bißher vnbeschriebene Geschichten vnd Thaten der obgemelten Schiltbürger in Misnopotamia hinder Vtopia gelegen.

Jetzundt also frisch/ Männiglichen zu
Ehrlicher Zeit verkürtzung/ auß vnbekanten Authoren zu sammen getragen/ vnd auß Vtopischer auch Robiwelscher in Deutsche Sprach gesetzt.

Gemehret vnd gebessert.
Durch

M. Aleph/ Beth/ Gimel/ der Festung
Yrsilonburger Amptman.
Die Buchstaben so zu viel sindt/
Nimb auß/ wirff sie hinweg geschwindt/
Vnd was dir bleibt/ setz recht zusammen:
So hastu des Authors Namen.

Mit Priuilegien deß Authoris noch zu
verbessern vnd zu vermehren/ aber nicht nachzudrucken.

Gedruckt in Verlegung des Authoris der
Festung Misnopotamia/ 1598.

234. *Die Schildbürger*

235. *Bühne der Englischen Komödianten. Stich von 1672*

236. *„Englische Comedien und Tragedien". 1620*

237. *Herzog Heinrich Julius von Braunschweig*

235. Das Titelkupfer von Kirkmans „The Wits" 1672 zeigt die Bühne des *Red Bull Playhouse in London* mit den Lieblingsgestalten des elisabethanischen Theaters: Changling (Middleton und Rowley), die komische Person einer Komödie von Robert Green, Simpleton, Falstaff und Hostes aus Shakespeares „Die lustigen Weiber von Windsor", Clause aus Flechter und Beaumonts „Beggar's Rush" und in der Mitte der französische Tanzmeister. Die mehr tiefe als breite, weit in den Zuschauerraum vorspringende Bühne, die durch einen Vorhang abgeteilte kleinere Hinterbühne und der als Burg oder Fenster benutzte Balkon über der Hauptbühne wurden von reisenden Englischen Komödianten auch in Deutschland eingeführt.

236. Titel der ersten, 1620 in Leipzig bei Gottfried Große erschienenen Sammlung von *Schauspielen der Englischen Komödianten* „samt dem Pickelhering", der komischen Person. Eine zweite Sammlung erschien 1630, die Mehrzahl der Stücke aber wurde ungedruckt tradiert.

237. Herzog Heinrich Julius von Braunschweig (1564–1613) ließ elf von ihm selbst verfaßte Tragikomödien von den Englischen Komödianten an seinem Hof in Wolfenbüttel aufführen und schuf somit eine der ersten stehenden Bühnen in Deutschland. Kupferstich von H. Ulrich

238. Das lateinische Sprechdrama *Pietas victrix* (= Siegreiche Frömmigkeit) des Nikolaus von Avancini (1612–1686) wurde 1659 in dem bühnentechnisch glänzend ausgestatteten Wiener Jesuitentheater uraufgeführt. Der Stoff vom Sieg Konstantins d. Gr. über den Tyrannen Maxentius gab Gelegenheit zu glänzenden Belagerungs- und Schlachtenszenen, Gesichten in den Wolken, Phaeton auf dem Sonnenwagen und anderen Bühneneffekten, die der Sinnenfreudigkeit der Zeitgenossen entgegenkamen und dadurch den ungeheuren bühnentechnischen Aufwand an Schaukunst auch diejenigen Zuschauer ansprachen, denen der lateinische Sprechtext unverständlich und die Handlungszusammenhänge nur aus einer deutschen Inhaltsangabe verständlich waren.

239. Die Gipfelleistung barocker Bühnen- und Illusionskunst bildete die Aufführung von Cestis Oper *Il pomo d'oro* in Wien 1668. Der Ruhm der hier angewandten Kulissenkünste, die aus der Geschichte des Parisurteils eine Ruhmesfeier für Österreich machten, verbreitete sich über ganz Deutschland. Stich nach einem Entwurf von Lodovico O. Burnacini, dem kaiserlichen Theaterarchitekten in Wien. Szene des 1. Aktes.

240. Innenansicht des *Kaiserlichen Theaters* während der Aufführung des „Pomo d'oro". Das Barocktheater war ständisch gegliedertes Rangtheater: auf dem besten Platz mitten gegenüber dem Bühnenbild sitzt der Fürst mit seinem Hofstaat, im 2. Rang darüber die höhere Beamtenschaft, im 3. Rang darüber die Bürger, Kaufleute, Handwerker, Hoflieferanten usw., im 4. Rang die Diener des Hofes und der Vornehmen; in das Parterre ließ man die schaulustige Menge hineinströmen.

238. Avancini „Pietas victrix". Bühnenkupferstich, Wien 1659

239. Cesti „Il pomo d'oro". Bühnenkupferstich

240. Das Kaiserliche Theater in Wien. Stich von Geffels

241. Paracelsus. Stich v. A. Hirschvogel, 1540

242. Sebastian Franck. Stich von A. Luppius

243. Aegidius Albertinus. Kupferstich 1630

241. Die mystische Naturauffassung des *Paracelsus* (1493 bis 1541) vom Zusammenhang zwischen Makrokosmos und Mikrokosmos hatte größten Einfluß auf die späteren Mystiker (Franck, Böhme).

242. Der anfangs katholische, dann evangelische Prediger *Sebastian Franck* (1499–1542) aus Donauwörth wurde Verfechter eines überkonfessionellen Spiritualismus. Die Echtheit unseres Bildes ist fraglich, da Franck nicht schlesischer Adliger war, als welchen ihn die Inschrift bezeichnet.

243. Der bayrische Hofsekretär *Aegidius Albertinus* (1560 bis 1620) verfaßte und übersetzte zahlreiche moralisierende Betrachtungen und Sammelwerke.

244. Der Königsberger Professor *Ambrosius Lobwasser* (1515–1585) übersetzte 1565 den Psalter aus dem Französischen; seine 1573 zuerst gedruckte Übersetzung lebt in reformierten Gesangbüchern fort.

245. Der gekrönte Dichter *Paul Schede*, genannt Melissus (1539–1602), dessen Psalmenübersetzung durch die Lobwassers verdrängt wurde, fand in seinen neulateinischen höfischen Oden schon frühbarocke Formen.

246. Der höfische Lyriker und Gesellschaftsdichter *Georg Rudolf Weckherlin* (1584–1653) erscheint auf dem Kupferstich nach einem Gemälde von Daniel Mytens als englischer Parlamentssekretär: ein ernstes, zurückhaltendes Gesicht mit kurzem Spitzbart, von Lorbeerkranz und Wappen umgeben.

247. Weckherlins *Oden und Gesänge*, 1. Teil, Stuttgart bei Johann Weyrich Rößlin, 1618.

244. Ambr. Lobwasser. Stich v. C. Meyer, 1585

245. Paul Schede-Melissus. Stich von Th. de Bry

246. Georg Rudolf Weckherlin. Stich, 1634

247. Weckherlins „Oden und Gesänge". 1618

248. *Martin Opitz*
Gemälde von Bartholomäus Strobell, um 1638

249. *Opitz „Teutsche Poemata"*
1624

250. Opitz „Buch von der deutschen Poeterey". 1624

248. Der schlesische Gelehrte und Höfling *Martin Opitz* von Boberfeld (1597–1639), der durch seine theoretischen Schriften wie durch seine eigenen Beispiele der Organisator und führende Theoretiker der deutschen Barockliteratur schlechthin war, wurde von seinem Danziger Freund Bartholomäus Strobell als königlich polnischer Hofhistoriograph in Danzig gemalt, kurz bevor ihn die Pest dahinraffte.

249. Als Opitz 1620 vor dem Einbruch der Maranen aus Heidelberg flüchtete, hinterließ er seinem Studienfreunde Zincgref eine für den Druck vorbereitete Sammlung seiner *Gedichte*, welche dieser um den früher erschienenen Aristarchus und die inzwischen veröffentlichten späteren Gedichte von Opitz sowie um einige Gedichte anderer Dichter aus dem Heidelberger Kreis vermehrte und Straßburg 1624 ohne erneute Verständigung mit Opitz in Druck gab.

250. Das Erscheinen seiner Jugendgedichte kam Opitz äußerst ungelegen, da er ihre Unvollkommenheiten mittlerweile erkannt und weitaus strengere Maßstäbe angelegt hatte. Obwohl diese Sammlung seinen Namen als deutscher Dichter erst eigentlich bekannt machte, ließ er ihr daher im gleichen Jahr sein *Buch von der deutschen Poeterey* folgen, in dem er die humanistische Kunstlehre auf die deutsche Dichtung übertrug.

251. *Fürst Ludwig von Anhalt-Cöthen* (1579–1650) war Stifter und Oberhaupt der ersten deutschen Sprachgesellschaft, der 1617 nach dem Vorbild der italienischen Academia della crusca gegründeten „Fruchtbringenden Gesellschaft". Der Kupferstich aus Neumarks Schrift „Der Neu-Sprossende Palmbaum" 1668 zeigt über dem Porträt seinen Wahlspruch „Nichts bessers", darunter sein Symbol: ein Weizenbrot, und seinen Gesellschaftsnamen in der Fruchtbringenden Gesellschaft: Der Nährende.

251. *Fürst Ludwig von Anhalt-Cöthen*
Kupferstich von A. Römer, 1668

252. *Programm der „Fruchtbringenden Gesellschaft"*
Kupferstich von M. Merian, 1636

252. Titelkupfer von M. Merian einer 1636 von Fürst Ludwig herausgegebenen Gesellschaftsschrift, *Der Fruchtbringenden Gesellschaft Namen:* die Devise „Alles zu Nutzen" wird am Beispiel des Palmbaums belegt, dessen Früchte man essen kann, dessen Blätter sich zum Flechten und Dachdecken und dessen Holz sich zum Schiffbauen eignet. Nach ihrem Symbol hieß die Fruchtbringende Gesellschaft daher auch Palmenorden.

253. *Sitzung der Fruchtbringenden Gesellschaft* im Freien, wohl im Land des Herzogs Wilhelm von Sachsen, als dessen Symbol der Birnbaum mit der von einer Wespe benagten Birne diente und dessen Gesellschaftsnamen und Devise der ovale Rahmen zeigt. Teilnehmer sind von Fürst Ludwig (ganz rechts) rechts herum: Herzog Wilhelm von Sachsen (der Schmackhafte), Fürst Johann Kasimir von Anhalt (der Durchdringende), Hans Heinrich von Wutenau (der Gerade), Friedrich von Schilling (der Langsame), Herzog Bernhard von Sachsen-Weimar (der Austrocknende), Friedrich von Trotta (der Helfende), Dietrich von dem Werder (der Vielgekrönte), Tobias Hübner (der Nutzbare), Herzog Albrecht von Sachsen-Weimar (der Unansehnliche), Heinrich von Krage (der Gemäste) und Christoph von Krosigk (der Wohlbekommende). Kupferstich von Peter Isselburg.

253. *Sitzung der „Fruchtbringenden Gesellschaft"*

254. Heinrich Albert „Musikalische Kürbishütte". Titel, 1645

255. Simon Dach. Ölgemälde von Philipp Westphal

254. Das auf dem Titelblatt abgebildete Gartenhäuschen Heinrich Alberts in Königsberg bildete den Versammlungsort des Königsberger Dichterkreises, der sich danach auch die *Kürbishütte* nannte.

255. Der Kirchenlieddichter und schlichte Lyriker *Simon Dach* (1605–1659) war das Haupt des Königsberger Dichterkreises; seine Autorschaft des Liedes „Anke von Tharau" ist umstritten.

256/257. *Philipp von Zesen* (1619–1689), der Begründer der Hamburger „Deutschgesinnten Genossenschaft", schildert in seinem zum Teil autobiographischen Roman *Adriatische Rosemund* die Trennung zweier Liebender aus dem Gegensatz der Konfession. Das Titelblatt der Erstausgabe von 1615 zeigt Zesens Symbol (Palme) und Devise („Last hägt Lust"). Die Unterschrift des Kupferstichs von Anna Margarethe von Schurmann nach C. von Hagen preist Zesen als deutschen Homer.

258/259. Der Prediger *Johann Rist* (1607 bis 1667), Mitglied des Palmenordens, schrieb 1647 ein Drama *Friedewünschendes Teutschland* 1641 und nach dem Westfälischen Frieden 1653 ein „Friedejauchzendes Teutschland". Porträtkupfer von B. Kilian nach Merian, 1663.

256. Philipp von Zesen

257. Zesen „Adriatische Rosemund"

258. Johannes Rist

259. Rist, „Friedewünschendes Teutschland"

260. Das Poetenwäldchen bei Nürnberg. Anonymer Kupferstich, 1744

261. Harsdörffer. Zeichnung von G. Strauch, 1651

262. S. von Birken. Stich von J. Sandrart

Poetischer Trichter/
Die
Teutsche Dicht- und Reimkunst/
ohne Behuf der lateinischen Sprache/
in VI. Stunden einzugiessen.

Handlend:
I. Von der Poeterey ins gemein/ und Erfindung
derselben Inhalt.
II. Von der teutschen Sprache Eigenschaft und
Füglichkeit in den Gedichten.
III. Von den Reimen un derselben Beschaffenheit.
IV. Von den vornemsten Reimarten.
V. Von der Veränderung und Erfindung neuer
Reimarten.
VI. Von der Gedichte Zierlichkeit/ und derselben
Fehlern.

Samt einem Anhang
Von der Rechtschreibung/ und Schrift-
scheidung/oder Distinction.

Durch ein Mitglied

Der hochlöblichen
Fruchtbringenden Gesellschaft.
Nürnberg/
Gedruckt/ bey Wolfgang Endter.

M. DC. XLVII.

263. Harsdörffer, „Poetischer Trichter"
1. Teil, 1647

PEGNESISCHES
SCHAEFERGEDICHT/
in den
BERINORGISCHEN
GEFILDEN/
angestimmet
von
STREFON und **CLAJUS**.

Nürnberg/ bey Wolfgang Endter.

M. DC. XXXXIV.

264. „Pegnesisches Schäfergedicht"
1644

260. In dem sogenannten *Poetenwäldchen* bei Nürnberg, einer mit Bäumen bestandenen kleinen Halbinsel westlich der Stadt an einem von der Pegnitz gespeisten See, fanden auf Wunsch von Harsdörffer und Klaj die ersten Versammlungen des Nürnberger „Pegnesischen Blumenordens" statt. Johann Herdegen berichtet darüber in seiner „Historischen Nachricht von des löblichen Hirten- und Blumen-Ordens Anfang ..." 1744: „An diesem Ort wurde die Abrede wegen des ersten Hirten-Gedichtes genommen, und damit zugleich ... der Grund zu dem Pegnesischen Hirten- und Blumen-Orden gelegt. Als nicht lang hernach mehrere Mit-Glieder mit Strephon und Clajus sich zu der Gesellschaft verbunden hatten, so ward noch immer gedachter Ort zur Versammlung beliebet. Hier wurden entweder die von ihnen verfertigten Übersetzungen aus anderen Sprachen oder aber die Gedichte, worinnen sie ihre eigenen Gedanken vorgetragen, von ihnen abgelesen." Der idyllische Versammlungsort mußte aufgegeben werden, als der Besitzer aus Sorge um sein zertretenes Gras das Gelände einzäunte. (Kupferstich aus der obengenannten Jubiläumsschrift Herdegens.)

261. Der Nürnberger Gerichtsassessor und Ratsherr *Georg Philipp Harsdörffer* (1607–1658), unter dem Gesellschaftsnamen „der Spielende" Mitglied der „Fruchtbringenden Gesellschaft", war der erste Vorsitzende des 1644 von ihm gegründeten „Pegnesischen Blumenordens". In seinen Schriften zeigt er sich als Lyriker von virtuoser Klanggestaltung, als belehrender und unterhaltender Erzähler und – im „Poetischen Trichter", Abb. 263 – als Theoretiker der Dichtung.

262. *Sigmund von Birken* (1626–1681), der Lehrer Anton Ulrichs von Braunschweig (Abb. 305), wurde nach Harsdörffers Tod der „Oberhirte" der „Pegnitzschäfer". Das Kupfer zeigt die Büste des lorbeergekrönten Dichters, umgeben von Hirtentasche und Stab, Pansflöte und Leier sowie einer geflügelten Fackel vor einer schäferlichen Landschaft.

263. Harsdörffers *„Poetischer Trichter*, die teutsche Dicht- und Reimkunst ... in 6 Stunden einzugießen", behandelt namentlich die Formen der Reim- und Klangspielerei, wie sie von den Nürnbergern besonders gepflegt wurden. Der Titel gab zur scherzhaften Wendung vom „Nürnberger Trichter" Anlaß.

264. *„Pegnesisches Schäfergedicht*, in den Berinorgischen (d. i. Norimbergischen) Gefilden angestimmt von Strefon (= Harsdörffer) und Clajus" (= Johann Klaj, 1616–1656). Die Herausgabe dieser Gelegenheitsdichtung zu einer Doppelhochzeit im Schäferstil gab den Anlaß zur Gründung des „Pegnesischen Blumenordens", dessen Versammlungsort (wie Abb. 260) das Titelkupfer der Ausgabe in schäferlicher Umgebung darstellt. In den folgenden Jahren erschienen mehrere „Fortsetzungen der Pegnitzschäferei".

265. Paul Fleming
Kupferstich von Dirk Diriksen, 1640

266. Fleming, „Teutsche Poemata". Titelkupfer
von D. Diriksen nach M. C. Hirt, 1642

265. *Paul Fleming* (1609–1640) aus Hartenstein im Vogtland, der bedeutendste unter den deutschen Barock-
lyrikern, der trotz aller Bindung an die überpersönliche Form noch einen starken persönlichen Erlebnisgehalt
in seiner Dichtung zum Ausdruck bringt, wurde wohl 1640 nach der Rückkehr von seiner Orientreise und
nach seiner Promotion in Leyden bei seinem Aufenthalt in Hamburg, wo er sich niederzulassen gedachte,
porträtiert, kurz bevor der Tod den 31jährigen Dichter hinwegraffte. Der Kupferstich erschien erst 1642
vor der ersten Gesamtausgabe seiner Werke (Abb. 266).

266. Die erste Gesamtausgabe von *Flemings deutschen Gedichten* erschien postum Lübeck 1642 und wurde
wohl von Flemings Freund A. Olearius betreut. Das Titelkupfer zeigt einen Faun, der ein Pergamentblatt
mit dem Titel in der Hand hält und darauf weist, während ein anderer es an einem Baum befestigt; im
Hintergrund eine Waldlandschaft mit musizierendem Liebespaar.

267. *Andreas Gryphius* (1616–1664), der bedeutendste Dramatiker des Barock und größte Lustspieldichter
vor Lessing, kehrte nach dem Studium in Leyden und mehreren Reisen in seine Heimatstadt Glogau zurück
und blieb dort 14 Jahre lang bis zu seinem Tode Syndikus der Stände im Fürstentum Glogau. Das Porträt
stammt vermutlich aus dieser Zeit und zeigt den kräftigen, energischen Mann in imposanter Haltung wohl
in seiner Amtstracht. Als Unterschrift ein lateinisches Lobgedicht auf den Dichter von Heinrich Mühlpforth.

268. Die Ausgabe von *A. Gryphii Traurspile Oden Sonnete* Breslau 1663 bei Veit Jacob Treschern ist die
letzte vom Dichter selbst betreute Gesamtausgabe seiner Werke in endgültiger Gestalt. Der eigentliche
Titel „Freuden- und Traurspile..." erscheint in einigen Ausgaben gekürzt, da das Titelblatt doppelt
gedruckt wurde. Das Titelkupfer von Tscherning, das ein ähnliches der Ausgabe von 1657 wiederholt,
ist in seiner Allegorik charakteristisch für den barocken Dualismus von Weltlust und Todesgewißheit:
Auch der jungen, Reichtum und Schönheit verkörpernden Königin erscheint der Sensenmann und zeigt
ihr bei Mondfinsternis mit der Fackel, daß der Tod schon ihren Grabstein beschriftet.

269. Nr. 4 einer Reihe von acht der Herzogin Ludovika von Liegnitz gewidmeten *Kupferstichen* nach der
Aufführung des Dramas 1654 am Hof zu Wohlau. 3. Akt, 3. Szene: Der persische Schah Abas im Lust-
garten befiehlt seinem Geheimdiener Iman Culi, die gefangene christliche Königin Catharina von Georgien
vor die Wahl zwischen Abschwörung des Christenglaubens und Heirat des Schahs oder Marter und Tod
zu stellen: der Prototyp des barocken Märtyrerdramas.

Andreas Gryphius Ictus. Philosoph. Et Stat:
Equest: Ducat Glogou. Syndicus nat: 1656.

*Quem stupuit Tragicum felix Germania Vatem.
Fulmine qui feryt saxea corda hominum.
Talis erat Vultu. Cum alata scientia rerum,
Et quæquid vasti circulus orbis habet.
Emicat ex scriptis, quæ mens divina reliquit,
Gryphius Elysiis altera Pallas erit.*

267. *Andreas Gryphius. Stich v. Ph. Kilian*

268. *Gryphius „Trauerspiele, Oden, Sonette"*

269. *Gryphius „Catharina von Georgien". Szenenkupfer von Joh. Using, 1655*

270. *Philipp Nicolai. Gemälde von G. Magnussen*

271. *J. Heermann. Stich v. W. Kilian, 1677*

272. *Paul Gerhardt. Gemälde nach 1676*

270. Das Gemälde des Kirchenlieddichters *Philipp Nicolai* (1556–1608: „Wie schön leuchtet der Morgenstern") brannte 1943 in der Hamburger Katharinenkirche, deren Pfarrer Nicolai war, aus.

271. *Johann Heermann* (1585–1647), Pfarrer zu Köben, dichtete u. a. die Kirchenlieder „Herzliebster Jesu" und „O Gott, du frommer Gott".

272. Das anonyme Gemälde *Paul Gerhardts* (1607 bis 1676), des bekanntesten und bedeutendsten Kirchenlieddichters des 17. Jahrhunderts, hängt seit 1717 in der Kirche zu Lübben an der Spree, wo der Dichter 1669–1676 Archidiakon war.

273/274. Der Görlitzer Schuhmacher und Autodidakt *Jakob Böhme* (1575–1647) verbreitete seine visionären theosophischen Lehren, die von den Geistlichen verfolgt wurden, durch Abschriften unter seine Anhänger. Die abgebildete Originalhandschrift seines Hauptwerkes „Aurora oder Die Morgenröte im Aufgang" wurde im Jahre 1613 von dem Görlitzer Oberpfarrer konfisziert und dem Verfasser das weitere Schreiben verboten; erst im Jahre 1634 durfte ein Auszug daraus im Druck veröffentlicht werden.

275. Der württembergische Theologe *Joh. Valentin Andreae* (1586–1654) vertrat in didaktisch-allegorischen Schriften ein praktisches Christentum.

276. Auf dem Titelkupfer der lateinischen Oden *Jakob Baldes* (1604–1668) eine Muse mit Lorbeerkranz unter einer natürlichen Lyra aus Lorbeerzweigen und Sonnenstrahlen, im Hintergrund der Pegasus.

273. Jakob Böhme. Anonymes Gemälde

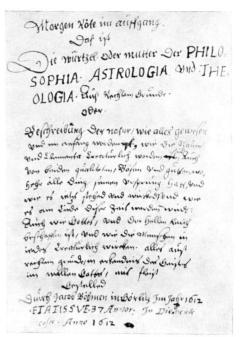

274. Böhme „Morgenröte". Autograph 1612

275. Johann Valentin Andreae. Anonymer Kupferst.

276. Jakob Balde. Titelkupfer der Gedichte, 1643

277. *Angelus Silesius*
Anonymes Ölgemälde, nach 1677

278. *Angelus Silesius*
Zeitgenössische Karikatur, 1664

279. *Friedrich von Spee*
Anonymes Ölgemälde, nach 1700

280. *Spees Entwurf zum Titelblatt*
der „Trutznachtigall", 1634

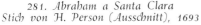

281. *Abraham a Santa Clara*
Stich von H. Person (Ausschnitt), 1693

282. „*Judas der Ertzschelm*" III, 1692
Kupferstich von B. Denner nach M. Rast

277. Johann Scheffler (1624–1677), der 1653 bei seinem Übertritt zur katholischen Kirche den Namen Angelus annahm, ist als *Angelus Silesius* (= der schlesische Bote) durch seine im „Cherubinischen Wandersmann" gesammelten mystischen Sinngedichte um das Verhältnis von Ich und Gott bekannt geworden. Das anonyme, wohl erst nach seinem Tode entstandene Ölgemälde im schlesischen Kloster Grüssau zeigt den gealterten Dichter, der nur noch fanatische Streitschriften für den Katholizismus verfaßt, doch aus dessen Gesicht noch die ekstatische, unheimliche Glut seines schwärmerischen, visionären Geistes spricht.

278. *Schefflers* fanatische Kampfschriften gegen den Protestantismus riefen im protestantischen Lager zahlreiche aggressive Gegenschriften hervor; auf der Illustration einer dieser Schmähschriften, dem „Wohlverdienten Capitel" von 1664, erscheint der Doctor Iohannes Scheffler (= D. I. S.) als Trödelhändler mit einem Bauchladen voll Kleinkram, in der rechten Hand Exemplare einer „Neuen Zeitung" mit dem Untertitel „Eitel Lügen" (verdreht als „Eutel Liegen"), mit der linken Hand ein Schmuckstück erhebend, das seine Kampfschriften nennt: „Türkenschiff" und „Christenschiff" (entstellt „Christengifft").

279. Das Gemälde des mystischen Lyrikers und Jesuitenlehrers *Friedrich Spee* von Langenfeld (1591–1635) im Dreikönigsgymnasium, Köln, das den Dichter mit schwärmerisch verklärtem Blick in der Ordenskutte, die Hand auf die Bibel gestützt, zeigt, entstand vermutlich erst zu Beginn des 18. Jahrhunderts, als Spee durch seine Lyrik und die von ihm als Beichtvater bei den Hexenprozessen verfaßte „Cautio criminalis" bekannter geworden war. Da zeitgenössische Abbildungen nicht erhalten sind, ist die Echtheit der Züge nicht erwiesen, wenngleich in hohem Grade wahrscheinlich.

280. Zu seiner um 1630 entstandenen, doch erst postum 1649 erschienenen Gedichtsammlung *Trutz-Nachtigall* („weil das Büchlein trutz allen Nachtigallen süß und lieblich singet") entwarf Spee 1634 eigenhändig ein Titelblatt, das den vom Pfeil mystischer Liebe getroffenen Dichter in innige Andacht vor dem Gekreuzigten versunken zeigt (auf dem angehängten Schild steht: „Mein Lieb ist gekreuziget"), während inmitten der Allee auf einem Springbrunnen die Nachtigall singt. Der später für die Erstausgabe von 1649 ausgeführte Kupfertitel entspricht diesem abgebildeten Entwurf.

281. Der Wiener Hofprediger Johann Ulrich Megerle (1644–1709), der als Schriftsteller und Verfasser von Predigten unter seinem Ordensnamen *Abraham a Santa Clara* auftrat, war nach dem Bericht Faßmanns, der 1711 die Aussagen seiner Zeitgenossen sammelte, eine große, kräftige Gestalt mit einer ungemein hohen und breiten Stirn, starkem Hinterkopf, einer mächtig langen, spitzen Nase und lichtbraunen Augen. Er trug einen Schnurrbart nach französischer Sitte und vermutlich rötliche Haare – weshalb er bei der Frage, ob Judas einen roten Bart gehabt habe, die Rothaarigen verteidigt.

282. Am Schluß von Abraham a Santa Claras schwankhaft-satirischer Erzählung vom Leben des Verräters *Judas der Ertzschelm* wird Judas von einem Massenaufgebot von Teufeln in pomphaftem Zug in die Hölle geholt, nachdem ihn kein Mensch wegen seines Gestankes zu begraben wagte.

283. Johann Michael Moscherosch
Kupferstich von Pierre Aubry, 1652

284. Moscherosch, „Gesichte"
Titel der Erstausgabe, 1640

283. In dem Gesichtsausdruck des satirisch-moralischen Erzählers Johann Michael Moscherosch (1601 bis 1669), der als „der Träumende" Mitglied des Palmenordens war, kommt unverkennbar die arragonesisch-französische Abstammung des Dichters zur Geltung.

284. In freier Anlehnung an die „Träume" des Spaniers Quevedo schuf Moscherosch seine satirischen Gesichte. Auf dem Titelkupfer der Erstausgabe von P. Aubry nach einer Zeichnung von Rumpler steht oben im Maul einer gräßlichen Fratze der französische Titel des Originals, darunter auf einem Vorhang der deutsche Titel mit Moscheroschs Pseudonym Philander von Sittewald (aus Mannhold oder Johann von Wilstaedt, Moscheroschs Geburtsort). Neben dem Vorhang im Hintergrund schaut eine männliche Gestalt hervor, während im Vordergrund ein mit Weinlaub bekränzter, auf einem Ziegenbock sitzender Satyr einem hinter einer Maske versteckten Amor einen Skorpion reicht. Über dem mit Herzen und Augen verzierten Wandschild die verkürzte griechische Inschrift „Erkenne dich selbst".

285. Der Mathematikprofessor Johann Lauremberg (1590–1658) veröffentlichte seine populären niederdeutschen Zeitsatiren gegen das Alamodewesen, die Titelsucht und den Verfall der Mundart unter dem Pseudonym Hans (= Johann) Willmsen (= Wilhelms Sohn, nach seinem Vater) L. (= Lauremberg) Rost. (= aus Rostock).

286. Der schlesische Adlige Friedrich von Logau veröffentlichte seine sämtlichen Sinngedichte Breslau 1654 bei Caspar Kloßmann unter dem Anagramm Salomon von Golau (= Logau). Die Ausgabe, der bereits 1638 eine erste Veröffentlichung von 200 Epigrammen vorangegangen war, enthält außer den auf dem Titel angekündigten 3000 Sinngedichten noch mehrere Zugaben, insgesamt 3553 Sprüche. Rechts und links auf dem Kupfertitel die allegorischen Figuren Lust und Kost, unten eine Gesellschaft im Freien vor dem auf einem Hocker aufgeschlagen liegenden Buch der Sinngedichte.

287. Der Hamburger Pfarrer Johann Balthasar Schupp (1610–1661) verfaßte mehrere moralisch-satirische Streitschriften über den Sittenverfall und wurde auch wegen Einflechtung lustiger Beispiele und Erzählungen in seine Predigten von der Geistlichkeit angefeindet.

288. Das Titelkupfer zu den „Teutschen Satyrischen Gedichten" des Schulrektors Joachim Rachel (1618 bis 1669) aus Lunden/Dithmarschen (daher: Londinensis) zeigt Satyrn und Gelehrte beim Ausbreiten eines den Titel enthaltenden Satyrfelles, während auf dem Fußboden Schellenkappe und Narrenklapper liegen.

Veer
Schertz Gedichte

I. Van der Minschen itzigem Wandel und Maneeren.

II. Van Almodischer Kleder-Dracht.

III. Van vormengder Sprake/ und Titeln.

IV. Van Poësie und Rymgedichten.

In Nedderdüdisch gerimet dörch

Hans Willmsen L. Rost.

Gedrücket im Jahr M. DC. LII.

285. Lauremberg, „Scherzgedichte", 1652

286. Logau, „Sinngedichte", 1654

287. Balthasar Schupp. Stich von J. Sandrart

288. J. Rachel, „Satirische Gedichte", 1664

289. *Kaspar Stieler. Stich von Christian Romstedt*   290. *Stieler, „Geharnschte Venus". Titelkupfer 1660*

289. In *Kaspar Stieler* (1632–1707) aus Erfurt, der unter dem Namen „Der Spate" Mitglied der Frucht-bringenden Gesellschaft war, hat man erst 1897 den Verfasser der „Geharnischten Venus" erkannt.

290. Titelkupfer von Stielers Sammlung von Liebes- und Trinkliedern: „Ich heiße sie darum die *Geharnschte Venus*, weil ich mitten unter den Rüstungen im offenen Feldlager sowohl meine als anderer guter Freunde verliebte Gedanken, kurzweilige Begebnisse und Erfindungen darin erzähle." Im Vordergrund Venus, mit der linken Hand auf dem Rücken ein flammendes Herz haltend. Im Hintergrund links auf einer Kanone sitzend ein Krieger, dem Amor verliebte Gedanken ins Ohr flüstert.

291. Das phantastische Fabeltier des *Titelkupfers*, das nach der Unterschrift in Erde, Luft und Wasser zu Hause ist, stellt sich als grotesk häßliches Zwitterwesen aus Fisch, Vogel, Ente, Mensch mit Satyrkopf und Satyrbein dar, das in einem Bilderbuch auf verschiedene Episoden des Romans verweist und mit dem Entenfuß die am Boden liegenden Masken menschlicher Torheit zertritt: die Larven, die der nach der Ruhe des Weisen strebende Simplicissimus im Lauf seines Lebens hat ablegen müssen.

292. Titelblatt der ersten, stark mundartlich gefärbten Ausgabe des *Simplicissimus* von 1668, vordatiert auf 1669 – der Druckort Monpelgart (= Mömpelgard) ist Satire, der Verlegernamen Johann Fillion (= Johann Jon. Filius) ein Scherz auf den elfjährigen Sohn des Verlegers. Der Name des Helden, Melchior Sternfels von Fuchshain, und der des Autors, German Schleifheim von Sulsfort, sind Anagramme für Christof(fel) von Grimmelshausen.

293. Titelblatt des ersten Einzeldruckes der *Continuatio* mit dem 6. Buch des „Simplicissimus".

294. Das Titelkupfer (von Grimmelshausen ?) des *Simplicissimus* von 1670 zeigt die simplicianische Familie: links der Knan in Bauernwams und mit Vollbart, darunter sein Pflegesohn, der junge Simplicius, rechts seine vergrämte „Meuder" und darunter das nichtssagende Gesicht der frommen Ursule. Das oben-stehende Bild des alten Simplicissimus mit Perücke paßt zu unserer Vorstellung von Grimmelshausen und wird gewöhnlich als dessen Porträt betrachtet. Die Symbole in der Mitte deuten auf Grimmelshausens Tätigkeit als Bauer, Soldat, Ingenieur und Schriftsteller.

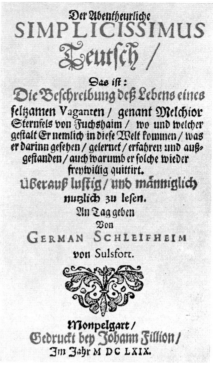

291/292. Titelkupfer und Titelblatt des „Simplicissimus". Erstausgabe, 1668

293. „Continuatio", Titelblatt, 1669

294. Calender-„Simplicissimus", 1670

295./296. Zwei Radierungen aus dem Barock-„Simplicissimus" von 1671

297. Kupfer des „Simplicissimus" von 1684

295. *Simplicius* sitzt in einem hohlen Baum und will durch den Klang seiner Sackpfeife den Einsiedler, den er für einen Wolf hält, vertreiben: eine drastische Situation zur Erläuterung des Satzes „Der Wahn betreugt", der als Leitsatz den ganzen Roman durchzieht.

296. *Simplicius* wird auf der Insel von wilden Eingeborenen im Schlaf überfallen und hält sie anfangs ihrer häßlichen Gestalt wegen für böse Geister; als solche werden sie in der Zeichnung, die vielleicht, wie alle dieser Ausgabe, von Grimmelshausen selbst stammt, dargestellt.

297. „Des *Simplici* Residenz wird ausgeplündert, / Niemand ist, der die Soldaten verhindert."

298. Die Radierung des geigenden *Springinsfeld* mit dem Stelzfuß entspricht der Beschreibung im 2. Kapitel. Zwischen dem Stelzfuß und den beiden Hinterbeinen des Hundes erscheint bei einer Drehung um 45° nach rechts ein im Schlagschatten abgezeichnetes menschliches Gesicht.

299. Der Satyr, Symbol der unverdorbenen Menschennatur, erblickt durch das unsichtbar machende *Vogelnest* die krummen Wege der Welt, während das Kind mit dem Fernrohr nicht über die menschlichen Masken hinwegsieht, die Falschheit, Heuchelei und Torheit darstellen.

300. Die auf einem Esel reitende Marketenderin *Courasche* streut ihre Sachen weg, als sie den Zigeunerleutnant sieht, der sie heiratet. Die Insekten sollen die unlauteren Gedanken und Gewissensbisse darstellen. Die Zeichnung folgt der Beschreibung im „Springinsfeld" Kap. IV. Gestalt und Name der im Kriege umherziehenden Marketenderin wurden in der Gegenwart von Bert Brechts „Mutter Courage und ihre Kinder" (Abb. 824) wieder aufgenommen.

298. „Der seltsame Springinsfeld"
Titelkupfer, 1670

299. „Das wunderbarliche Vogelnest"
Titelkupfer, 1672

300. „Die Erzbetrügerin und Landstörzerin Courage". *Titelkupfer von A. Aubry, 1670*

301. Daniel Casper von Lohenstein
Kupferstich von G. Tscherning, 1688

302. Lohenstein, „Arminius und Thusnelda"
Titelkupfer von Sandrart, 1689

303. Lohenstein, „Epicharis". 1665

301. Der kaiserliche Rat und Breslauer Senatssyndikus *Daniel Casper von Lohenstein* (1635–1683), den der Kupferstich in seinem Todesjahr zeigt, ist in seinen Dramen und seinem Roman der Hauptvertreter des galant-repräsentativen Hochbarock, der sogenannten zweiten schlesischen Schule.

302. Lohensteins heroisch-galanter Riesenroman von über 3000 Seiten „*Großmüthiger Feldherr Arminius* oder Herrmann als ein tapfferer Beschirmer der deutschen Freyheit nebst seiner Durchlauchtigsten Thußnelda in einer sinnreichen Staats-, Liebes- und Heldengeschichte in 2 Teilen vorgestellt" umfaßt in seiner geschichtsklitternden Darstellung oder als Schlüsselroman die gesamte römische und deutsche Geschichte. Im Hintergrund der Schlachtszene auf dem Titelkupfer thront Thusnelda als Verkörperung der jungfräulichen Freiheit Deutschlands, der die Römer das Joch aufzwängen wollen.

303. Lohensteins Märtyrerdrama *Epicharis* behandelt mit besonderer Vorliebe für grausame Folterszenen die Pisonische Verschwörung gegen Nero. Auf dem Titelkupfer der Erstausgabe besichtigt Nero mit Poppaea Sabina, von Lanzen- und Fackelträgern begleitet, die Folterkammer: Lukan (links oben) hat sich die Adern aufgeschnitten und verblutet, Epicharis (rechts oben), die Seele der Verschwörung, wird aufs neue gefoltert, bis sie sich auf dem Folterstuhl in der Binde erwürgt, Quinctian und Senecio (links) sind bereits enthauptet, Scaevinus wird gerade enthauptet. Grausamkeit und Wollust sind die hervorragenden Züge dieser trotz aller Überladenheit effektvollen Theatralik.

304. Der höfische Roman *Die durchleuchtige Syrerin Aramena* von Herzog Anton Ulrich von Braunschweig schildert die endlosen Verwechslungen, Namensvertauschungen und Abenteuer der syrischen Prinzessin Aramena, bis ihr das Schicksal den geliebten keltischen Fürsten wiedergibt. Trotz der orientalischen

304. *Anton Ulrich, „Aramena"*
Kupferstich, 1678

305. *Herzog Anton Ulrich von Braunschweig*
Gemälde von Tobias Querfurt d. Ä.

Umwelt und der alttestamentlichen Zeit des Stoffes spielt der Geschichtsroman durchaus in der Welt des höfischen Barock, wie auch die Kupferstiche des 2. Drucks (1678/79), hier eine höfische Begrüßungsszene des ersten Teils, durchaus zeitgenössische Umwelt wiedergeben, wenngleich diese gelegentlich auch durch mehr seltsame als orientalische Elemente bereichert wird.

305. *Anton Ulrich von Braunschweig-Lüneburg* (1633–1714), ein Schüler des Grammatikers und Poetikers J. G. Schottel und Brieffreund von Leibniz, seit 1704 regierender Herzog von Braunschweig-Lüneburg in Wolfenbüttel und seit 1659 unter dem Decknamen „der Siegprangende" Mitglied der Furchtbringenden Gesellschaft, verfaßte neben dem höfischen Roman „Aramena" (Abb. 304) noch einen Roman „Octavia" aus der römischen Geschichte, der wie Lohensteins „Arminius" (s. zu Abb. 302) Anspielungen auf das Hofleben seiner Zeit enthält, sowie geistliche Lieder.

306. Der Braunschweigische Superintendent und Theologieprofessor *Andreas Heinrich Buchholtz* (1607–1671) schrieb den gelehrten und religiöserbaulichen Heldenroman „Des christlichen teutschen Großfürsten Herkules und der böhmischen königlichen Fräulein Valiska Wundergeschichte". Auf dem Titelkupfer der Erstausgabe das feierliche Eheversprechen und die heimliche Hochzeit der Titelhelden in der persischen Residenz.

306. *Buchholtz, „Herkules und Valiska"*
Titelkupfer, 1659

Die
Aſiatiſche Baniſe/
Oder
Das blutig-doch muthige
Pegu/
Deſſen hohe Reichs-Sonne bey geendig-
tem letztern Jahr-Hundert an dem Xemin-
do erbärmlichſt unter-an dem Balacin aber
erfreulichſt wieder auffgehet.
Welchem ſich die merckwürdigen und er-
ſchrecklichen Veränderungen der benachbar-
ten Reiche Ava, Aracan, Martabane, Siam
und Prom, anmuthigſt beygeſellen.
Alles in Hiſtoriſcher/und mit dem Mantel einer
annehmlichen Helden-und Liebes-Geſchichte bedeck-
ten Warheit beruhende.
Dieſem füget ſich bey eine/aus Italiäniſcher in Deutſch-
gebundene Mund-Art/überſetzte Opera/oder Theatrali-
ſche Handlung/ benennet:
Die liſtige Rache/
oder
Der Tapffere HERACLIUS.
Auffgeſetzet
von
H. A. v. Z. U. K.
Leipzig/Verlegts Johann Friedrich Gleditſch/
Anno M.DC.LXXXIX.

307. Hofmann von Hofmannswaldau   308. Ziegler und Klipphausen, „Asiatische Banise"
Stich von Phil. Kilian nach Georg Schulz   Erstausgabe 1689

307. Der Breslauer Ratspräsident *Christian Hofmann von Hofmannswaldau* (1617–1679), ein Freund von Opitz, war trotz der manierierten Sprache und der Freude am Erotischen in seinen Gedichten ein biederer, von seinen Mitbürgern sehr geachteter und geschätzter Charakter. Lohenstein (Abb. 301) berichtet über ihn, seine „Freundlichkeit schwamm ihm nicht nur auf den Lippen; sie sah ihm nicht allein aus den Augen, sondern sie war auch in seinem Herzen gewurzelt".

308. Der sächsische Rittergutsbesitzer *Heinrich Anselm von Ziegler und Klipphausen* (1663–1696) ver- faßte den heroisch-galanten Roman von der Prinzessin Banise aus dem Reiche Pegu in Hinterindien, die durch einen Staatsstreich ihres geliebten Prinzen Balacin aus mancherlei Gefahren befreit und schließlich auf dem Kaiserthron mit ihm vereinigt wird. Das zuerst 1687 erschienene, im Titel mit angekündigte Schauspiel „Die listige Rache oder Der tapfere Heraclius" wurde dem Roman als Darbietung bei den Krönungs- und Hochzeitsfeierlichkeiten einverleibt. Das Buch war ein großer Erfolg und erlebte bis 1766 zehn Auflagen und mehrere Bühnenbearbeitungen.

309. Der Zittauer Gymnasialrektor *Christian Weise* (1642–1708) verfaßte neben nüchternen Gedichten und satirisch-bürgerlichen Romanen insgesamt 55 zum Teil noch ungedruckte Dramen biblischen, geschicht- lichen oder bürgerlich-komischen Inhalts mit starken moralischen Tendenzen, von denen er jährlich drei durch seine Schüler aufführen ließ, um sie durch die schauspielerische Betätigung zu gesellschaftlicher Gewandtheit und guten Umgangsformen zu erziehen. Die Zittauer Stadtbibliothek bewahrt ein anonymes Porträt Weises auf, der als Dichter und Gelehrter mit langwallender Perücke dargestellt ist.

310. Eine der bekanntesten Schulkomödien Weises, *Der bäurische Macchiavellus*, wurde 1679 aufgeführt und 1681 gedruckt: Das Titelkupfer von Bensheimer zeigt die Ausgangssituation der Rahmenhandlung: auf dem Parnaß thront Apollo, vor ihm erscheinen Simplex, Candidus und Fidelis, um den Macchiavellus wegen seiner egoistischen, gewissenlosen Lebensanschauung als Anstifter alles Bösen auf der Welt zu ver- klagen. Die Haupthandlung, ein Intrigenspiel im Dorf Querlequietsch, erweist die Unschuld Macchiavells, der im Abschluß der Rahmenhandlung dann auch freigesprochen wird. Die Figur mit dem Fernrohr im Vordergrund des Titelkupfers stellt einen Zuschauer dar; der Aufbau des Dramas setzt einen Wechsel von Vorder- und Hinterbühne voraus, so daß die Parnaß-Szene auf der Hinterbühne spielt.

311. Die Bühne eines *Schultheaters*, wie sie in der Barockzeit in allen bedeutenderen Schulen vorhanden waren, damit die Schüler als Schauspieler ihre Schüchternheit überwinden, gewandte Deklamation erlernen sowie Sicherheit des Auftretens und Gewandtheit der Bewegungen gewinnen sollten. Als Dekoration dient eine fünfteilige Kulissenwand mit perspektivischem Schlußprospekt.

309. Christian Weise
Anonymes Ölgemälde vor 1710

310. Weise, „Der bäurische Macchiavellus"
Titelkupfer, 1681

311. Das Schultheater in Stift Lambach, Oberösterreich

312. Christian Reuter, „Schelmuffsky", 1696

313. Christian Reuter, „L'honnéte Femme", 1695

314. E. W. Happel, „Größte Denkwürdigkeiten"

312. Der Leipziger Student *Christian Reuter* (1665 bis um 1712) parodierte in der karikaturistisch-satirischen Lügengeschichte „Schelmuffsky", von dem unsere Abbildung das Titelblatt der ersten, kürzeren Fassung zeigt, den zeitgenössischen Abenteuer- und Reiseroman.

313. Dem Roman vorangegangen war die Komödie *L'honnête Femme oder Die ehrliche Frau zu Plissine*, eine dramatisierte Spottschrift auf Reuters Leipziger Wirtsleute, die Familie Müller. Auf die Klage der Witwe Müller hin, die Reuter als „Frau Schlampampe, die ehrliche Frau und Gastwirtin zum goldnen Maulaffen" wie abgebildet verspottet hatte, wurde der Druck konfisziert, Reuter erhielt 15 Wochen Karzer und seine Relegation von der Universität, die 1699 in gänzliche Exklusion verschärft wurde.

314. Der Hamburger Lehrer *Eberhard Werner Happel* (1648–1690) verwandte die zeitgenössischen Geschichtsereignisse zu umfangreichen Romanen der literarischen Unterschicht und sammelte historische, geographische, ethnographische und naturwissenschaftliche Kuriositäten in den 5 Bänden seiner „Größten Denkwürdigkeiten der Welt" (1683 bis 1691), denen noch Eichendorff den Stoff seiner Novelle „Das Marmorbild" entnahm. Unsere Abbildung daraus zeigt den Plan eines Luftschiffes sowie – im Kessel links – eines Unterseebootes.

315. Johann Christian Günther   316. Günther, Gedichte. Titelkupfer, 1735

315. Das abgebildete Titelkupfer der 6. Auflage von Günthers Gedichten (1764) mit seiner selbstverfaßten Grabschrift dürfte schwerlich ein echtes Porträt des Dichters *Johann Christian Günther* (1695–1723) enthalten. Die falsche Altersangabe „26 Jahr" statt 27 erklärt sich aus dem Mißverständnis einer Gedichtstelle. Günthers Vater schrieb an den ersten Biographen des Dichters: „Mein Sohn war von mittelmäßiger Statur und wohl proportionierten, gesunden und geschickten Giedern, eines geichfalls mit den anderen Gliedern wohl harmonisierenden Gesichts, etwas länglich und von schwarzbraunen Augen und Haupthaaren, außer daß er damals eine lange Staatsperücke mit blonden Haaren trug. War sonst freundlich und annehmlich von Angesicht und hatte etwas Reizendes an sich, daß er jedermann gefiel." Stich von J. D. Philippin nach S. G. Herzog, 1764.

316. Das Titelkupfer der ersten Gesamtausgabe von *Günthers Gedichten*, 1735 vergleicht die Verschiedenartigkeit der Gedichte mit einer Schüssel voll von verschiedensten Obstsorten (lateinisch: satura, das Ausgangswort für deutsch: Satire), die von zwei Satyrn getragen wird.

317. Der Stolberger Arzt *Johann Gottfried Schnabel* (1692 bis nach 1750) schrieb unter dem Namen Gisander mit den „Wunderlichen Fata einiger Seefahrer", denen Tieck in seiner Ausgabe von 1828 den endgültigen Titel „Insel Felsenburg" gab, die bekannteste deutsche Bearbeitung des Robinsonthemas; die erste deutsche Fassung dieses späterhin so beliebten Themas hatte bereits Grimmelshausens „Continuatio" (Abb. 293) gegeben.

317. Schnabel, „Wunderliche Fata"

318. Brockes,
„Irdisches Vergnügen in Gott" I, 1721

Zum Preise Gottes, blühen Gärten und in derselben Anmuth scheint,
die Symmetrie mit Form-und Farben, ja recht Natur und Kunst vereint.

319. Kupferstich von Chr. Fritzsch
zum „Irdischen Vergnügen in Gott", 1738

320. Barthold Heinrich Brockes

318. Brockes' *Irdisches Vergnügen in Gott*, Titel der
Erstausgabe des ersten Teils mit dem Anhang fran-
zösischer Fabeln. Der letzte Band des neunbändigen
Werkes, das die Schönheit der Natur als Mittel zum
Preis der Größe Gottes ansieht und den Schöpfer in
seiner Schöpfung bewundern will, erschien erst 1748.

319. Der *Stich* aus Brockes' „Auszug der vornehmsten
Gedichte" 1738 stellt die Zweckmäßigkeit der Natur
dar, deren Pflanzen sich zu barocken Gartenkünsten
zurechtstutzen lassen. Hierzu paßt das Distichon
Mörikes, vielleicht des letzten Verehrers von Brockes:

> Führe mich, Alter, nur immer in deinen ge-
> schnörkelten Frühlings-
> garten! Noch duftet und taut frisch und
> gewürzig sein Flor.

320. Aus dem Gesicht des Hamburger Ratsherrn und
Senators *Barthold Heinrich Brockes* (1680–1747),
dessen Bildnis der Hamburger Maler Dominicus
van der Smissen gemalt hat, spricht die selbstver-
gnügte Behäbigkeit dieses durchaus friedlichen, fast
schon ein wenig phlegmatischen Charakters, der
auch in seinen Dichtungen gelegentlich zum Ausdruck kommt. Neben den Naturschilderungen des
„Irdischen Vergnügens in Gott" edierte Brockes auch
eine moralische Wochenschrift und schrieb ein Pas-
sionsoratorium.

Versuch
Schweizerischer
Gedichten.

. . . Stulta est Clementia , cum tot ubique
Vatibus occurras ; perituræ parcere Chartæ.
Iuvenal.

BERN/
Bey Niclaus Emanuel Haller,
MDCCXXXII.

321. Haller, „Versuch Schweizerischer
Gedichten". 1732

322. Albrecht von Haller
Gemälde von Joh. Rudolf Huber, 1736

321. Hallers *Versuch Schweizerischer Gedichten* (so die damals richtige Dialekt-
form) erschien Bern 1732 bei Hallers Bruder, der die Buchdruckerei gelernt und
in Bern den ersten Buchladen errichtet
hatte. Der Dichter, der sich nur auf Drängen der Freunde zur Veröffentlichung bereit
erklärt hatte, stellte der Sammlung das
Iuvenal-Zitat voran, das solche Zaghaftig-
keit töricht schilt. Diese Ausgabe enthält
erstmals auch Hallers Gedicht „Die Alpen",
das Lessing im „Laokoon" als Beispiel be-
schreibender Dichtung ablehnt.

322. Das Gemälde des Berner Porträt-
malers zeigt *Albrecht von Haller* (1708
bis 1777) als Dichter der „Alpen", die in
der Ferne aufleuchten, während der Dichter mit der Feder in der Hand sinnend
verträumt von einem Buch aufblickt. Das
Bild entstand kurz vor seiner Berufung als
Professor der Medizin, Chirurgie und
Botanik nach Göttingen.

323. Inmitten einer *Gesellschaft* von sieben
Herren, die in einem einfachen Zimmer bei
brennendem Kaminfeuer rauchen, Wein
trinken und Karten spielen, sitzt rechts am
Tisch, als einziger ohne Perücke, dafür mit
pelzgefaßter Mütze und einfachem Hausrock, der alternde Hausherr, der nach Berner Familientradition Albrecht von Haller
ist.

323. Berner Tabakkollegium mit Haller. Gem. um 1770

324. *Wandernde Komödianten auf dem Anger in München. Gemälde von Joseph Stephan, um 1770*

Nicht alles, so da gleist,   als wahres Gold sich weist.

Der Comoediant.

Es ist nur alles ins gesicht   Wer der Brade traut zuviel
Mit Worten, Kleidern und Geberden.   Und sich den äußern Schein läßt blenden,
Bey dieser Lebens-art gericht,   Bey dem wird sich daß freuden spiel
Im werck wirds kahl befunden werden; Zuletzt in ein tragoedie enden.

C.Pr. S. C. Maj.

325. *Wanderkomödiant als Held einer Haupt- und Staatsaktion*

324. Auf der im Freien aufgeschlagenen, von drei Seiten von Zuschauern umsäumten Bretterbühne sitzt eine Dame im Reifrock neben einem modisch gekleideten Herrn; am vorderen Bühnenrand steht der Hanswurst. Die Umgebung mit Bettelmusikanten, Trödelhändlern und Jahrmarktsbuden ist zugleich für das Niveau der kleineren *Wanderbühnen* bezeichnend.

325. *Heldendarsteller* der „regelmäßigen Tragödie" aus der Neuber-Zeit in prunkvollem Kostüm, das die Unterschrift des Stiches zugleich als warnendes Exempel benutzt, sein Szepter schwingend. Links im Hintergrund eine Türkenszene aus einem Heerlager der Haupt- und Staatsaktionen, rechts Faust im magischen Kreis bei der Beschwörung höllischer Geister, eine Szene aus der auch von der Neuberschen Truppe gespielten Faustkomödie (vgl. Abb. 333). (Kolorierter Stich von Martin Engelbrecht, um 1735)

326. Die *Wandertruppe* der „königlich polnischen und churfürstlich sächsischen Hofkomödianten" unter dem Ehepaar Neuber (s. Abb. 332) gastierte in den Jahren 1715, 1723, 1728 und 1731 im Hof des alten Nürnberger Fechthauses auf einer im Freien aufgeschlagenen, unüberdachten Bühne, die früher den alten Meistersingern gehört hatte. Der abgebildete Stich aus „Angenehme Bilderlust" stammt noch aus der Zeit vor der Gottschedschen Bühnenreform von 1730: in der Mitte das prunkvoll kostümierte Liebespaar einer Haupt- und Staatsaktion, umgeben von vier lächerlich ausstaffierten Narrenfiguren; er stammt vermutlich aus dem Jahre

326. Neubersche Wanderbühne im Hof des Fechthauses zu Nürnberg. Kolorierter Kupferstich, um 1730

1728, als die Neuberin mit ihrer Truppe vom Nürnberger Rat die Erlaubnis erhielt, sechs Wochen lang jeweils montags und mittwochs im Fechthaus zu spielen, vorausgesetzt, „daß sie sich unklagbar und ohne Exzesse bezeugen, absonderlich aber in den Nachspielen sich desgleichen enthalten sollen". Noch im Jahr 1731, als sich die Truppe Gottscheds Bestrebungen zur Verbesserung des Repertoires angeschlossen hatte und in Nürnberg Corneilles „Cinna" aufführte, beschwert sich Karl Neuber dem Leipziger Professor gegenüber über die Unzulänglichkeiten des Lokals und berichtet, daß „wir aber die Woche nur zweimal agieren... Wie leicht wird nicht durch das garstige Wetter ein Tag davon verdorben". Die Neubersche Schauspielertruppe, die seit ihrem Anschluß an Gottsched mit dem regelmäßen Drama nach französischem Vorbild gute Erfolge erzielte, in ganz Deutschland als Wandertruppe nachhaltig wirkte und selbst in Petersburg gastierte, bestand zum Teil aus ehemaligen Studenten, die wegen Geldmangels ihr Studium abgebrochen hatten.

327. Die 1706 von Stranitzky für den Wiener *Hanswurst* eingeführte Kleidung, die dieser 1725 auf der Bühne des Kärntnertortheaters feierlich seinem Nachfolger Gottfried Prehauser übergab, bestand aus langen, halbweiten Hosen (in komischem Gegensatz zur engen spanischen Mode der Zeit), einer kurzen Joppe, die noch an den Randverzierungen ihren Ursprung von dem aus lauter Dreiecken zusammengesetzten Harlekinskostüm bezeugt, Hosenträgern, spanischer Halskrause, einem kurzen, hölzernen Dolch und einem grünen Hut als Symbol des Groteskkomischen; dazu wurde das lange Haar am Wirbel zusammengebunden.

327. Gottfried Prehauser als Hanswurst

328. Johann Christoph Gottsched
Gemälde von L. Schorer, 1744

329. „Versuch einer Critischen Dichtkunst"
Erstausgabe 1730

330. Gottsched und Gottschedin
Anonymes Gemälde

331. Gottscheds „Deutsche Schaubühne"
Kupferstich

332. *Caroline Neuberin*
Gemälde von Hausmann, Lithographie von C. Loedel

333. *Theaterzettel einer Faust-Aufführung*
durch die Neuberin

328. Der ostpreußische Pfarrerssohn *Johann Christoph Gottsched* (1700–1766) mußte als Königsberger Student 1724 nach Leipzig fliehen, um wegen seiner ungeheuren Körpergröße nicht preußischen Werbern zum Opfer zu fallen, und stieg hier vom Privatdozenten zum Professor der Logik und Metaphysik und Literaturdiktator Deutschlands auf. Noch Goethe, der den gravitätischen Gelehrten mit Schlosser in Leipzig besuchte, schildert ihn als einen „großen, breiten, riesenhaften Mann" mit einem „ungeheuren Haupt" und einer „großen Allongeperücke", deren Locken bis an den Ellenbogen fielen.

329. „Gottscheds *Critische Dichtkunst* ... war brauchbar und belehrend genug: denn sie überlieferte von allen Dichtungsarten eine historische Kenntnis, sowie vom Rhythmus und den verschiedenen Bewegungen desselben; das poetische Genie ward vorausgesetzt! Übrigens aber sollte der Dichter Kenntnisse haben, ja gelehrt sein, er sollte Geschmack besitzen, und was dergleichen mehr war." (Goethe)

330. Gottscheds Gattin *Luise Adelgunde Viktoria*, geb. Kulmus (1713–1762) war seine feinsinnige, treue und von ihm hochverehrte Beraterin und Gehilfin in wissenschaftlichen oder Übersetzungsfragen; sie übersetzte und verfaßte auch einige erfolgreiche Lustspiele. Hofrat Freiersleben lobte 1751 dieses „vortreffliche Paar", welches sogar die Mißgunst der Ausländer unter die vorzüglichen Seltenheiten unseres Jahrhunderts zählt."

331. Kupfertitel von Nilson zum Schäferspiel *Elisie* oder „Die auf den Thron erhobne Schäferin" von Adolf Gottfried Uhlich (1720–1753) aus Gottscheds „Deutscher Schaubühne nach den Regeln der alten Griechen und Römer eingerichtet" (Band V, 1744), der von Gottsched und seiner Gemahlin herausgegebenen Mustersammlung von Theaterstücken für die deutschen Bühnen.

332. *Friederike Caroline Neuber(in)* geb. Weißenborn (1697–1760) heiratete als Advokatentochter 1718 den Schauspieler Johann Neuber und wurde „die berühmteste Schauspielerin ihrer Zeit, Urheberin des guten Geschmacks auf der deutschen Bühne", wie ihr Denkmal verkündet. Als eigene Prinzipalin unterstellte sie ihre Truppe den Reformbestrebungen Gottscheds und verbannte den Hanswurst; nach dem Bruch mit Gottsched konnte sie 1748 Lessings „Jungen Gelehrten" uraufführen und starb schließlich im Elend. Unser Bild zeigt sie als Elisabeth in „Essex" (vgl. Abb. 326).

333. Zum Repertoire der Neuberschen Truppe gehörte eine *Faust*-Komödie mit Hanswurstrolle, die nach dem vorliegenden Theaterzettel am 7. Juli 1738 in Hamburg im sogenannten Opernhaus am Gänsemarkt – dem Vorläufer des Abbildung 410 abgebildeten Nationaltheaters – aufgeführt wurde: Oben die Titel und Protektionen der Wandertruppe, sodann die Ankündigung mit ausführlicher Inhaltsangabe, schließlich unten Zeit, Ort und Eintrittspreise.

Joh. Jacob Bodmers
Critische Abhandlung
von dem

Wunderbaren

in der Poesie

und dessen Verbindung mit dem

Wahrscheinlichen

In einer Vertheidigung des Gedichtes
Joh. Miltons von dem verlohrnen Paradiese;
Der beygefüget ist

Joseph Addisons

Abhandlung
von den Schönheiten in demselben
Gedichte.

_____

Zürich, verlegts Conrad Orell und Comp.
1 7 4 0.

334. Bodmer,
„Abhandlung von dem Wunderbaren", 1740

335. Johann Jakob Bodmer
Gemälde von J. C. Füeßli

Die

Discourse

der

Mahlern.

Erster Theil.

Zürich.

_____

Druckts Joseph Lindinner, 1721.

336. Titelblatt „Discourse der Mahlern". 1721

337. Bodmers Haus bei Zürich, „Im Berg".
Anonyme Zeichnung, um 1750

338. Johann Jakob Breitinger
Schabkunstblatt von V. D. Preisler nach J. C. Füeßli, 1741

339. Breitinger, „Critische Dichtkunst"
Titelblatt, 1740

334. Bodmers *Critische Abhandlung von dem Wunderbaren in der Poesie* rechtfertigte das Irrationale in der Dichtung auf Grund seiner poetischen Wahrscheinlichkeit gegenüber den Fesseln des Rationalismus.

335. Den Züricher Professor, Ratsherrn und Ästhetiker *Johann Jakob Bodmer* (1698–1783), der im Verein mit Breitinger (Abb. 338) gegen Gottsched und die deutsche Aufklärung auftrat, verglich der Maler Ramond de Carbonnières mit Voltaire: „gleiche Gesichtszüge, gleiche Gebärden; nur ist die Farbe der Augen verschieden und hat seine Physiognomie im Ganzen ein wenig mehr Feinheit." Und sein Mitbürger Lavater schreibt: „Bodmers Stirn ist noch viel bedeutender in der Natur gezeichnet; sein Auge, viel lebendiger und rollender, ist nicht unter Zehntausenden, sondern unter Hunderttausenden das einzige seiner Art . . . Die Nase ist wahrhaftig weise! und auf der Lippe schwebt naiver attischer Scherz."

336. Die von Bodmer und Breitinger gemeinsam herausgegebenen *Discourse der Mahlern* (dies der in damaliger Mundart richtige Titel), waren eine moralische Wochenschrift nach englischem Vorbild, deren Mitarbeiter ihre Beiträge über Moral, praktische Lebensweisheit und literarische Kritik mit den Namen bekannter Maler wie Holbein, Rubens, Dürer, Caraccio unterzeichneten. Das Titelkupfer zeigt eine von zwei Satyrn umrahmte Gesprächsszene.

337. *Bodmers Gutshaus* am Stadtrand von Zürich war wie das Gleimhaus in Halberstadt als gastliche Dichterherberge bekannt. Hier weilte vom Juli 1750 bis Februar 1751 auf Einladung Bodmers Klopstock, der den Hausherrn, der einen Heiligen erwartet hatte, allerdings einigermaßen enttäuschte und auch durch die während dieses Aufenthaltes entstandene Ode „Der Züricher See" nicht versöhnte; hier verlebte Wieland 1752–1754 seine seraphische Epoche bis zum Durchbruch seines eigenen Wesens, hier besuchten auch Heinse und Goethe (1775 und 1779) den greisen Dichter, und Goethe gibt im 18. Buch von „Dichtung und Wahrheit" eine begeisterte Schilderung des Hauses.

338. *Johann Jakob Breitinger* (1701–1776), der Züricher Gymnasialprofessor und Mitarbeiter Bodmers, wird von Lavater beschrieben: „Der gewaltige, felsige Augenknochen, dieser Sitz von Mut, Kraft und Verstand . . . Mehr Verstand als Dichtungskraft; mehr Geschmack und kritischen Scharfsinn als zärtlich schmachtende Empfindsamkeit – dies alles glaub ich im treffenden, schauenden, klein scheinenden, aber nicht kleinlichen Auge und in der schiefen, festen, über den Augen nicht sehr vordringenden Stirn zu erblicken. Kraft, Geschäftätigkeit, Tatweisheit in der feuervollen, prägnanten, unschlaffen und unbeschnittenen Nase. Leutseligkeit, höfliche Dienstgefälligkeit im Munde."

339. Breitingers *Critische Dichtkunst* war das Hauptwerk der schweizerischen Ästhetik im Kampf gegen den Rationalismus Gottscheds.

340. *Bremer Beiträge IV, 4 und 5*   341. *Johann Adolf Schlegel, Gemälde v. G. W. Thielo*

340. Die von Gärtner, Rabener und Cramer gegründeten „Neuen Beiträge zum Vergnügen des Verstandes und Witzes" (1745–1759), nach dem Erscheinungsort *Bremer Beiträge* genannt, zu denen auch J. A. Schlegel, Ebert, Zachariae, Gellert, Klopstock, Ramler, E. v. Kleist und Gleim Manuskripte lieferten, waren anfangs als selbständiges Gegenstück zu den „Belustigungen des Verstandes und Witzes" der Gottschedianer gedacht und wollten sich aus dem Streit zwischen Gottsched und den Schweizern heraushalten, wurden jedoch nach und nach selbst das Parteiorgan der Gottsched-Gegner. Größte Bedeutung erhielten sie durch die Erstveröffentlichung der ersten drei Gesänge des „Messias" in dem abgebildeten Bande (Abb. 438).

341. Der Prediger und spätere Konsistorialrat in Hannover, *Johann Adolf Schlegel* (1721–1793), der Vater der Romantiker August Wilhelm und Friedrich Schlegel (Abb. 594 und 595), trat als Dichter geistlicher Lieder sowie Verfasser von Lehrgedichten, Fabeln und Erzählungen im Sinne Gellerts hervor.

342. Über den früh verstorbenen Dramatiker *Johann Friedrich Freiherr von Cronegk* (1731–1757), den der Kupferstich beim Schreiben seiner Elegie „An Chloris" darstellt, schreibt sein Biograph J. P. Uz (Abb. 363): „Er war ein zärtlicher, liebenswürdiger Freund. Seine Ankunft breitete Leben und Vergnügen in unserer Gesellschaft aus. Seine Gespräche wurden durch seine ausgebreitete Kenntnis lehrreich und durch seinen lebhaften Witz reizend gemacht. Er war mit Anstand fröhlich, ernsthaft ohne mürrisch zu sein, zuweilen satirisch, aber ohne Bitterkeit, außer gegen elende Skribenten. Das beste Herz schlug in seiner Brust ... Er war von eitlem Stolze und von aller Habsucht weit entfernt, liebreich gegen jederman, rechtschaffen und untadelhaft sowohl in seinem Amte als in allen seinen Handlungen."

343. *Johann Elias Schlegel* (1719–1749), der Bruder Johann Adolf Schlegels (Abb. 341), verfaßte neben bedeutenden dramaturgischen Arbeiten, in denen er als erster in Deutschland für Shakespeare eintrat, mehrere Trauerspiele, deren bedeutendstes, „Canut", auch vom jungen Goethe in der Titelrolle gespielt wurde. Titel der 2. Ausgabe in den „Theatralischen Werken" 1747 (datiert 1748).

344. Der Braunschweiger Gymnasialprofessor und Hofrat *Johann Arnold Ebert* (1723–1795), ein Freund Klopstocks, wirkte besonders durch seine Übersetzung von Youngs „Nachtgedanken" auf die Ausbildung der empfindsamen Dichtung des 18. Jahrhunderts.

345. Der Göttinger Mathematiker *Abraham Gotthelf Kästner* (1719–1800), dessen scharfe Epigramme gegen die Torheiten seiner Zeit ihren Rang neben denen Lessings behaupten können, wird von Lavater beschrieben: „Ganz zuverlässig, so wie er da ist, dieser Kopf, durch Stirne, Nase, Auge, Umriß ein heller Kopf, der leicht und viel auffaßt und dennoch sehr fest hält. Im bloßen Umriß hat die Stirn noch mehr Feinheit und Kraft, Ideen zu ergreifen, zu verfolgen und festzuhalten. Die Nase, das zu kleine Nasenloch ausgenommen, ist sicherlich keines stupiden Menschen. Der Mund voll Geist und Sinn ... Ruhe und Kälte, Leichtigkeit und Tiefblick ist auffallender Ausdruck."

342. Cronegk, Kupferstich von M. Bernigeroth, 1760   343. Johann Elias Schlegel, „Canut"

344. Johann Arnold Ebert,
Kupferstich von Liebe

345. Abraham Gotthelf Kästner
Gemälde von Joh. Heinr. Tischbein

346. *Gottlieb Wilhelm Rabener*
Gemälde von Anton Graff

348. *Friedrich Wilhelm Zachariae*
Kupferstich von F. Kauke, 1759

347. *Rabeners „Satiren"*
Titelkupfer von Bernigeroth nach P. Hutin, 1755

349. *Zachariae, „Der Renommist"*
Kupferstich von A. Beck, 1754

346. Über den satirisch-moralischen Schriftsteller *Gottlieb Wilhelm Rabener* (1714–1771) schreibt Goethe in „Dichtung und Wahrheit": „Rabener, wohl erzogen, unter gutem Schulunterricht aufgewachsen, von heiterer und keineswegs leidenschaftlicher oder gehässiger Natur, ergriff die allgemeine Satire. Sein Tadel der sogenannten Laster und Torheiten entspringt aus reinen Ansichten des ruhigen Menschenverstandes und aus einem bestimmten sittlichen Begriff, wie die Welt sein sollte. Die Rüge der Fehler und Mängel ist harmlos und heiter ... Als tüchtiger, genauer Geschäftsmann tut er seine Pflicht und erwirbt sich dadurch die gute Meinung seiner Mitbürger und das Vertrauen seiner Oberen."

347. Das allegorische *Titelkupfer* von Rabeners „Sammlung satirischer Schriften" Band 4 zeigt – auf Grund der vermeintlichen Sprachverwandtschaft von Satire und Satyr – einen Satyr, der vom Podium herab die verschiedenen menschlichen Typen wie (rechts) den Gelehrten, den Beamten, das junge Mädchen und die Narren verspottet.

348. Über den Braunschweiger Professor *Justus Friedrich Wilhelm Zachariae* (1726–1777), den Verfasser komisch-satirischer Epen, berichtet Daveson: „Der Professor Zachariae ... hatte einen Hang zur Pracht, und wenn man will, zum Wohlleben. Schon seine ganze Figur und sein ganzes Wesen hatten etwas

350. *Christian Fürchtegott Gellert*
Gemälde von Anton Graff, 1769

der Greis
le Vieillard

der Zeisig
le Serin

der Kranke
le Malade

351–353. *Drei Kupferstiche von Johann Heinrich Meil zu Gellerts „Fabeln", 1766*

Pomphaftes; er war groß, stark, stattlich, und trat majestätisch einher."
Auch Goethe, der ihn bei der Schönkopfschen Tischgesellschaft in Leipzig
kennenlernte, schildert ihn als einen Gast, „der, als ein großer, wohl-
gestalteter, behaglicher Mann, seine Neigung zu einer guten Tafel nicht
verhehlte."

349. Zachariaes komisches Heldengedicht *Der Renommist* stellt dem
groben, rauflustigen Jenenser Studenten Raufbold (Mitte) den galanten
und modischen Leipziger Stutzer Sylvan (rechts) gegenüber: beide bei
einem Spaziergang vor Leipzig, im Hintergrund die Fechtszene, in der
Sylvan den Raufbold besiegt, ringsum verschiedene Attribute der Erzählung.

350. Der Fabel- und Liederdichter, Dramatiker und Erzähler *Christian
Fürchtegott Gellert* (1715–1769), seit 1750 Professor in Leipzig, zu
dessen Vorlesungen die Studenten sich zu Hunderten drängten, war
eine zu seiner Zeit in ganz Deutschland geschätzte und geliebte Persönlichkeit. Goethe, der in Leipzig seine Vorlesung und sein Praktikum
besuchte, beschreibt ihn: „Nicht groß von Gestalt, zierlich, aber nicht
hager, sanfte, eher traurige Augen, eine sehr schöne Stirn, eine nicht
übertriebene Habichtsnase, ein feiner Mund, ein gefälliges Oval des
Gesichts: alles machte seine Gegenwart angenehm und wünschenswert."

351.–353. Zu *Gellerts Fabeln*, die fast unzählige Male gedruckt wurden
und nach dem Katechismus das verbreitetste Schulbuch ihrer Zeit waren,
schuf Johann Heinrich Meil, der Bruder des bekannten Kupferstechers,
113 Stiche: Der Greis s. Abb. 357. – Den Zeisig hält der Knabe wegen
seines schöneren Kleides für einen besseren Sänger als die Nachtigall. –
Der Gichtkranke, der auf den Rat einer weisen Frau durch den Tau
vom Grab eines Frommen genesen ist, erfährt vom Küster, daß hier
ein Ketzer und Komödienschreiber ruhe.

Gellerts Fabeln
Der Tanzbär
fort mit dir!
Du Narr, wilſt klüger ſein als wir?

Die Krancke Frau
Ich will mich aus dem Bette wagen,
So können Sie noch heute ſehn,
Wie mir das neue Kleid wird ſtehn.

Die beiden Mädchen.
Zwey junge Mädchen hofften beide,
Worauf? Gewiſs auf einen Mann.

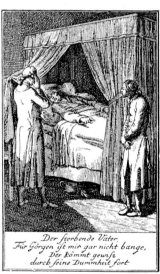

Der Greis
Er lebte, nahm ein Weib, und ſtarb.

Die Bauern und der Amtmann.
Hört zu!
Ihr Ochſen, die ihr alle ſeyd!
Euch Flegeln geb ich den Beſcheid
Ihr ſollt den Herrn zu eurem Pfarrn behalten,
Sagts, wollt ihr, oder nicht? denn itzt ſind wir noch da.

Der ſterbende Vater.
Für Görgen iſt mir gar nicht bange,
Der kömmt gewiſs
durch ſeine Dummheit fort.

354.–359. Sechs Kupferstiche von D. Chodowiecki zu Gellerts „Fabeln", 1777

354.–359. *Daniel Chodowiecki* veröffentlichte die Kupfer im „Genealogischen Kalender für Westpreußen" auf das Jahr 1777: Der entlaufene Tanzbär prahlt vor den Brüdern mit seinen angelernten Künsten und wird von ihnen aus Neid vertrieben. – Die aus Neid über das neue Kleid ihrer Freundin kranke Frau wird sofort gesund, als sie ein gleiches erhält. – Von den beiden Mädchen bevorzugt der Freier die natürliche, liebreiche Karoline vor der steif geputzten Schwester. – Der Greis, dessen großangekündigtes Loblied der Dichter in der Formel „Er lebte, nahm ein Weib, und starb" zusammenfaßt. – Die Bauern, die sich über den neuen Pfarrer beschweren, lassen sich nicht durch die erbaulichen Reden des Superintendenten, sondern durch den derben Befehl des Amtmanns umstimmen. – Der sterbende Vater hinterläßt dem klügeren Sohn seine Juwelen, da er sich um das Fortkommen des Dümmeren keine Gedanken zu machen braucht. – In den schlichten Schilderungen von Szenen des täglichen Lebens, wie sie Gellerts Fabeln darstellen und von Chodowiecki mit sicherem Griff an dem pointierten Augenblick ergriffen wurden, leistete der große deutsche Illustrator noch weit Besseres als in den dramatisch bewegten Szenenkupfern. Im Gegensatz zu den Kupfern von Meil (Abb. 351–353) sind Chodowieckis Szenen so sehr auf die Pointe zugespitzt, daß man sie fast auch ohne Kenntnis der Fabeln erraten könnte.

360. Der Leipziger Steuereinnehmer und Freund Lessings *Christian Felix Weiße* (1726–1804) wurde durch seine Singspiele, Tragödien und Komödien der beliebteste Bühnendichter seiner Zeit und begründete

360. *Christian Felix Weiße*
Gemälde von A. Graff, 1769

361. *Weiße, „Ehrlich währt am längsten"*
Kupfer von D. Chodowiecki, 1784

die erste deutsche Kinderzeitschrift. Goethe, der den Beschützer junger Talente in Leipzig kennenlernte, schreibt in „Dichtung und Wahrheit": „Kreissteuereinnehmer Weiße, in seinen besten Jahren, heiter, freundlich und zuvorkommend, ward von uns geliebt und geschätzt. Zwar wollten wir seine Theaterstücke nicht durchaus für musterhaft gelten lassen, ließen uns aber doch davon hinreißen, und seine Opern, durch Hillern auf eine leichte Weise belebt, machten uns viel Vergnügen."

361. Der Kupferstich zu Weißes einaktigem Schauspiel *Ehrlich währt am längsten oder Untreue schlägt seinen eignen Herrn* erschien im „Briefwechsel der Familie des Kinderfreundes" I, 1784: In der Mitte Karl, der Gotthard soeben den Brief seines verstorbenen Vaters überbracht hat, mit seiner Braut Jettchen, Gotthards Tochter, Hand in Hand. Gotthard hat den Brief erstaunt gelesen und nimmt eben die Brille ab; auch sein Sohn Ernst, der links den Umschlag hält, steht ganz verblüfft da.

362. Das 1741 durch die Schönemannsche Truppe in Hamburg aufgeführte Typenlustspiel *Der Bookesbeutel* (= Bücherbeutel zum Kirchgang) von Hinrich Borkenstein (1705–1777), einem Hamburger Buchhalter und Kaufmann, dem Vater der von Hölderlin als Diotima verehrten Susette Gontard (Abb. 584), ist die erste bedeutende deutsche Lokalposse und verspottet die Unarten der Hamburger. Titelblatt des einzig erhaltenen Exemplars der Erstausgabe. (Bibl. Leningrad)

362. *Hinr. Borkenstein, „Der Bookesbeutel". 1742*

363. *Johann Peter Uz. Anonymes Gemälde*

Viertes Buch.

Es war der Liebesgott Selinden nachgeflogen,
Und hatte ieden Blick mit stummem Ernst er-
wogen:
Sein scharfes Auge sah die große Wahrheit ein,
Selinde würde nicht unüberwindlich seyn.
Sie soll, vermaß er sich, doch endlich unterliegen;
Und kann der Weise nicht ihr weiblich Herz besiegen,
So

364. *Uz, „Sieg des Liebesgottes". 1756*

363. Der Anakreontiker *Johann Peter Uz* (1720–1796) rauchend und lesend beim Kaffee trinken.

364. *Amor* führt Selinde mit dem Stutzer Selimor zusammen. (Stich von Crusius)

365. Der Hamburger Sekretär *Friedrich von Hagedorn* (1708–1754) begründete die heiter-graziöse Anakreontik.

366. *Joh. Wilh. Ludwig Gleim* (1719–1803) als Dichter der Grenadierlieder: links im Hintergrund singende Grenadiere. Sein Neffe W. Körte beschreibt Gleims Gesicht als „stark, voll Ausdruck, und belebt durch überaus helle, seelenvolle, nicht eben große Augen, von starken langen Augenbrauen überschattet. Sein feiner Mund verriet die innewohnende Güte durch einen ihm eigentümlichen Zug wohlwollender Freundlichkeit".

367. Der *Neue Tyrtäus* als Schlachtensänger mit der Lyra unter einem Baum, an dem Schild, Bogen und Köcher hängen; im Hintergrund das Kriegslager. (Kupferstich von J. Fr. Meil)

368. Das *Gleimhaus in Halberstadt*, in dem Gleim von 1747 bis zu seinem Tode im Jahre 1803 lebte, war der Mittelpunkt eines Freundschaftsbundes zahlreicher zeitgenössischer Dichter, deren Gemälde Gleim in seinem „Freundschaftstempel" sammelte.

365. *Hagedorn. Gemälde von D. v. d. Smissen, 1752*

366. *Ludwig Gleim. Gemälde von J. H. Ramberg, 1790*

367. *Gleim, „Kriegslieder". 1758*

368. *Das Gleimhaus in Halberstadt*

369. *Ewald von Kleist*
Gemälde von Hempel, 1749

370. *Kleist, „Der Frühling"*
Titelkupfer von S. Geßner, 1753

371/372. *Kleists Tod und Begräbnis. Zeichnungen von Adolph von Menzel, 1840*

369. Den Dichter *Ewald von Kleist* (1715–1759) beschreibt Lavater als einen „edlen, beherzten, entschlossenen – männlichen Mann . . . Die Proportion aller Gesichtsteile, die hohe englische Stirn, die offenen, unaufgesperrten, bestimmt gezeichneten, treffenden, stark gebogenen Augen, die männlich edle Nase, die gewiß, im Profil anzusehen, voll Ausdruck von Feinheit und Geschmack gewesen sein muß – selbst der Mund – alles dies gewinnt uns für den Mann, der sprechen und handeln darf, wo gesprochen und gehandelt werden soll; den menschenfreundlich tätigen, uneigennützigen – edlen".

370. Die Erstausgabe von Kleists naturphilosophischem Lehrgedicht *Der Frühling* erschien Berlin 1749. Für die Auflage von 1753 schuf der junge Salomon Geßner (s. Abb. 444–446) zum Zeichen seiner Verbundenheit mit dem befreundeten Dichter als seine erste Radierung das abgebildete Titelkupfer mit Darstellungen aus dem Landleben.

371/372. Über den *Tod Kleists*, der, seit 1740 preußischer Offizier, trotz mehrfacher Verwundungen an der Schlacht bei Kunersdorf teilnahm und, vom Pferde geschossen, bis zum letzten Atemzug die Seinen anfeuerte, berichtet Kugler („Geschichte Friedrichs des Großen"): „Ein Kartätschenschuß hatte ihm das Bein zerschmettert; Kosaken hatten ihn seiner Kleider beraubt und in einen Sumpf geworfen; russische Husaren hatten ihm darauf einige Pflege angedeihen lassen, aber aufs neue war er von Kosaken ausgeplündert worden. Erst am folgenden Mittage fand ihn ein russischer Offizier, der ihn nach Frankfurt bringen ließ, wo er, trotz der eifrigsten Pflege, am 24. August starb. Im feierlichen Zuge, an dem die Russen ebenso wie die Mitglieder der Frankfurter Universität teilnahmen, ward er begraben; ein russischer Stabsoffizier legte ihm seinen eigenen Degen auf den Sarg, damit ein so würdiger Offizier nicht ohne dies Ehrenzeichen begraben werde."

57

Grosmüthige! macht keine der
~~los möglich?~~ machen euch ~~so viel~~ Gefahren,

Womit ihr oft
~~Mit welchen Ihr~~ ihn ringen faht,

Der Kronen keine, die mit Blut zu kaufen
~~So viele Kronen,~~ waren;

Macht keine
~~So manche~~ Götterthat,

Kein glorreich übermanntes
~~So manch von ihm zertretnes~~ Unge-
heuer

Euch endlich
~~Nicht wieder~~ zur Verföhnung Luft?

So lange loderte der Rache fchwarzes
Feuer

In keines Gottes Bruft.

Als Herkuls Arm den Löwen erft er-
drückte,

Der in Nemäens Felfen lag,

Und, mit der Panzerhaut bedeckt, fein
Rachfchwert zückte,

Und fchnell, und Schlag auf Schlag

373. Ode Ramlers

374. *Karl Wilhelm Ramler. Gemälde von A. Graff, 1771*

373/374. Der klassizistisch-pathetische Oden-
dichter, Übersetzer und Herausgeber *Karl
Wilhelm Ramler* (1725–1798) trat besonders
durch seine metrisch strengen und mit reichen
mythologischen Anspielungen durchsetzten
Oden hervor. Lessing legte dem Freund, der
unablässig auch an seinen eigenen Dichtungen – z. B. der abgebildeten „Ode an die
Feinde des Königs" – feilte, seinen „Nathan"
und die Sinngedichte zur metrischen Revision
vor. Die abgebildete Textseite verdeutlicht
die Richtung solcher Stilkorrekturen, die den
ursprünglich individuellen Entwurf in eine
einförmige, pathetische Allgemeingültigkeit
erheben und durch metrische und formale
Korrektheit der Verse die Zeitgenossen über
die dürftige dichterische Begabung Ramlers
hinwegtäuschten.

375. Über die seinerzeit als „deutsche Sappho"
stark überschätzte Dichterin *Anna Luise
Karsch* (1722–1791) schreibt Lavater: „Das
Gesicht ist doch, man mag gegen die Schönheit
einwenden, was man will, äußerst geistreich,
und zwar nicht nur das ganz außerordentlich
helle, funkelnde, teilnehmende Seherauge –
auch die, wie man sagt, häßliche Nase. Besonders in der Gegend zwischen der Nase
und Unterlippe schwebt unbeschreiblich viel
Geist. Die Poesie als Poesie scheint ihren Sitz
in den Augen dieses Gesichtes zu haben. Sonst
ist die ganze Form des Kopfes, wenigstens der
Stirn und der Nase, mehr des kaltforschenden
Denkers."

375. *Anna Luise Karsch. Gemälde von Kehrer, 1791*

376. Wernicke, „Überschrifſte", 1697

377. Liscow. Kupferstich von Pfenninger, 1789

378. Karl Anton Kortum. Schattenriß, 1799

379. Kortum, „Die Jobsiade". 1799

376. Der dänische Hofmeister und spätere Gesandte *Christian Wernicke* (1661–1725) übte in seinen satirischen Epigrammen scharfe Kritik an dem Überschwang der hochbarocken Dichtung. Das Titelblatt zeigt eine geflügelte Muse mit Dichterlorbeer und Posaune.

377. Der Legationssekretär und Dresdner Kriegsrat *Christian Ludwig Liscow* (1701–1760) wandte sich in scharfen und rücksichtslos persönlich gehaltenen Prosasatiren gegen „die albernen Skribenten, als das den Helikon beunruhigende Ungeziefer". Goethe charakterisiert ihn als „einen jungen, kühnen Menschen", aber zugleich einen „unruhigen, unregelmäßigen Jüngling". Kupferstich aus Meisters „Charakteristik deutscher Dichter", 1789.

378. Der Bochumer Arzt *Karl Arnold Kortum* (1745–1824) parodierte in seinem grotesk-komischen Heldengedicht „Leben, Meinungen und Taten von Hieronimus Jobs, dem Kandidaten" (1. Teil 1784) den deutschen Bildungsroman in der Schilderung eines Pfarramtskandidaten, der Hausschreiber, Komödiant wird und schließlich als Nachtwächter endet.

379. Die Gesamtausgabe aller drei Teile seiner *Jobsiade* (1799) illustrierte Kortum selbst durch derb-drollige Holzschnitte, mit denen er „über die in vielen neuen Romanen oft zur Unzeit angebrachten Kupferstiche" spottet und die ausgezeichnet zum Stil seiner Knittelverse passen. Der junge Herr von Ohnewitz und Mamsel Esther, Jobs Schwester, sitzen verliebt in der Gartenlaube: „Sie saßen auch in mancher Abendstunde / Unterm blauen Himmel mit offnem Munde, / tranken des Mondes Silberschein / Und das Flimmern der lieben Sternelein." (III, 12)

380. Der Wiener Buchhändler *Johann Aloys Blumauer* (1755 bis 1798) parodierte Vergils „Äneis" 1783 in Bänkelsängermanier. Zeitgenossen schildern ihn als lang, hager, von gelber Gesichtsfarbe, nachlässiger Kleidung, mit leidenden Augen und einem faunischen Zug um den Mund.

381. Der Göttinger Professor *Georg Christoph Lichtenberg* (1742–1799), der Meister des deutschen Aphorismus, war nach dem Zeugnis Chr. Fr. Rincks „ein unansehnlicher Mann, klein, höckericht, krumm an Füßen, mit einem sehr dicken Kopf, aber lebhaften Augen und feurigem Temperament, dabei fast bis zur Schüchternheit höflich". Und Theodor Poppe schreibt: „Sein großer Geist befand sich in einem kleinen, sehr elenden, vorn und hinten gebuckelten Körper, den er, was freilich eine Schwäche von ihm war, soviel als möglich, aber vergebens, zu verbergen suchte." Lichtenberg selbst urteilte über das Porträt: „Billig müßte drunter stehen ‚In doloribus pictus' (= in Schmerzen gemalt); denn ich hatte damals zwei böse Finger, und daher rühren die viel zu viel geschlossenen Augen. Ich sehe den Leuten offner ins Gesicht als auf dem Gemälde."

380. *Aloys Blumauer. Anonymer Kupferstich*

381. *Georg Christoph Lichtenberg.*
Miniaturzeichnung von Ludwig Strecker, 1780

382. *Johann Timotheus Hermes. Kupferstich aus*
Lavaters Physiognomischen Fragmenten, 1777

383. *Hermes „Sophiens Reise"*
Kupferstich von D. Chodowiecki, 1778

382. Der Theologe und spätere Breslauer Superintendent *Johann Timotheus Hermes* (1738–1821), dessen empfindsame Familienromane zu den meistgelesenen Werken seiner Zeit gehörten, wird von Lavater in den „Physiognomischen Fragmenten" beschrieben: „Welcher sanfte Friede! welche tiefe, unerschütterte Ruhe! welche gehaltene, geräuschlosdringende Kraft umschwebt dies Gesicht! Sieh in ihm den Mann, der mit leichtem und treffendem Blicke moralische Welten ausspäht. So ein Gesicht mußt' es sein, um den metaphysisch moralischen Roman ‚Sophiens Reise' zu stellen."

383. Zu Hermes' breit moralisierendem Familienroman *Sophiens Reise von Memel nach Sachsen* veröffentlichte D. Chodowiecki im Gothaischen Hofkalender auf 1778 zwölf Kupferstiche: Nach einem Gesellschaftsabend im Pfarrhause, auf dem eine Frau Bürger Lieder vorgetragen hat, stürzt die Pastorin erregt und mit brennenden Augen und Wangen in das Zimmer ihres Mannes und wirft dem Nichtsahnenden vor, er wünsche ihren Tod herbei, um sich dann mit dieser Frau Bürger verheiraten zu können: „Ist das dein Christentum?"

384. Der Berliner Buchhändler *Christoph Friedrich Nicolai* (1733–1811) war der doktrinärste Schriftsteller der Aufklärungszeit und wurde von Goethe und Schiller in den „Xenien" heftig angegriffen.

385. Die *Familie La Roche* in ihrem Heim in Ehrenbreitstein: Links Sophie von La Roche, geborene von Gutermann (1731–1807), die Kusine und Jugendgeliebte Wielands, der auch ihren ersten Roman, die pietistische „Geschichte des Fräuleins von Sternheim" herausgab; rechts Georg Michael Frank genannt von La Roche (1720–1788), ihr Gatte, und in der Mitte beider Tochter Maximiliane Euphrosyne (1756 bis 1793). Goethe schildert in „Dichtung und Wahrheit", wie er bei einer Lahnfahrt 1772 „von dieser edlen Familie sehr freundlich empfangen und geschwind als ein Glied derselben betrachtet" wurde. Herr von La Roche sei ein „heiterer Welt- und Geschäftsmann" gewesen, mit einer „väterlich zarten Neigung zu seiner ältesten Tochter, welche freilich nicht anders als liebenswürdig war: eher klein als groß von Gestalt, niedlich gebaut; eine freie anmutige Bildung, die schwärzesten Augen und eine Gesichtsfarbe, die nicht blühender und reiner gedacht werden konnte". Sophie von La Roche „war die wunderbarste Frau . . . Schlank und zart gebaut, eher groß als klein, hatte sie bis in ihre höheren Jahre eine gewisse Eleganz der Gestalt sowohl als des Betragens zu erhalten gewußt, die zwischen dem Benehmen einer Edeldame und einer würdigen bürgerlichen Frau gar anmutig schwebte. Im Anzuge war sie mehrere Jahre gleich geblieben. Ein nettes Flügelhäubchen stand dem kleinen Kopfe und dem feinen Gesichte gar wohl, und die braune oder graue Kleidung gab ihrer Gegenwart Ruhe und Würde". Maximiliane, die Goethe auch 1793 in Frankfurt lebhaft anzog, heiratete 1774 den Kaufmann Peter Anton Brentano und wurde die Mutter von Clemens und Bettina Brentano (s. Abb. 605, 606, 613); ihre schwarzen Augen und Brentanos Eifersuchtsspiel gaben Züge für Goethes „Werther" ab. Das Gemälde stammt aus dem persönlichen Besitz der Maxe, die ihren ursprünglich nach vorn gekehrten, altmodischer frisierten Kopf übermalen ließ.

384. Christoph Friedrich Nicolai im Kreise seiner Familie. Gemälde von Anna Dorothea Therbusch

385. Georg Michael La Roche mit Frau und Tochter. Gemälde von Anton Wilhelm Tischbein, um 1770

386. Joh. Gottfried Seume
Gemälde von Veit Hans Schnorr von Carolsfeld, um 1800

387. Thümmel, „Wilhelmine"
Kupferstich von Geyser und Stock, 1768

388. Heinrich Pestalozzi
Gemälde von Gustav A. Schöner, 1811

389. Pestalozzi, „Lienhard und Gertrud"
Kupferstich von D. Chodowiecki, 1783

390. *Adolf von Knigge*
Schabkunstblatt von Wachsmann nach Lahde

391. *Friedrich Heinrich Jacobi*
Zeichnung von Hemsterhuis, 1781

386. Der autobiographische Erzähler und Lyriker *Johann Gottfried Seume* (1763–1810) wurde, nachdem er mehrmals Soldatenwerbern in die Hände gefallen und sogar nach Amerika zum Kampf gegen die aufständischen Amerikaner transportiert worden war, Privatlehrer, Sekretär und schließlich Korrektor bei Göschen in Grimma und unternahm 1801/02 seine berühmte Fußwanderung nach Sizilien, die er im „Spaziergang nach Syrakus" (1803) beschrieb.

387. Der humoristische Erzähler *Moritz August von Thümmel* (1738–1817) errang mit seinem komischen Epos „Wilhelmine oder der vermählte Pedant" (1764) größten Erfolg. Der Kupferstich aus der Ausgabe letzter Hand (1768) zeigt den etwas linkischen Dorfpfarrer Sebaldus zu Gast bei seiner zukünftigen Braut, der soeben aus der Residenz zurückgekehrten Hofdame Wilhelmine, und deren Eltern, dem Verwalter Niklas und dessen Frau. Wilhelmine hat aus der Residenz Wein mitgebracht, und Sebaldus fragt, seine Unkenntnis verbergend: „Liebe Mamsell, für was kann ich das eigentlich trinken?"

388. Der Schweizer Volkserzieher und pädagogische Reformer *Johann Heinrich Pestalozzi* (1746–1827) unterstützte seine praktischen Versuche, die Gründung mehrerer Erziehungsanstalten, durch eine Reihe volkstümlicher pädagogischer Romane.

389. Pestalozzis pädagogischer Roman *Lienhard und Gertrud*, der erste soziale Erziehungsroman, erschien 1783 in französischer Übersetzung mit zwölf Kupferstichen von D. Chodowiecki. Auf dem abgebildeten (12.) Stich treten der Maurer Lienhard und seine Frau Gertrud in die Wohnung des armen Rudi, dessen Kinder ihren Wohltätern freudig entgegengesprungen kommen. Ihnen gegenüber steht der Junker Arner mit seiner Frau, der als Herr des Dorfes Lienhard selbst aus seiner Not geholfen hat, neben ihm Rudi und hinten am Tisch der Pfarrer und seine Frau, die in gemeinsamen Bestrebungen die Sittenverderbnis des Dorfes auf humane Weise beseitigt haben.

390. Der weimarische Kammerherr und spätere Bremer Scholarch *Adolf Freiherr von Knigge* (1752–1796), den unter anderem Johann Adolf Schlegel (Abb. 341) als Hofmeister erzog, und dessen Schrift „Über den Umgang mit Menschen" (1788) dem Titel nach noch heute bekannt ist, trat auch als Verfasser komischer Romane und Reiseerzählungen sowie als Dramatiker und Übersetzer hervor.

391. *Friedrich Heinrich Jacobi* (1743–1819), den philosophischen Schriftsteller und „vieljährig geprüften Freund" Goethes und Wielands, schildert Henrich Steffens: „Er war ein schlanker, feiner Mann; er muß in seiner Jugend schön gewesen sein. Er schien mir mehr als ein angenehmer Gesellschafter denn als ein Gelehrter; sein Anstand hatte etwas Vornehmes, fast Diplomatisches, seine Gesichtszüge waren höchst bedeutend; eine Grazie, möchte man sagen, begleitete alle seine Bewegungen."

392. *Theodor von Hippel. Gemälde von Rüdgisch*

393. *Hippel, „Lebensläufe". 1779*

394. *Johann Karl August Musäus.
Ölgemälde von Johann Ernst Heinsius*

392. Der Königsberger Bürgermeister und Stadtpräsident *Theodor Gottlieb von Hippel* (1741–1796) schrieb Erzählungen voll humoristischer Laune und satirischer Schärfe, zu denen er sich jedoch zeitlebens nicht bekannt hat. Seine Freunde schildern ihn als einen „sehr offenen Kopf von klarem Verstande und Biederkeit" mit einem lichtvollen, durchdringenden Blick.

393. Hippels Roman *Lebensläufe nach aufsteigender Linie* erschien 1778–1781 mit vielen Kupfern von D. Chodowiecki: Der junge Herr von G. (links) und Alexander (vorn), der Held der „Lebensläufe", nehmen Abschied von der Familie von G., und Alexander umarmt das kleine Lorchen, das er vom Ertrinken gerettet hat. Entwurf zum späteren Kupferstich.

394. Der Weimarer Pagenhofmeister und spätere Gymnasialdirektor *Johann Karl August Musäus* (1735–1787), durch seine „Volksmärchen der Deutschen" noch heute bekannt, war nach Wieland der zweitälteste und einer der tätigsten Schriftsteller des Musenhofes bei der Herzogin Anna Amalia und wegen seines liebenswürdigen, humoristischen Wesens sehr beliebt.

395. Winckelmanns *Geschichte der Kunst des Altertums*, das erste große wissenschaftliche Werk des 18. Jahrhunderts in deutscher Sprache, wurde bedeutsam für die Entwick-

Johann Winckelmanns,
Präsidentens der Alterthümer zu Rom, und Scrittore der Vaticanischen Bibliothek,
Mitglieds der Königl. Englischen Societät der Alterthümer zu London, der Maleracademie
von St. Luca zu Rom, und der Hetrurischen zu Cortona,

Geschichte der Kunst
des Alterthums.

Erster Theil.

Mit Königl. Pohlnisch- und Churfürstl. Sächs. allergnädigsten Privilegio.

Dresden, 1764.
In der Waltherischen Hof-Buchhandlung.

395. Winckelmann, „Geschichte der Kunst"
Titelblatt 1764

396. Johann Joachim Winckelmann
Ölgemälde von Angelika Kauffmann, 1764

lung der neuen deutschen Kunstprosa. Der Verfasser bemühte sich um sorgfältige Ausstattung des Quartbandes durch Zeichnungen von Füßli und Wille. Auf dem Titelblatt eine antike Gemme.

396. Heinrich Füßli schreibt über *Winckelmann* (1717–1768): „Seinem Äußern nach war Winckelmann von mittlerer Statur und festem Bau; er hatte eine bräunliche Gesichtsfarbe, lebhafte schwarze Augen, volle Lippen, eine zwanglose, aber edle Haltung und eine rasche Bewegung." H. P. Sturz schrieb über das in Rom entstandene Gemälde: „Er sitzt mit der Feder in der Hand vor seinem Pult und untersucht, oder umtastet vielmehr, irgendein Kunstwerk mit dem Flammenblick, welcher in Apollos Nase Götterverachtung und den Herkules im Torso fand."

397. „Von der Höhe seiner Genugsamkeit gehet sein erhabener Blick, wie ins Unendliche, weit über seinen Sieg hinaus, Verachtung sitzet auf seinen Lippen, und der Unmut, welchen er in sich ziehet, blähet sich in den Nüstern seiner Nase und tritt bis in die stolze Stirn hinauf. Aber der Friede, welcher in einer seligen Stille auf derselben schwebet, bleibet ungestört, und sein Auge ist voll Süßigkeit. Eine Stirn des Jupiter, die mit der Göttin der Weisheit schwanger ist, und Augenbrauen, die durch ihr Winken ihren Willen erklären. Sein weiches Haar spielet, wie die zarten und flüssigen Schlingen edler Weinreben, gleichsam von einer sanften Luft beweget, um dieses göttliche Haupt." Winckelmann, „Geschichte der Kunst des Altertums".

397. Apoll vom Belvedere, Rom

398. *Gotthold Ephraim Lessing. Ölgemälde von Johann Heinrich Tischbein d. Ä., um 1760*

398. Das Tischbein zugeschriebene Gemälde zeigt den etwa 30jährigen *Lessing* (1729–1781) zur Zeit des Siebenjährigen Krieges: ein frisches und kräftiges Gesicht, von jugendlich-keckem Ausdruck, die hervortretenden Augen unternehmend und klug, siegreich blitzend, ein „rechter Geierblick" (Voß), die hellbraunen Haare ungepudert und in dichten, freien Locken bis auf die Schultern wallend, der Hals durch den losen Hemdkragen nicht beengt; der schwarze Dreispitz, bis zum Wirbel zurückgeschoben, gibt dem ganzen Bild ein herausforderndes Aussehen. Es ist der „junge, lebhafte, witzige Mann" (Ramler 1754), der „lustige Gesellschafter" (Ramler 1759), dessen „offenes, feuriges Wesen" (Mendelssohn 1765), dessen „ausdrucksvollste Physiognomie und lebhafteste und allerangenehmste Unterhaltung" (F. Jerusalem) seine

399. „Miß Sara Sampson" 400. „Fabeln". 1759 401. Literaturbriefe

402. Lessings Geburtshaus in Kamenz. Zeichnung nach H. Frölich

Zeitgenossen rühmen. Das Bild stammt vermutlich aus der Zeit, als Lessing Sekretär des Generals Tauentzien in Breslau war und seine ersten Gedichte, die Jugendlustspiele, die „Miß Sara Sampson", den „Philotas", die Fabeln und Rezensionen bereits veröffentlicht hatte.

399. Lessings bürgerliches Trauerspiel *Miß Sara Sampson* erschien zuerst 1755 in den „Schriften", dann als erste Separatausgabe 1757 ohne Namen des Verfassers und Druckort (Berlin, bei Voß).

400. Lessings *Fabeln* und seine Schriften zur Fabeltheorie erschienen Berlin 1759 mit einem Kupfertitel von Lessings Freund Johann Wilhelm Meil: Putten bespiegeln sich im Schilde eines Kriegers, der sich die Maske eines Satyrs vorhält – wie der Mensch in den Tiergestalten der Fabeln sein Spiegelbild findet.

401. Der *Kupfertitel* von F. Kauke zeigt eine Blumengirlande mit kindlichem Genius und innen den Kopf Homers.

402. In dem *Pfarrhaus zu Kamenz* verlebte Lessing seine Jugend bis zum Schuleintritt in Meißen 1741.

403. Laokoongruppe

Laokoon:

oder

über die Grenzen
der

Mahlerey und Poesie.

Ύλη και τροποις μιμησεως διαφερυσι.

Πλατ. πετ ΑΘ. κατα Π. η κατα Σ. ιθ.

Mit
beyläufigen Erläuterungen
verschiedener Punkte
der alten Kunstgeschichte;
von
Gotthold Ephraim Lessing.

Erster Theil.

Berlin,
bey Christian Friedrich Voß.
1 7 6 6.

404. „Laokoon". Titel

405. Lessing. Gemälde von O. May, um 1766

403./404. Als Lessing 1766 seinen *Laokoon*
veröffentlichte und an der unterschiedlichen
Behandlung des gleichen Motivs durch Bildhauer und Dichter die Verschiedenheit von
Malerei und Dichtung aufzeigte, für die bildende Kunst ein Nebeneinander des fruchtbaren Moments im Raum, für die Dichtung
ein Nacheinander von Handlungen in der Zeit
verlangte, kannte er seinen Exempelfall, die
Laokoongruppe, nur aus zeitgenössischen
Nachbildungen in Strichzeichnung. Erst 10
Jahre später, 1775/1776 machte er in Beglei-
tung des Prinzen Leopold von Braunschweig
eine Italienreise, auf der er längere Zeit in
Rom weilte. Ein Zeitgenosse berichtet: „Vornehmlich lebte und webte er in den Kunst-
sammlungen der schönen Vorzeit. Man hatte
ihn einst mehrere Stunden lang ängstlich und
vergeblich aufgesucht, endlich fand man ihn
neben der herrlichen Gruppe des Laokoon, ein-
sam und emsig beschäftigt, über dieses Meister-
werk der Kunst neue Bemerkungen zu sammeln." (Rom, Vatikan)

405. Das Gemälde von O. May für Gleims
Freundschaftstempel in Halberstadt gilt als
das gelungenste und ähnlichste Bildnis *Lessings*.
Goethe, der 1805 bei einem Besuch in Halberstadt Gefallen daran fand, lieh es sich auf
kurze Zeit nach Weimar aus und hängte es
als heilig behüteten Schatz über seinen Arbeits-
tisch, gab es auch in die Weimarer Kunst-

406.–408. Drei Kupferstiche von D. Chodowiecki zu Lessings „Minna von Barnhelm". 1770

409. „Minna von Barnhelm". Handschrift Lessings von 1763. (Staatsbibl. Berlin)

ausstellung und konnte sich nur schwer und erst unter Androhung gerichtlichen Verfahrens zur Rückgabe des Bildes entschließen. Er und Heinrich Meyer fanden es „frei mit Geist und Kraft behandelt, frisch von Farbe und lebhaftem Ausdruck" und rühmten „das volle behagliche Gesicht, das ganz ungemein lebhafte Auge, den schönen und regelmäßigen Bau der festen Teile, besonders der Stirn ... Auch ohne weitere Nachricht würden aufmerksame Beschauer einen ausgezeichnet klaren, geistreichen, fähigen Mann in diesem Bild erkennen." Karl G. W. Schiller berichtet nach Zeugnissen von Lessings Stiefkindern: „Seine Gestalt war fast über mittlere Größe; denn wenn er auch entfernt von Korpulenz war, so muß man doch eine gewisse Gedrungenheit seiner Figur mit in Anschlag bringen, welche den Menschen immer kleiner erscheinen läßt, als er wirklich ist; und Lessing erschien keineswegs klein. Die Haltung seines Körpers war gerade und höchst natürlich; nichts Gezwungenes, nichts Forciertes, weder in der Stellung noch im Gange, noch in den Bewegungen. Seine Figur war ebenmäßig, ohne gerade in ihren einzelnen Teilen auffallend schön zu sein; aber der Gesamteindruck war, wegen der harmonischen Zusammenwirkung, ein wohltuender."

406.–408. I, 2 Just und der Wirt: „Herr Wirt, er ist doch ein Grobian!" – II, 2: Minna, Franziska und der Wirt: „Was seh ich? Dieser Ring –" – II, 7: Minna: „Ich hab ihn wieder!" Kupferstiche aus dem „Genealogischen Kalender auf das Jahr 1770."

410. Hamburg, Das Theater am Gänsemarkt. Zeichnung von 1827

411. Lessing. Gemälde von Anton Graff, 1771

412. Bibliothek Wolfenbüttel. Gem. v. Tacke, 1880

Der echte Ring

Vermuthlich ging verloren.

413. „Emilia Galotti"
Stich von Fr. Bolt nach Schnorr v. Carolsfeld

414. Iffland als „Nathan"
Zeichnung von Henschel

410. An die Stelle des verfallenen Hamburger Opernhauses am Gänsemarkt hatte Konrad Ackermann 1765 ein sehr unscheinbares, aber innen doch recht geräumiges Schauspielhaus mit 2 Rängen und Stehparterre vor den Bänken errichtet, das am 31. Juli 1765 eröffnet wurde und am 22. April 1767 auf Anregung J. F. Löwens zum *Nationaltheater* ausgestaltet wurde. Hier war Lessing vom April 1767 bis zum 17. April 1770 als Konsulent, Dramaturg und Theaterkritiker angestellt und begleitete die Bühnenaufführungen mit den Besprechungen in seiner „Hamburgischen Dramaturgie", hier wurde am 30. September 1767 die „Minna von Barnhelm" uraufgeführt. Die Bühne wurde im März 1769 wieder aufgelöst. Der Theaterbau wurde im Jahre 1827 aufgegeben.

411. Das *Ölgemälde von Graff*, von dem Lessing fragte: „Sehe ich denn so verteufelt freundlich aus?", zeigt den Dichter und Weltmann Lessing in seinen ersten Jahren als Wolfenbüttler Bibliothekar in vornehmer dunkler Samtkleidung, mit dickgepudertem, steil frisiertem Haar. Karl G. W. Schiller schreibt: „Das Schönste an ihm war das Haupt, welches er auf dem gedrungenen Halse natürlich und frei emporzurichten pflegte. Aber vor allem dominierte auf dem geistvollen Antlitze von blühender, nicht gerade roter Gesichtsfarbe das offne, klare, tiefdunkelblaue Auge. Der Blick war nicht stechend, nicht herausfordernd, aber entschieden und unbefangen, gleichsam ein ungetrübter Spiegel, der sein Objekt rein und scharf auffaßt. Rascher Gedankenflug, schalkhafte Grazie und ein herzgewinnendes Wohlwollen sprühten aus seinem Blick ihre siegreichen Geschosse ... Dieses Auge war aber von um so gewaltigerer Wirkung, als dasselbe in leuchtender Milde schon aus weiter Ferne seinen Gegenstand zu fixieren vermochte. Sein Haar trug er von der Stirn nach dem Nacken zu gekämmt, an beiden Seiten der Schläfe zu einer Locke gekräuselt und hinten in einem Haarbeutel endend."

412. Vom 4. Mai 1770 bis zu seinem Tod war Lessing Bibliothekar der herzoglichen *Bibliothek in Wolfenbüttel*, wo Leibniz sein Vorgänger gewesen war. Ein späterer Nachfolger Lessings, Otto von Heinemann, beschreibt den 1706–1710 von Herzog Anton Ulrich (s. Abb. 305) errichteten, 1732 bezogenen und 1887 wieder aufgegebenen Bau: „Der große schöne Mittelraum mit seinen imposanten Pfeilerstellungen, der ... sein Licht von oben durch die Fenster der ihn krönenden Kuppel erhält, die denselben in 2 Stockwerken umschließenden Umgänge, welche eine bequeme und zweckentsprechende Aufstellung der Bücher ermöglichen, die 8 Eckzimmer, welche, je 4 in jedem Stock zur Unterbringung einzelner gesonderter Teile der Bibliothek passenden Platz bieten, der würdige, ja großartig-stattliche Eindruck des Ganzen, alles dieses macht dem Geschmack und dem praktischen Sinne des Baumeisters alle Ehre."

415. Wieland im Kreise seiner Familie
Ölgemälde von G. Melchior Kraus, 1775

416. „Agathon"
Titel der Erstausgabe

417. „Musarion"
Titel der Erstausgabe

418. „Der Goldene Spiegel"
Titelkupfer der Erstausgabe

419. „Die Abderiten"
Stich von H. Lips nach H. Ramberg, 1796

420. „Don Sylvio von Rosalva"
Stich von D. Berger nach H. Ramberg, 1795

415. Schiller, der *Wieland* (1733–1813) am 24. Juli 1787 in Weimar zum erstenmal aufsuchte, berichtet darüber an Körner: „Ich besuchte also Wieland, zu dem ich durch ein Gedränge kleiner und immer kleinerer Kreaturen von lieben Kinderchen gelangte ... Sein Äußeres hat mich überrascht. Was er ist, hatte ich nicht in diesem Gesicht gesucht – doch gewinnt es sehr durch den augenblicklichen Ausdruck seiner Seele, wenn er mit Wärme spricht. Er war sehr bald aufgeweckt, lebhaft, warm ... Sehr gerne hörte er sich sprechen, seine Unterhaltung ist weitläufig und manchmal fast bis zur Pedanterie vollständig." Das Ölgemälde von G. M. Kraus zeigt den damaligen Hofrat in seinen ersten Weimarer Jahren als Prinzenerzieher, an seinem Schreibtisch sitzend, mit seiner Frau Dorothea von Hillenbrand aus Augsburg, mit der er 36 Jahre in glücklicher, kinderreicher Ehe lebte, und seinen Kindern. Die Schmuckgegenstände der Wohnung deuten auf Wielands Werke: an der Wand das Gemälde von Herkules am Scheidewege auf Wielands lyrisches Drama „Die Wahl des Herkules", das in Weimar für den Erbprinzen aufgeführt wurde; die Statue der verschlungenen Grazien in der Ecke spielt auf die von Wieland ausgehende Graziendichtung an, die Sokratesbüste auf dem Schreibtisch schließlich steht allegorisch für seine Beschäftigung mit der Philosophie, die später im Roman „Aristipp" ihre Krönung finden sollte.

416. Wielands *Geschichte des Agathon* begründete die lange Tradition deutscher Bildungsromane.

417. Wielands satirisch-philosophisches Lehrgedicht *Musarion*, das Goethe Bogen für Bogen auswendig lernte, bildet den Höhepunkt der deutschen Graziendichtung. Auf dem Kupfer der Titelseite kehrt der Philosoph Phanias mit Musarion in seine kleine Hütte zurück und überrascht davor den Stoiker Kleanth und den Pythagoräer Theophron, die sich wegen eines philosophischen Lehrsatzes prügeln: „Ihr Zeitvertreib war in der Tat kein Spaß; / Denn, kurz, sie hatten sich einander bei den Haaren."

418. Das Titelkupfer von Mechau zur 1. Ausgabe des ersten Teils von Wielands Staatsroman *Der goldene Spiegel oder die Könige von Scheschian* (1772), der zu seiner Berufung nach Weimar führte, zeigt den Emir vorn sitzend, während sein 80jähriger Gastgeber, der ihm soeben Lebensregeln erteilt hat, von seinen Kindern und Enkeln umringt wird, „die wie schwärmende Bienen um ihn her wimmelten, ihn zu grüßen und an seinen Liebkosungen Anteil zu haben."

419. Den Höhepunkt von Wielands humoristisch-satirischem Roman *Die Abderiten* bildet der berühmte Prozeß um des Esels Schatten, der schließlich damit endet, daß die Abderiten unter Anführung eines Kesselflickers wütend über den armen Esel herfallen und ihn in kleine Stücke zerreißen.

420. Wielands Roman *Don Sylvio von Rosalva* verspottet im Gefolge des „Don Quixote" die zeitgenössische Vorliebe für Feenmärchen. Don Sylvios Tante (links), die selbst in Rodrigo Sanchez (Mitte) einen Bewerber gefunden hat, möchte ihren Neffen mit dessen Nichte Mergelina (im Wagen) verheiraten, die Don Sylvio (links) im ersten Schrecken jedoch für eine „angekleidete Meerkatze" hält.

421. Wieland. Büste von Klauer, 1781   422. „Teutscher Merkur". Titel, 1773

423. „Oberon". Titel, 1780   424. „Oberon". Illustration von H. Ramberg, 1795

425. Wielands Haus in Weimar. Kolorierter Stich von Ed. Lobe

421. und 426. *Wielands* Äußeres wird charakterisiert durch die weiche, sinnliche Rundung der Formen; die geschwungenen Brauen und die weitgeöffneten, verträumten Augen bezeugen Phantasiefülle und warmes Gemüt und geben im Verein mit der hohen Stirn ein ernstes, sinnendes Aussehen, das durch den Zug eines innerlichen, gedämpften Lächelns um den Mund eigene Liebenswürdigkeit erhält.

422. Die von Wieland begründete vielseitige und geistig hochstehende Monatsschrift *Der Teutsche Merkur* war eines der einflußreichsten literarischen Organe der Zeit und brachte neben wichtigen Erstdrucken der Werke Wielands (Abderiten, Oberon) auch solche von Goethe und Schiller.

423. Titel der ersten Separatausgabe des *Oberon* mit der Blumenkorbvignette nach dem Vorabdruck im „Teutschen Merkur" 1780.

424. Entwurf zu einem Kupferstich, der in der endgültigen Fassung des *Oberon* 1796 (Sämtliche Werke, 23. Band) erschien: (Ende 8. Gesang): Hüon findet Rezia mit dem neugeborenen Knaben in der Grotte, während oben Titania entschwebt.

425. Im Jahre 1803 kehrte Wieland von seinem Gute Oßmannstedt nach *Weimar* zurück und verbrachte seinen Lebensabend 1806–1813 in diesem Hause.

426. Wieland. Gemälde von F. Jagemann, 1806

427. *Philipp Jakob Spener. Stich von B. Kilian, 1683*   428. *August Hermann Francke*

429. *Gottfried Arnold. Kupferstich v. G. P. Busch, 1716*   430. *Arnold, „Kirchen- u. Ketzerhistorie", 1699*

Geiſtliches
Blumen-Gärtlein
Inniger Seelen;
Oder
Kurtze
Schluß-Reimen
und
Betrachtungen
Uber allerhand Warheiten des
Inwendigen Chriſtenthums;
Zur Erweckung, Stärckung, und
Erquickung in dem
Verborgenen Leben
mit Chriſto in GOtt;
Nebſt einigen
Geiſtlichen Liedern.
Francfurt und Leipzig/
bey Joh. Georg Böttiger, Buchhändl.
Gedruckt im Jahr 1729.

431. *Nikolaus von Zinzendorf*
Gemälde von Balthasar Denner, 1731

432. *Gerhard Tersteegen*
„Geistliches Blumengärtlein", 1729

427. Der aus Rappoltsweiler im Elsaß gebürtige *Philipp Jakob Spener* (1635–1705) trat als Prediger in Straßburg, Frankfurt, Dresden und Berlin sowie in seinen geistlichen Liedern und den „Pia desideria" für eine individuelle, gefühlsbetonte Religiosität ein und wurde durch diesen Gegensatz zur unpersönlichen, vernunftbetonten Glaubenshaltung des Barock der Begründer des deutschen Pietismus. Der Stich nach einem Gemälde von J. G. Wagner zeigt Spener als Pastor in Frankfurt, wo er ab 1670 Leiter der „Collegia pietatis" wurde.

428. *August Hermann Francke* (1663–1727) aus Lübeck, ein Freund Speners, wurde als Prediger in Erfurt von den Katholiken vertrieben und ging als Professor nach Halle, wo er durch seine pädagogische Tätigkeit und besonders durch die Gründung der wohltätigen „Franckeschen Stiftungen" von 1695 (Schulen, Waisenhaus, Verlag) noch bekannter wurde als durch seine geistlichen Lieder.

429. Speners Freund *Gottfried Arnold* (1666–1714), Historiker in Gießen, dann sächsischer Hofprediger und Pfarrer in der Altmark, erreichte mit seinen pietistischen Erbauungsschriften und seinen meistens darin eingestreuten geistlichen Liedern eine große Wirkung auf die Aufklärung; der Form nach barockem Enthusiasmus und mystischer Jesusminne verhaftet, zeigen sie im erreichten Ruhefinden der Seele die typische Haltung des Pietismus.

430. Arnolds *Unparteiische Kirchen- und Ketzerhistorie* von 1699 wendet sich aus dem Gefühl individueller Gotteserfahrung heraus gegen den Konfessionalismus, Dogmatismus und die Orthodoxie der herrschenden Geistlichkeit und verteidigt die wegen ihres Glaubens verfolgten „Ketzer", nämlich die Mystiker und Schwärmer, als die eigentlich Gläubigen, die trotz der verweltlichenden Entartung der Kirche aus innerer, persönlicher Erleuchtung einen unmittelbaren Weg zu Gott gefunden haben. Auf dem Titelkupfer der durch die Wolken sprengende Pegasus.

431. *Nikolaus Ludwig Graf von Zinzendorf* (1700–1760), der Gründer und Organisator der Herrnhuter Brüdergemeine für die glaubensverfolgten Protestanten aus Böhmen und Mähren und Verfasser zahlreicher bis heute lebendiger geistlicher Lieder, wurde wohl 1731 in Kopenhagen gemalt, nachdem ihm Christian VI. von Dänemark den Danebrog-Orden verliehen hatte; nach seinem Eintritt in den geistlichen Stand und der Rückgabe des Ordens wurde dieser auf dem abgebildeten Gemälde übermalt.

432. *Gerhard Tersteegen* (1697–1769), Leinweber in Mühlheim a. d. Ruhr, war der bedeutendste geistliche Lieddichter der Reformierten; sein „Geistliches Blumengärtlein" enthält unter anderem die bekannten Lieder „Gott ist gegenwärtig" und „Ich bete an die Macht der Liebe"; es erfreute sich seinerzeit solcher Beliebtheit, daß es in Mühlheim unumgänglich zu jeder Aussteuer gehörte.

433. *Samuel Gotthold Lange*
Gemälde von 1758

434. *„Freundschaftliche Lieder"*
Titel 1745

433. Der Hallenser Pfarrer *Samuel Gotthold Lange* (1711–1781), dessen 1752 erschienene Übersetzung der Horazischen Oden von Lessing in seinem „Vademecum für Hrn. Sam. Gotth. Lange" 1754 kritisch vernichtet wurde, wurde zum Begründer der deutschen reimlosen Dichtung und damit zum Vorbild Klopstocks. (Gleimhaus, Halberstadt)

434. Die *Freundschaftlichen Lieder*, die Lange (= Damon) zusammen mit seinem Studienfreund Jakob Immanuel Pyra (1715–1744, = Thirsis) verfaßte, wurden nach Pyras Tod ohne Wissen Langes 1745 von Bodmer im Verlag von Geßners Vater herausgegeben.

435. *Friedrich Gottlieb Klopstock* (1724–1803) war nach dem Zeugnis seiner Zeitgenossen keineswegs der seraphische Schwärmer, sondern ein Mann von ritterlichem Anstand. Goethe, den Klopstock 1774 in Frankfurt besuchte, schildert ihn als „klein von Person, aber gut gelaunt, sein Betragen ernst und abgemessen, ohne steif zu sein, seine Unterhaltung bestimmt und angenehm. Im ganzen hatte seine Gegenwart etwas von einem Diplomaten". Und an anderer Stelle: „Klopstock war klein, beleibt, zierlich, sehr diplomatischen Anstandes, von noblen Sitten, etwas ans Pedantische streifend, aber geistreicheren Blickes als alle seine Bilder." Über die Entstehung des abgebildeten Gemäldes des 74jährigen Dichters berichtet Herder: „Als Hickel Klopstock malte, wollte er ihm einen antiken Kopf und einen modernen Leib geben, das heißt: einen Kopf ohne Haare, dabei aber eine Halsbinde, Bruststreifen und Manschetten und so weiter; dies wollte Klopstock nicht. Er, der alles, was einer Affektation ähnlich sieht, haßt, wollte nicht anders gemalt sein, als in seinem gewöhnlichen Anzuge; nur wünschte er und seine Gattin, daß Hickel die Perücke zu natürlichen Haaren umschaffen möge. Hickel war unerbittlich – er malte die Perücke und starb."

436. In dem *Hause* seines Vaters, des Juristen, Advokaten und Kommissionsrates, wurde Klopstock am 2. Juli 1724 geboren und verlebte hier seine frühe Kindheit, bis der Vater 1732 das Gut Friedburg im Mansfeldischen pachtete.

437. Die erste Separatausgabe des *Messias* erschien Halle 1749 und enthielt die ersten drei Gesänge. Die Titelvignette mit der an einen Baum gelehnten Leier spielt auf Horaz' Ode an die Leier als „gelinde Besänftierin aller Mühen" (laborum dulce lenimen) an.

438. Die erste Veröffentlichung des *Messias* erfolgte 1748 im IV. Band, 4. Stück der „Neuen Beyträge zum Vergnügen des Verstandes und Witzes" (Abb. 340), wo ebenfalls die ersten drei Gesänge erschienen. Unsere Abbildung zeigt den Beginn des ersten Gesangs mit der Anrufung der „unsterblichen Seele".

435. Klopstock. Gemälde von Anton Hickel, 1798

436. Klopstocks Geburtshaus in Quedlinburg

Der

Meßias

ein

Heldengedicht.

LABORVM DVLCE LENIMEN

HALLE,
bey Carl Herrmann Hemmerde.
1749.

437. „Messias". Titelblatt 1749

Der Messias.

Erster Gesang.

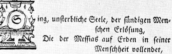ing, unsterbliche Seele, der sündigen Men-
schen Erlösung,
Die der Messias auf Erden in seiner
Menschheit vollendet,
Und durch die er Adams Geschlechte die Liebe der Gottheit
Mit dem Blute des heiligen Bundes von neuem geschenkt
hat.
Also geschah des Ewigen Wille. Vergebens erhub sich
Satan wider den göttlichen Sohn, umsonst stand Judäa
Wider ihn auf; er thats, und vollbrachte die grosse Ver-
söhnung.

Aber, o Werk, das nur GOtt allgegenwärtig erkennet,
Darf sich die Dichtkunst auch wohl aus dunkler Ferne
dir nähern?
Weihe sie, Geist Schöpfer, vor dem ich im stillen hier
bete;
Ω 2   Führe

438. „Messias". Erstdruck 1748

439. *Titelkupfer des „Messias"*
1. Band, 2. Auflage 1760 von Fritzsch

440. *Titelblatt und Widmungsseite*
der „Oden". 1771

441. *„Weissagung". Erste Strophe der Ode in Klopstocks Handschrift, 1772*

439. Der über den Wolken schwebende *gekreuzigte Christus* wird zum Sinnbild für „der sündigen Menschen Erlösung". Aus einer in Halle 1760 erschienenen zweiten Auflage der ersten zehn Gesänge in zwei Bänden.

440. Die erste von Klopstock selbst veranstaltete Sammlung seiner *Oden*, die bisher nur einzeln in Zeitschriften, Einzeldrucken oder Handschriften verbreitet waren, erschien 1771 ohne den Namen des Verfassers (die obere Hälfte unserer Abbildung gibt den Aufdruck des Titelblattes wieder). Auf der zweiten Serie folgte das gestochene Wappen des Grafen Bernstorff und die Widmung (unterer Teil unserer Abbildung). Der dänische Minister Graf Bernstorff, Klopstocks Freund und Gönner, hatte

442. Klopstocks Begräbnis in Ottensen 1803. Aquatintablatt von J. F. Friedhof

Klopstocks Berufung nach Kopenhagen veranlaßt.

442. *Klopstocks Begräbnis* am 22. März 1803 in Ottensen bei Hamburg wurde zu einem ergreifenden Abschiednehmen der ganzen Nation. Ein zeitgenössischer Bericht meldet, daß alle Schiffe Halbmast flaggten, alle Hamburger Kirchen läuteten: „Es beteiligten sich wie an dem Leichenzuge eines Königs die Gesandten Belgiens, Dänemarks, Englands, Frankreichs, Preußens und Rußlands ... eine Ehrenwache von 100 Mann zu Fuß und zu Pferde; militärische Ehrenbezeigungen vor den acht Wachen des Stadtgebietes ... Des Zuströmens vieler Tausende – man darf etwa 50 000 annehmen – ungeachtet waren Polizeivorkehrungen unnötig. Der feierliche Eindruck vertrat ihre Stelle ... Ein langes Wagengefolge von fremden Gesandten, Hamburger Bürgern, Senatoren, Gelehrten, Kaufleuten, Kirchen- und Schullehrern und Künstlern schloß sich an den Leichenzug ... Zwischen acht Ehrenanführern mit beflorten Marschallstäben gingen unmittelbar vor dem Leichenwagen drei Jungfrauen, das Haupt mit Eichenblättern und Rosen bekränzt, in weißen Gewändern und Schleiern."

443. Horst bringt den wunden Siegmar, den Vater Hermanns, zum Oberdruiden Brenno zurück, da er am Altar Wodans sterben will.

443. „Hermanns Schlacht". Ill. von J. H. Tischbein

444. Salomon Geßner
Gemälde von Anton Graff

445. Geßners „Idyllen"
Titelblatt

446. Landschaft mit Hirten. Radierung Geßners

444. Über den Züricher Idylliker *Salomon Geßner* (1730–1788) schreibt Wieland 1754: „Geßner ist mir sehr lieb, er ist ein Esprit im besten Sinn, ein Liebling der Natur und der feinsten Grazien." Etwas von der anspruchslosen Liebenswürdigkeit und der anmutig-empfindsamen Heiterkeit seiner Dichtungen glauben wir auch in seiner Gestalt wiederzuerkennen, die Gottfried Keller im „Landvogt von Greifensee" schildert.

445. Geßner übernahm später das Verlagshaus seines Vaters, die Firma Orell, Geßner, Füßli & Co., und ließ seine Dichtungen im eigenen Verlag erscheinen; der Zeitmode entsprechend zeichnet er nach seinem vorangegangenen Werk als „Verfasser des Daphnis". Den Kupfertitel zur Erstausgabe seiner *Idyllen* 1756 mit Putto, Schafen und Pansflöte schuf der Dichter selbst.

446. Der junge Buchhändlerlehrling *Geßner* verließ in Berlin seine Lehrstelle, um sich ganz der Landschaftsmalerei und Kupferstechkunst zu widmen. Schon Goethe anerkannte sein großes Talent als Landschaftsmaler, und heute sind seine Radierungen fast ebenso bekannt und geschätzt wie seine Dichtungen; in beiden aber verkörpert sich eine anmutig verklärte Schäferwelt mit schuldlosen, glücklichen Menschen in schöner Natur. „Ich entwarf mit dem gleichen Griffel meine Zeichnungen und meine poetischen Gemälde", schreibt Geßner.

447. August Kotzebue. Stich von Bittheuser
nach einem Gemälde von Fr. Tischbein, 1809

448. Heinrich Zschokke. Stich von M. Eßlinger
nach einer Zeichnung von J. Notz, 1825

447. *August von Kotzebue* (1761–1819) war der erfolgreichste Dramatiker der klassischen Epoche, dessen Dramen die Aufführungsziffern unserer „klassischen" Dramen um ein Vielfaches überboten und noch Goethes Weimarer Theater füllten.

448. Der Schweizer Erzähler *Heinrich Zschokke* (1771–1848) war nach Zeugnissen seiner Biographen von stattlicher Figur, kräftig gebaut, auf dem kurzen, gedrungenen Nacken ein energischer, eher kleiner als großer, aber gut modellierter Kopf mit breiter Stirn, buschigem kurzen Haar, leicht zusammengekniffenen Augen, vorspringendem Kinn und einem auf Entschlossenheit deutenden Mund mit vortretender Oberlippe und abwärtsgebogenen Mundwinkeln.

449. Der Scherenschnitt zeigt den Lyriker *Friedrich Matthisson* (1761 bis 1831) am Frühstückstisch, den Blick auf Danneckers Schillerbüste (Abb. 569) gerichtet: Matthisson war Mitarbeiter Schillers an seinen Zeitschriften. Schiller rühmte die sanfte Schwermut und kontemplative Schwärmerei sowie die Kunst in der Landschaftsmalerei und den Wohllaut seiner Verse, die durchaus unselbständig und an dem Vorbild der deutschen Klassik geschult, im 18. Jahrhundert sehr hochgeschätzt und vielfach nachgeahmt wurden.

449. Friedrich Matthisson. Scherenschnitt v. L. Duttenhofer

450. Johann Kaspar Lavater. Zeichn. v. H. Lips, 1789

451. „Physiognomische Fragmente" I, 1775. Titelbl.

452. Lessing und Lavater zu Besuch bei Mendelssohn.

450. Der Züricher Prediger, Lieddichter, physiognomische und theologische Schriftsteller *Johann Kaspar Lavater* (1741 bis 1801) unternahm 1774 eine Rheinreise mit Goethe, der ihn treffend charakterisiert: „Die tiefe Sanftmut seines Blicks, die bestimmte Lieblichkeit seiner Lippen gab allen die angenehmste Sinnesbelustigung; ja seine, bei flacher Brust, etwas vorgebogene Körperhaltung trug nicht wenig dazu bei, die Übergewalt seiner Gegenwart mit der übrigen Gesellschaft auszugleichen ... Er war teilnehmend, geistreich, witzig, und mochte das gleiche gern an andern ..." Lavaters Gesichtszüge gaben sich dem Beschauenden frei her, sein Auge war „klar und fromm, unter sehr breiten Augenlidern ..., Lavaters Stirnknochen von den sanftesten braunen Haarbogen eingefaßt." Und Jung-Stilling schreibt im gleichen Jahr: „Sein Evangelisten-Johannes-Gesicht riß alle Herzen mit Gewalt zur Ehrfurcht und Liebe an sich, und sein munterer gefälliger Witz, verpaart mit einer lebhaften und unterhaltenden Laune, machte sich alle Anwesenden zu eigen." Auf dem Tisch stehen die Kartons für sein „Physiognomisches Kabinett".

451. Lavaters *Physiognomische Fragmente*, an denen auch Herder und Goethe mitarbeiteten, begründeten die physiognomische Forschung, aus den mensch-

453. Johann Heinrich Jung-Stilling

454. Stillings „Jugend". Titelblatt 1777

lichen Gesichtszügen auf Charaktereigenschaften zu schließen; das Titelkupfer stellt dementsprechend eine Schautafel verschiedener Gesichtstypen dar.

452. Lavater (rechts), Lessing (stehend) und Moses Mendelssohn (1729–1786), der Großvater des Komponisten, Freund und Mitarbeiter Lessings, sind, anscheinend von einem Schachspiel abgekommen, in ein heftig geführtes *Religionsgespräch* geraten. Lithographie von S. Maier nach einem Gemälde von Moritz Oppenheim.

453. Der pietistische Schriftsteller *Johann Heinrich Jung-Stilling* (1740–1817) war als Student in Straßburg mit Goethe befreundet, der ihn charakterisiert. „Seine Gestalt, ungeachtet einer veralteten Kleidungsart, hatte, bei einer gewissen Derbheit, etwas Zartes. Eine Haarbeutelperücke entstellte nicht sein bedeutendes und gefälliges Gesicht. Seine Stimme war sanft, ohne weich und schwach zu sein, ja sie wurde volltönend und stark, sobald er in Eifer geriet." Tuschzeichnung von F. Chr. Reinermann, um 1800.

454. Goethe, der Jung-Stilling in Straßburg zur Niederschrift seiner Lebensgeschichte bewegt hatte, förderte 1777 den ersten Band derselben ohne Wissen des Verfassers zum Druck. Die Titelvignette von Chodowiecki zeigt Heinrich Stilling in den Armen seines Vaters: „Vater, habt ihr mich lieb?"

455. Pastor Stollheim im Lehnstuhl examiniert in Anwesenheit von Vater und Großvater den jungen Heinrich Stilling, ob er Gott kenne: „Heinrich schwieg und holte seine wohlgebrauchte Bibel und wies dem Pastor den Spruch Röm. 1 V. 19 und 20." Titelkupfer von Daniel Chodowiecki.

455. Stillings „Jugend". 1779

456. Göttingen um 1790. Aquarell von H. Grape

457. Friedrich Leopold Stolberg
Gemälde von J. B. Lampi, 1797

458. Ludwig Hölty
Stich von Chodowiecki, 1777

457. Lavater beschreibt den *Grafen F. L. zu Stolberg* (1750–1819): „Die Aufgezogenheit seiner vor-
ragenden Oberlippe gegen die unbeschnittene, vorhängende Nase zeigt viel Geschmack und feine
Empfindsamkeit, der untere Teil des Gesichts viel Sinnlichkeit, Trägheit, Achtlosigkeit ... Die Mittel-
linie des Mundes ist in seiner Ruhe eines geraden, planlosen, weichgeschaffenen guten; in seiner Bewegung
eines zärtlichen, feinfühlenden, äußerst reizbaren, gütigen, edlen Menschen."

458. Das einzige Bildnis des Lyrikers *Ludwig Hölty* (1748–1776) nach einer Totenmaske. Voß schreibt
1772: „Dem Ansehn nach glaubt man in ihm wenig Witz, gar keine Munterkeit zu entdecken. Er sitzt in
Gesellschaft in Gedanken, die Augen unbeweglich zur Erde geheftet."

459. Gustav Parthey schildert den Idylliker und Homerübersetzer *Johann Heinrich Voß* (1751–1826) im
Jahre 1819: „Von mehr als hager, langer Gestalt, von eckigen Bewegungen, von scharfen Gesichtszügen,
von langsamer deutlicher Sprache, wobei er etwas mit der Zunge anstieß, machte Voß den Eindruck eines
festen, innerlich kerngesunden, auf sich selbst ruhenden Charakters, dem nur die Milde abging."

460–462. Titelkupfer von Chodowiecki: Das Brautpaar entfernt sich vom Hochzeitsmahl; die beiden
anderen Kupfer aus Beckers „Almanach für 1798": die Pfarrersfamilie mit dem zukünftigen Bräutigam
und: Luise geht mit Walter den im Kahn landenden Eltern entgegen.

LUISE
EIN LÆNDLICHES GEDICHT
IN DREI IDYLLEN
VON
IOHANN HEINRICH VOSS.

KÖNIGSBERG MDCCXCV.
BEI FRIEDRICH NICOLOVIUS.

459. Joh. Heinr. Voß. Gemälde von J. H. Tischbein, 1818

460. Voß, „Luise". Titelblatt

Sorglos saß nun der Greis von Geliebten umringt

Eheleen bleiben, und sacht · ihr lauft ja so stark

461/462. Zwei Kupferstiche von D. Chodowiecki zu Voß' „Luise", 1798

463. *Gottfried August Bürger*
Gemälde von Anton Graff

464. *„Das Lied vom braven Mann"*
Kupferstich von D. Chodowiecki, 1778

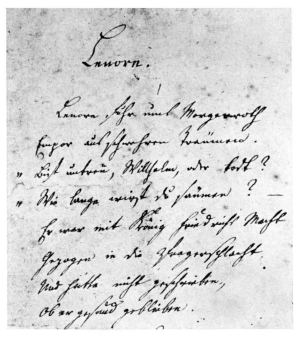

465. *„Lenore"*
Bürgers Handschrift

466. *„Lenore". Skizze*
zu einem Kupferstich von D. Chodowiecki

467. *Matthias Claudius*
Anonymes Altersbildnis, 1804

468. *Kupferstich von Chodowiecki*
zu Claudius' Werken

463. Der Volksdichter *Gottfried August Bürger* (1747–1794) besuchte Schiller 1789 in Weimar, und dieser berichtet darüber an seine Frau: „Er hat gar nichts Auszeichnendes in seinem Äußern und in seinem Umgang – aber ein gerader guter Mensch scheint er zu sein. Der Charakter von Popularität, der in seinen Gedichten herrscht, verleugnet sich auch nicht in seinem persönlichen Umgang, und hier, wie dort, verliert er sich zuweilen in das Platte." Wenig später, 1791, entfremdeten sich die beiden Dichter.

464. Die Erstausgabe von Bürgers Gedichten erschien Göttingen 1778 mit acht *Kupferstichen von Daniel Chodowiecki*, dem klassischen Illustrator Deutschlands. Unsere Abbildung zeigt den „Bauersmann am Wanderstabe", der die Zöllnersfamilie aus dem von Hochwasser bedrohten Brückenhause gerettet hat und die Belohnung des Grafen für seine Tat zurückweist.

465. Bürgers *Lenore*, die Ballade vom Totenritt, die 1774 im Göttinger Musenalmanach erschien, machte den Dichter mit einem Schlage berühmt. (Universitätsbibl. Göttingen, Cod. Ms. philol. 206, fol. 1 r)

466. Ein Entwurf zu einem 1778 für die Gedichtausgabe Bürgers ausgeführten *Kupferstich von Daniel Chodowiecki* überrascht im Vergleich mit der späteren Ausführung durch die Frische und ursprüngliche Kraft: unter dem Kettentanz der Geister reitet der Gefallene mit der Braut zum Friedhof ein.

467. Das anonyme Altersbildnis des innigen Lyrikers und Volksschriftstellers *Matthias Claudius* (1740 bis 1805) gibt einen Eindruck von der gewinnenden Schlichtheit und Vertraulichkeit dieses Dichters, von der alle, die ihn kannten, zu berichten wissen. Sophie Becker, die Begleiterin der Elise von der Recke, schreibt 1785, Claudius sei „ein Mann von mittlerer Größe mit schlicht herunterhängendem schwarzen Haar. Aber man fühlt sich bei ihm gleich zu Hause ... Claudius ist ein sehr angenehmer Mann und hat Laune und Witz ... Er spricht ganz so, wie er schreibt, und man wird sehr oft von einer unerwarteten Wendung überrascht." Und Claudius' Enkel Perthes schildert den Eindruck seines Vaters: „Ein Mann mit seiner kränklichen Gesichtsfarbe und seinem schlicht zurückgestrichenen, von einem Kamm zusammengehaltenen Haar. Die nicht ansehnliche Gestalt, der bequeme Hausrock, die niedersächsische Sprache würde schwerlich den in dem seltenen Mann verborgenen Schatz geoffenbart haben, wenn nicht ein himmlisches Feuer aus dem herrlich-blauen Auge gesprochen hätte."

468. Claudius' Werke erschienen 1775–1812 als „Asmus omnia sua secum portans oder Sämmtliche Werke des Wandsbecker Bothen" mit *Kupferstichen von Chodowiecki*. Der abgebildete Stich bezieht sich jedoch nicht auf Claudius' bekanntes Abendlied „Der Mond ist aufgegangen", sondern auf einen Brief an Andres, in dem es heißt: „Sehr anmutig ists ..., daß deine Braut auch so an den Sternen hängt ..., und daß ihr beide oft stundenlang den allumfunkelnden Sternhimmel anseht, ohne durch eure Liebe in eurer Andacht gestört zu werden."

469. „Siegwart"   470. Johann Martin Miller, „Siegwart"
Kupfer von Chodowiecki, 1776   Titel der Erstausgabe 1776

469. Der sentimentale Entwicklungs- und Liebesroman *Siegwart* von Johann Martin Miller (1750–1814) steht in der Nachfolge von Goethes „Werther": Xaver Siegwart sinkt sterbend über Marianens Grab: „Und der edle Jüngling lag erstarrt und tot im blassen Mondschein auf dem Grabe seines Mädchens, dem er treu geblieben war bis auf den letzten Hauch."

470. Die Titelvignette zeigt den jungen *Siegwart* mit den Nachbarskindern beim Spiel am Donauufer.

471. Den Geschichtsschreiber und Publizisten *Justus Möser* (1720–1794) beschreibt Johanna Schopenhauer: „Das vollkommenste Ebenmaß seiner ungewöhnlich hohen, vom Alter ungebeugten Gestalt, seine sichere, kräftige Art, sich zu bewegen, der zugleich heitere und würdige Ausdruck seines edlen Gesichts zog alle Herzen zu inniger Verehrung gegen ihn hin und zeichnete unter Hunderten ihn aus. So war er im Äußern, das mit seinem Geiste, wie mit seinem Gemüte in vollkommenster Harmonie stand."

472. Den Winterthurer Genieapostel *Christoph Kaufmann* (1753–1795), der als „Gottes Spürhund" nach wahren Menschen mit nackter Brust und wallendem Haar sein Kraftevangelium predigend durch die Lande zog und durch seine Umbenennung von Klingers Drama „Der Wirrwarr" in „Sturm und Drang" der ganzen Epoche den Namen gab, beschreibt Lavater: „Ein Gesicht voll Blick, voll Drang und Kraft! ... Eherner Mut ist so gewiß in der Stirn als in den Lippen wahre Freundschaft und feste Treue. In den Lippen ist außerordentlich viel vorstrebende entgegen schmachtende Empfindung."

473. Hamanns *Kreuzzüge des Philologen* tragen als Vignette das Ziegenprofil eines gehörnten Pan, einerseits als Sinnbild des Autors, der sich gern als Pan, Faun oder Satyr darstellte, andererseits als Hinweis auf den anspielungsreichen Stil, der wie Sokrates unter der Satyrnmaske das Tiefste verbirgt.

474. An *Johann Georg Hamann* (1730–1788), dem Begründer des deutschen Irrationalismus, rühmt Herder die „schmerzvolle, gedankenschwangere Stirn", die „dunkle elastische Wolke, ein Knoten voll Kampfes" zwischen den Augenbrauen, „den gediegenen Lichtstrahl im Auge: Was es sieht, sieht's durch ... Kann ein Blick mehr tiefer Seherblick sein? Prophetenblick zur Zermalmung mit dem Blitze des Witzes! ... Noch hab ich keinen Menschen gesehen mit diesem schweigenden und sprechenden, weisen und sanften, treffenden, spottenden und – edlen Munde".

471. Justus Möser
Gemälde von Ernst Gottlob

472. Christoph Kaufmann
Gemälde von Anton Graff, 1794

473. Hamanns „Kreuzzüge"
Titelblatt

474. Johann Georg Hamann als Hofmeister
Anonymes Gemälde, um 1755

475. *Heinrich Wilhelm von Gerstenberg*
Kupferstich von Schreyer, 1777

476. *„Briefe über die Merkwürdigkeiten*
der Literatur". Titel, 1766

477. *Joh. Heinr. Merck. Gem. von J. L. Strecker, 1770*

475. Der Literaturkritiker und Dramatiker *Heinrich Wilhelm von Gerstenberg* (1737–1823) erscheint auf dem Stich als ein strenger Kopf mit einer kühnen Nase und klugblickenden, lebhaften Augen, zu denen der sinnliche, leicht resignierende Mund und das schlaffe Kinn in entschiedenem Gegensatz stehen: ein feinfühliger Ästhet und zugleich eine nervös-weiche Persönlichkeit.

476. Gerstenbergs *Literaturbriefe* zeigen in der Ausstattung des Titelblattes die Anlehnung an Lessing (Abb. 401); der von Herder mit Recht als „scheußlich" bezeichnete Sokrateskopf verweist auf Hamann.

477. *Johann Heinrich Merck* (1741–1791) aus dem Kreis der Darmstädter Empfindsamen, dessen spöttische Züge Goethe im Mephisto verwendete, war nach Goethes Zeugnis „lang und hager von Gestalt, eine hervordringende spitze Nase zeichnete sich aus, hellblaue, vielleicht graue Augen gaben seinem Blick, der aufmerksam hin und wider ging, etwas Tigerartiges . . . In seinem Charakter lag ein wunderbares Mißverhältnis: von Natur ein braver, edler, zuverlässiger Mann, hatte er sich gegen die Welt erbittert . . ."

478. Schiller, der *Herder* im Juli 1787 in Weimar

478. Johann Gottfried Herder. Gemälde von Anton Graff, 1785

besuchte, berichtet an Körner: „Wenn Ihr sein Bild bei Graff gesehen habt, könnt Ihr ihn Euch recht gut vorstellen, nur daß in dem Gemälde zuviel leichte Freundlichkeit, in seinem Gesicht mehr Ernst ist. Er hat mir sehr behagt. Seine Unterhaltung ist voll Geist, voll Stärke und Feuer ... Über sein Bild von Graff ist er nicht sehr zufrieden ... Er sagt, daß es einem italienischen Abbé gleichsehe."

479. *Herders Geburtshaus in Mohrungen*   480. *Die Stadtkirche zu Bückeburg*

Kritische Wälder.
Oder
Betrachtungen,
die
**Wissenschaft und Kunst
des Schönen**
betreffend,
nach Maasgabe neuerer Schriften.

Leser, wie gefall ich dir?
Leser, wie gefällst du mir? Logau.

Erstes Wäldchen.
Herrn Leßings Laokoon gewidmet.

1 7 6 9.

Von
**Deutscher
Art und Kunst.**

Einige fliegende Blätter.

Hamburg, 1773.
Bey Bode.

Auszug
aus einem
Briefwechsel
über
Ossian
und die
Lieder alter Völker.

Hamburg, 1773,
Bey Bode.

481–483. *Titelblätter von Herders frühen Schriften*

479. In dem bescheidenen Hause der kleinen ostpreußischen Stadt *Mohrungen* wurde Johann Gottfried Herder am 25. August 1744 als Sohn des Lehrers und Küsters an der Stadtkirche geboren und lebte hier bis 1762.

480. Nach seinem Straßburger Aufenthalt wurde Herder als Konsistorialrat und Superintendent nach *Bückeburg* berufen, wo er 1771–1776 an der 1611–1616 erbauten Barockkirche tätig war.

484/485. Caroline Flachsland, Herders Braut, und Herder. Gemälde von J. L. Strecker, 1775

482. In der Sammelschrift *Von deutscher Art und Kunst* veröffentlichte Herder neben seinem Ossian- (Abb. 483) und Shakespeare-Aufsatz u. a. auch Goethes „Von deutscher Baukunst" (vgl. zu Abb. 507).

485. Goethe beschreibt *Herder* bei seiner ersten Bekanntschaft in Straßburg 1770: „Unten an der Treppe fand ich einen Mann, ... den ich für einen Geistlichen halten konnte. Sein gepudertes Haar war in eine runde Locke aufgesteckt, das schwarze Kleid bezeichnete ihn gleichfalls ... Er hatte etwas Weiches in seinem Betragen, das sehr schicklich und anständig war, ohne daß es eigentlich adrett gewesen

486. Herders Wohnhaus in Weimar. Steindruck von E. Lobe

wäre. Ein rundes Gesicht, eine bedeutende Stirn, eine etwas stumpfe Nase, einen etwas aufgeworfenen, aber höchst individuell angenehmen, liebenswürdigen Mund. Unter schwarzen Augenbrauen ein paar kohlschwarze Augen, die ihre Wirkung nicht verfehlten."

486. In dem *Dienstwohnhaus* hinter der Stadtkirche in Weimar wohnte Herder, der die düstere Lage des Hauses oft beklagte, seit seiner Berufung als Hofprediger und Generalsuperintendent von 1776 bis zu seinem Tode 1803.

Verbesserung der Sitten

487. „*Verbesserung der Sitten*". Satirisches Zeitbild von D. Chodowiecki

487. Das *satirische Zeitbild* von Chodowiecki verspottet das Genietreiben und die sittlichen Auswüchse der Sturm- und Drang-Dichtung: Im Vordergrund ein Bänkelsänger, der seine Zuhörer mit Berichten von Uneinigkeit, Ehescheidung, Diebstahl, Mordbrennerei usw. ergötzt; links im Hintergrund springt jemand aus einem zerplatzten Luftballon, darunter ein Säbelduell, davor erschießt sich ein junger Mann (Werther) mit dem Schattenriß der Geliebten in der Hand, und ein anderer erhängt sich vor der Haustür der bestürzt die Hände ringenden Geliebten, während ein Schriftsteller behäbig danebensteht und die Vorfälle in sein Notizbuch einträgt; rechts die purzelbaumschlagenden und auf Stelzen gehenden Stürmer und Dränger.

488. Goethe, der den Dramatiker *Heinrich Leopold Wagner* (1747–1779) während seines Aufenthaltes in Straßburg kennenlernte, schildert ihn in „Dichtung und Wahrheit" als „einen guten Gesellen, der, obgleich von keinen außerordentlichen Gaben, doch auch mitzählte . . . nicht ohne Geist, Talent und Unterricht." Und Klingers Freund Diehl schreibt 1775: „Seine Gesichtsbildung ist mehr faunisch als natürlich oder menschlich, und zum Aushöhnen ist er geboren; ich möchte nicht mit ihm umgehen, viel weniger Freund von ihm sein." Ein eigentliches Porträt des Dramatikers ist nicht erhalten.

489. Den bedeutendsten Dramatiker des Sturm und Drang, *Jakob Michael Reinhold Lenz* (1751–1792), der später in Sesenheim auf Goethes Spuren wandelte, lernte Goethe 1774 in Straßburg kennen und schildert ihn als „klein, aber nett von Gestalt, ein allerliebstes Köpfchen, dessen zierlicher Form niedliche, etwas abgestumpfte Züge vollkommen entsprachen; blaue Augen, blonde Haare, . . . einen sanften, gleichsam vorsichtigen Schritt, eine angenehme, nicht ganz fließende Sprache und ein Betragen, das, zwischen Zurückhaltung und Schüchternheit sich bewegend, einem jungen Manne gar wohl anstand." Wieland schreibt 1776 über ihn: „So eine seltsame Komposition von Genie und Kindheit! So ein zartes Maulwurfsgefühl und so ein neblichter Blick! Und der ganze Mensch so harmlos, so befangen, so liebevoll!"

490. *Friedrich Maximilian Klinger* (1752–1831) dessen Drama „Sturm und Drang" in der Umbenennung durch Kaufmann (s. zu Abb. 472) der ganzen Epoche den Namen gab, war ein Jugendfreund Goethes und nach dessen Zeugnis „ein treuer, fester, derber Kerl wie keiner". – „Die Natur hatte ihm eine große, schlanke, wohlgebaute Gestalt und regelmäßige Gesichtsbildung gegeben; er hielt auf seine Person, trug sich nett, und man konnte ihn für das hübscheste Mitglied der ganzen kleinen Gesellschaft ansprechen. Sein Betragen war weder zuvorkommend noch abstoßend und, wenn es nicht innerlich stürmte, gemäßigt . . . Er empfahl sich durch eine reine Gemütlichkeit, und ein unverkennbar entschiedener Charakter erwarb ihm Zutrauen. Auf ein ernstes Wesen war er von Jugend auf hingewiesen."

491. Klingers Trauerspiel *Die Zwillinge* gewann das Hamburger Preisausschreiben vor Leisewitz' „Julius von Tarent" (Abb. 493). In der abgebildeten Spiegelscene (IV, 4) sucht Guelfo, der seinen erstgeborenen Bruder aus Eifersucht und Neid ermordet hat, vor dem Spiegel nach dem Kainszeichen auf seiner Stirn: „Rächer mit dem flammenden Schwert! Hast du eingegraben auf meine Stirn den Mord? . . . Reiß dich aus dir, Guelfo! Zerschlage dich, Guelfo!"

488. Heinrich Leopold Wagner
Schattenriß

489. Reinhold Lenz
Bleistiftzeichnung von Joh. Heinrich Pfenninger

490. Friedrich Maximilian Klinger
Kreidezeichnung von Goethe, 1775

491. „Die Zwillinge"
Titelkupfer von J. Albrecht, 1777

492. Johann Anton Leisewitz
Stich von Uhlemann nach Kauxdorf

493. Leisewitz, „Julius von Tarent"
Anonymes Szenenbild

492. Über den Sturm- und Drang-Dramatiker *Johann Anton Leisewitz* (1752–1806) berichtet sein Biograph Schweizer: „Leisewitz war sehr zarter Leibesbeschaffenheit, der man es ansah, daß sie sich den Sonnenstrahlen nicht aussetzte. Bei einer großen, hagern Gestalt, einem blassen, höchst feingebildeten Angesichte und bei einer etwas altertümlichen Kleidung, glich er fast einem geistigen Wesen aus der Vergangenheit. Seine körperliche und geistige Organisation war sehr zart, seine Nerven höchst reizbar. Sein Charakter war einer der edelsten; Zartheit und Mannheit waren darin auf eine wunderbare Weise verschmolzen." Und ein unbekannter Berichterstatter in Wielands „Teutschem Merkur" schreibt 1806: „Er war ein Freund schlichter Einfalt in Sitten und Handlungen; sein ganzes Wesen war liebliche Kindlichkeit und edle Einfalt."

493. Leisewitz' Trauerspiel *Julius von Tarent*, die einzige erhaltene Dichtung, da er testamentarisch die Verbrennung seines literarischen Nachlasses anordnete, wurde 1775 zu einem Preisausschreiben an das Hamburger Theater eingereicht, unterlag aber dem inhaltlich verwandten Trauerspiel Fr. Klingers „Die Zwillinge" (s. Abb. 491). Unsere Abbildung zeigt ein unbezeichnetes Szenenbild der Berliner Uraufführung durch die Döbbelinsche Truppe 1776, der der Dichter beiwohnte: Fünfter Akt, vierter Auftritt: Blanka wird vor der Leiche ihres von seinem eifersüchtigen Bruder erstochenen Geliebten Julius wahnsinnig; Gräfin Caecilia und eine Nonne wollen sie in das Kloster zurückbringen, das sie um seinetwillen verließ: „Ha, wie ruhig er schläft, der schöne Schläfer! Laßt uns einen Kranz winden und ihn dem Schlafenden aufs Haupt setzen!"

494. Mit der pfälzischen Idylle *Die Schafschur* stellte Maler Müller der rokokohaft geputzten Schäferpoesie eine realistische Schilderung des Volkslebens und der Dorfsitten entgegen. Der Kupferstich des scherenden Schäfers auf dem Titelblatt stammt vom Dichter selbst.

495. Der Pfälzer Maler und Idyllendichter *Friedrich Müller*, genannt Maler Müller (1749–1825) lebte seit 1778 in Rom. Dort schilderte ihn sein intimster Freund, Wilhelm Heinse (Abb. 499): „Ein schöner, junger verführerischer Mann von Gestalt und Wesen im Umgang ... Er ist ein wenig hitzig vor der Stirn, und Italien hat sein Blut leider noch nicht abgekühlt ... Wo es außerdem über einen anderen hergeht, ist er einer der besten Gesellschafter und hat eine seltene Gabe, allerlei Narren zu dramatisieren und nachzumachen."

496. *Müller* besaß als Maler wie als Dichter gleichstarke Begabung. Sein malerisches Talent, das sich besonders in einfühlsamen und lebensvollen Tierstücken bezeugt, versiegte später unter den seiner Natur nicht angemessenen italienischen Eindrücken zu einem unpersönlichen Klassizismus.

494. Maler Müller, „Schafschur"
Titel der Erstausgabe, 1775

495. Maler Müller
Porträtzeichnung von 1818

496. Maler Müller, Federzeichnung „Mädchen mit Schafen"

497. Christian Schubart
Gemälde von Friedr. Oelenhainz

498. Schubarts Verhaftung
Kupfer von d'Argent, 1793

499. Wilhelm Heinse. Gemälde von J. Fr. Eich, 1780

497. *Christian Friedrich Daniel Schubart* (1739 bis 1791) erscheint auf dem Porträt als kräftig-untersetzter, sanguinischer Enddreißiger mit hoher Stirn und vollen Lippen.

498. Am 23. Januar 1777 wurde der damals in Ulm ansässige Schubart durch einen Blaubeurer Klosteramtmann Scholl in eine württembergische Falle gelockt und arrestiert. Der Kupferstich aus der Lebensbeschreibung seines Sohnes Ludwig Schubart (1793), des Schulfreundes von Schiller, zeigt *Schubart bei der Verhaftung:* „Ich hoffe, der Herzog werde mich nicht ungehört verdammen!" Dennoch mußte Schubart aus ungeklärten Gründen zehn Jahre auf der Festung Hohenasperg verbringen, wo seine „Fürstengruft" entstand und Schiller ihn besuchte.

499. Den Kunstschriftsteller und Erzähler *Wilhelm Heinse* (1749–1803) ließ Gleim 1780 für seinen Freundschaftstempel in Halberstadt malen; das Porträt war so naturgetreu, daß F. v. Matthisson 1786 Heinse nach diesem Bilde auf einem Spaziergang in Düsseldorf erkannte und ansprach. Jung-Stilling schildert Heinse 1774 als „ein kleines, junges, rundköpfiges Männchen, den Kopf etwas nach einer Schulter gerichtet, mit schalkhaften hellen Augen und immer lächelnder Miene; er sprach nichts, sondern beobachtete nur; seine ganze Atmosphäre war Kraft der Undurchdringlichkeit, die alles zurückhielt, was sich ihm nähern wollte."

500. Johann Wolfgang von Goethe
Gemälde von Joseph Karl Stieler, 1828

500. Der bayrische Hofmaler Joseph Karl Stieler erschien am 25. Mai 1828 bei *Goethe* in Weimar, um bis zum 3. Juli den „König der Teutschen Dichter", wie es in dem Begleitschreiben Ludwigs I. von Bayern heißt, für seinen König zu malen. Der 79jährige Dichter fand das Gemälde „vorzüglich gut" und, „wie es das Ansehen hat, sehr glücklich". Die Sitzungen wurden durch den Tod Herzog Karl Augusts unterbrochen; die Erschütterung über den Verlust seines Freundes scheint sich in den erregten und angespannten Gesichtszügen widerzuspiegeln; die Spuren und Furchen des Alters hat der Künstler allerdings nicht wenig geglättet. Goethe erhielt 1829 vom Stieler-Schüler F. Dürck eine Kopie.

501. Ansicht der Stadt Frankfurt a. M. von Westen. Stich von Johann Jakob Koller, 1777

502. Das Goethehaus vor dem Umbau
Rekonstruktionszeichnung von Reiffenstein

503. Das Goethehaus nach dem Umbau
Kol. Zeichnung von Delkeskamp, um 1800

501. „Die Aussicht nach der Stadt war wunderschön", schreibt Marie Belli-Gontard, die Nichte von
Hölderlins Diotima, „Das Fischerpförtchen, Metzgertor, Heiliggeistpförtchen, Fahrtor mit Turm, Holz-
pförtchen, Leonhardstor mit Turm, endlich der Weinmarkt, mit Bäumen bepflanzt, dann der hohe
Schneidwall mit schattigen Anlagen und dickem, hohem Turme, viele Türme in der Stadt . . .: Diese

504. *Familie Goethe in Schäfertracht*
Entwurf zu einem Gemälde von Seekatz, 1762

505. *Goethe in seinem Arbeitszimmer*
in Frankfurt. Zeichnung Goethes, um 1769

Aussicht gab ein Gefühl von Ehrfurcht und Reichtum, wie es bei einer Krönungs- und freien Reichsstadt sich ziemte." Goethe berichtet: „Am liebsten spazierte ich auf der großen Mainbrücke ... Der schöne Fluß auf- und abwärts zog meine Blicke nach sich ..."

502. „Ich bin mir bewußt", erzählt Goethe in „Dichtung und Wahrheit", „daß wir in einem *alten Hause* wohnten, welches eigentlich aus zwei durchgebrochenen Häusern bestand. Eine turmartige Treppe führte zu unzusammenhängenden Zimmern, und die Ungleichheit der Stockwerke war durch Stufen ausgeglichen. Für uns Kinder war die untere weitläufige Hausflur der liebste Raum, welche neben der Türe ein großes hölzernes Gitterwerk hatte, wodurch man unmittelbar mit der Straße und der freien Luft in Verbindung kam. Einen solchen Vogelbauer, mit dem viele Häuser versehen waren, nannte man ein Geräms."

503. Im Jahre 1755, dem sechsten Lebensjahre Wolfgangs, nahm Goethes Vater nach dem Tode seiner dort wohnenden Mutter den Umbau der beiden Häuser zu einem Ganzen vor, den Goethe in „Dichtung und Wahrheit" anschaulich schildert. Damals entstand im Großen Hirschgraben das *Goethehaus* in der heute bekannten Gestalt, wie es nach dem zweiten Weltkrieg nach den originalen Plänen wieder errichtet wurde. „Das Haus war für eine Privatwohnung geräumig genug, durchaus hell und heiter, die Treppe frei, die Vorsäle luftig, und jede Aussicht über die Gärten aus mehreren Fenstern bequem zu genießen." Goethes Mutter verkaufte das Haus im Mai 1795; 1862 wurde es vom Freien Deutschen Hochstift als Goethemuseum erworben und eingerichtet. Die abgebildete kolorierte Zeichnung stammt aus Goethes Nachlaß.

504. Der Darmstädter Hofmaler Johann Carl Seekatz, der in Goethes Vaterhaus auch für den Königsleutnant Thoranc gearbeitet hatte, malte 1762 im Auftrage des Herrn Rat Goethe dessen *Familie im Schäferkostüm* in römischer Ruinenlandschaft. Das Ölgemälde – unsere Abbildung zeigt die Tuschzeichnung des zweiten Entwurfs – gelangte nach dem Tode der Frau Rat in den Besitz der Bettina von Arnim, deren Gatte Achim von Arnim es 1808 erläuterte: „Die alte Goethe sitzend, als wenn sie eben in ganzer Pracht eine Geschichte erzählte, der Alte steht neben ihr als Schäfer, eine Hand auf der Brust in die Jacke gesteckt, während er die andere an den Rippen herunterstreichen läßt, er macht ein Gesicht, als wenn er mit der Erzählung nicht ganz zufrieden, denn es tut gar zu stark seinen Effekt. Der alte junge Goethe steht in der Nähe, gibt aber auf beide nicht Achtung, sondern bindet ein rotes Band um ein Lämmchen, seine Schwester steht daneben und im Hintergrunde als Genien die verstorbenen Kinder der Goethe."

505. Die leicht aquarellierte Zeichnung *Goethes* gilt als Selbstbildnis des Schreibenden in seinem Frankfurter Mansardenzimmer, Hut und Degen an der Wand, im Hintergrund die Staffelei: „So kam es auch wieder ans Zeichnen, und da ich immer unmittelbar an der Natur oder vielmehr am Wirklichen arbeiten wollte, so bildete ich mein Zimmer nach mit seinen Möbeln, die Personen, die sich darin befanden ..."

506. Das Pfarrhaus in Sesenheim. Rötelzeichnung von Goethe, 1771

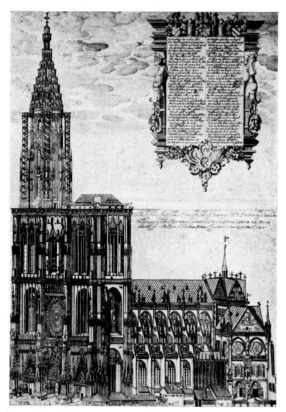

507. Das Straßburger Münster

506. Anfang Oktober 1770 machte Goethe seinen ersten Besuch im *Pfarrhaus zu Sesenheim*, wo er Friederike Brion kennenlernte; gelegentlich eines längeren Aufenthaltes in Sesenheim vom 18. Mai bis 23. Juni 1771 entstand dann die abgebildete Rötelzeichnung des Pfarrhauses von der Hofseite, mit dem Ziehbrunnen und der Aufschrift „Brion Pfarrer" am linken Torpfosten des Zaunes. „Wir traten in den Hof; das Ganze gefiel mir wohl: denn es hatte gerade das, was man malerisch nennt und was mich in der niederländischen Kunst so zauberisch angesprochen hatte. Jene Wirkung war gewaltig sichtbar, welche die Zeit über alles Menschenwerk ausübt. Haus und Scheune und Stall befanden sich in dem Zustande des Verfalls gerade auf dem Punkte, wo man unschlüssig, zwischen Erhalten und Neuaufrichten zweifelhaft, das eine unterläßt, ohne zu dem anderen gelangen zu können." Anfang August nahm Goethe Abschied von Sesenheim. Von Friederike Brion ist kein authentisches Bildnis erhalten.

507. Am 4. April 1770 kam Goethe in *Straßburg* an und bestieg noch am gleichen Tage die Plattform des Münsterturms. Seinen Eindruck des Bauwerks hat er in der Schrift „Von deutscher Baukunst" geschildert, die zu einer Streitschrift für die zu Unrecht verkannte Gotik wurde: „Ein ganzer, großer Eindruck erfüllte meine Seele, den, weil er aus tausend harmonierenden Einzelheiten bestand, ich wohl schmecken und genießen, keineswegs aber erkennen und erklären konnte. Wie oft bin ich zurückgekehrt, diese himmlisch-irdische Freude

508. *Werther und Lotte mit ihren Geschwistern. Bleistift- und Sepiazeichnung von Johann Daniel Donat*

zu genießen, den Riesengeist unsrer älteren Brüder in ihren Werken zu umfassen! Wie oft bin ich zurückgekehrt, von allen Seiten, aus allen Entfernungen, in jedem Lichte des Tags, zu schauen seine Würde und Herrlichkeit! ... Wie oft hat die Abenddämmerung mein durch forschendes Schauen ermattetes Auge mit freundlicher Ruhe geletzt, wenn durch sie die unzähligen Teile zu ganzen Massen schmolzen und nun diese, einfach und groß, vor meiner Seele standen und meine Kraft sich wonnevoll entfaltete, zugleich zu genießen und zu erkennen!" (Stich von 1615 aus Goethes Besitz)

508. *Werthers* erstes Zusammentreffen mit Lotte: „Da ich in die Tür trat, fiel mir das reizendste Schauspiel in die Augen, das ich je gesehen habe. In dem Vorsaale wimmelten sechs Kinder von elf zu zwei Jahren um ein Mädchen von schöner Gestalt, mittlerer Größe, die ein simples weißes Kleid mit blaßroten Schleifen an Arm und Brust anhatte. Sie hielt ein schwarzes Brot und schnitt ihren Kleinen rings herum jedem sein Stück nach Proportion ihres Alters und Appetits ab."

509. *Götz von Berlichingen* I. Akt, 3. Bild: Götz beim Abrüsten zu dem gefangenen Weislingen auf Burg Jaxthausen: „Seid gutes Muts! Kommt, entwaffnet euch!"

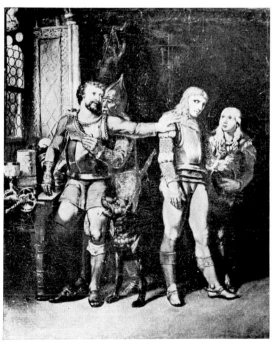

509. *Götz und Weislingen. Ölbild von Tischbein, 1782*

*Übermüthig siehts nicht aus   Allen die darin verzehrt
Dieses stille Gartenhaus   Ward ein guter Muth bescheert
                                            Goethe 1828*

510. Goethes Gartenhaus am Stern. Stich von L. Schütze nach Sepiazeichnung von Otto Wagner, 1827

511. Blick auf die Bühne des Theaters in Lauchstädt mit alten Dekorationen

512. Abendgesellschaft bei der Herzogin Anna Amalia. Aquarell von Georg Melchior Kraus, um 1795

510. Am 21. April 1776 bezog Goethe das ihm vom Herzog Karl August geschenkte schmucklose *Gartenhaus* im Park am Stern und wohnte hier sechs Jahre bis zum Umzug in das Haus am Frauenplan (Abb. 514); hier entstanden „Egmont", „Iphigenie" und Teile von „Wilhelm Meister". 1827 nahm Goethe seine „Studentenwirtschaft" gelegentlich wieder auf.

511. Am 26. Juni 1802 eröffnete Goethe das nach Entwürfen von H. v. Gentz errichtete neue *Theater* mit dem Vorspiel „Was wir bringen"; hier in dem kleinen Modebad gastierte bis 1806 das Weimarer Hoftheater unter Goethes Leitung.

512. Im Tafelrunde-Zimmer des Weimarer Wittumspalais versammelte sich seit 1791 erst wöchentlich, dann monatlich die *Freitagsgesellschaft*. Von links nach rechts: J. H. Meyer, Henriette v. Fritsch, Goethe, F. H. v. Einsiedel, Herzogin Anna Amalia, Elise, Charles und Emilie Gore, Luise von Göchhausen und Herder, gelegentlich auch Wieland und Musäus.

513. Am 26. Juli 1779 saß *Goethe*, während ihm Wieland aus seinem gerade entstehenden „Oberon" vorlas, dem Maler G. O. May zu dem abgebildeten Porträt für die Herzogin von Württemberg, das den dreißigjährigen Dichter während der ersten Jahre in Weimar, zur Zeit der Arbeit an der Prosa-„Iphigenie" darstellt.

513. Goethe. Ölgemälde von Oswald May, 1779

Warum stehen sie davor?
Ist nicht Thüre da und Thor?

Kümen sie getroft herein
Würden wohl empfangen seyn.
Goethe 1828

514. Goethes Haus am Frauenplan in Weimar. Stich von L. Schütze nach Sepiazeichnung von O. Wagner

515. Szene aus Goethes „Fischerin" auf dem natürlichen Schauplatz zu Tiefurt. Aquarell v. G. M. Kraus

516. Goethe in der Campagna. Ölgemälde von J. H. W. Tischbein, 1786–88

514. Am 2. Juni 1782 bezog Goethe zunächst eine Wohnung in dem großen Barockbau am *Frauenplan* in Weimar, den Karl August ihm 1792 schenkte und den Heinrich Meyer renovierte. Das Haus wurde 1885 aus dem Nachlaß von Goethes Enkel erworben und zum Goethe-Nationalmuseum ausgestattet.

515. Am 22. Juli 1782 wurde Goethes Singspiel *Die Fischerin* im Tiefurter Park an der Ilm mit Corona Schröter als Dortchen aufgeführt.

516. *Goethe* berichtet in der „Italienischen Reise" zum 29. Dezember 1786: „Ich soll in Lebensgröße als Reisender, in einen weißen Mantel gehüllt, in freier Luft auf einem umgestürzten Obelisken sitzend, vorgestellt werden, die tief im Hintergrunde liegenden Ruinen der Campagna di Roma überschauend. Es gibt ein schönes Bild, nur zu groß für unsere nordischen Wohnungen." (165 : 210 cm.) Und am 27. Juni 1787: „Mein Porträt wird glücklich, es gleicht sehr, und der Gedanke gefällt jedermann." Trotz der literarischen Pose des Gemäldes — Vulkane als Zeichen der Revolutionen in der Natur, Grabmäler und die Ruinen von Tusculum als Symbol der Vergänglichkeit, das Basrelief als Hinweis auf Goethes Arbeit an der „Iphigenie" — eines der besten Goethe-Porträts.

517. Goethe am Fenster seiner Wohnung in Rom, eine originelle Augenblickszeichnung, wie sie der Maler Johann Heinrich Tischbein, der in Rom zeitweise Goethes Nachbar war, mehrfach skizziert hat.

517. Goethe. Aquarell von Tischbein, 1787

518. Goethe u. Corona Schröter als Orest und Iphigenie
Stich von F. W. Facius nach einem Gemälde von Kraus

519. Egmont und Klärchen. Stich von H. Lips
nach Zeichnung von Angelika Kauffmann, 1787

520. Der 42jährige Goethe
Kreidezeichnung von Heinrich Lips, 1791

518. Die Uraufführung der ersten Prosa-
fassung von Goethes *Iphigenie* mit Corona
Schröter in der Titelrolle, Goethe als Orest,
Prinz Konstantin als Pylades und Knebel als
Thomas fand am 6. April 1779 durch die
Weimarer Liebhaberbühne im Haupt-
mannischen Redoutensaal statt. Der Maler
Georg Melchior Kraus hat die Erkennungs-
szene der Geschwister festgehalten; überhaupt sind seine Bilder die einzigen Zeug-
nisse für die zahlreichen Aufführungen dieser Liebhabertruppe aus Mitgliedern des
Hofes und der Gesellschaft.

519. Für die Erstausgabe des *Egmont*
(Göschen, 1788) zeichnete Angelika Kauffmann, die Goethe „seine beste Bekanntschaft in Rom" nannte, außer einem Titelkupfer die Szene III, 2 zwischen Egmont
und Klärchen: „Er setzt sich, sie kniet sich
vor ihn auf einen Schemel, legt die Arme auf
seinen Schoß und sieht ihn an."

520. Die *Kreidezeichnung* von Johann Heinrich Lips, dem Lehrer der Weimarer Zei-
chenschule, zu der Goethe vom 13. bis
16. Januar 1791 saß, zeigt den 42jährigen
Dichter auf der Mitte seines Lebens und gilt
heute als eines der treuesten Goethebild-
nisse. – Schiller, der Goethe am 7. Sep-

tember 1788 zum erstenmal sah, schreibt: „Er ist von
mittlerer Größe, trägt sich steif und geht auch so;
sein Gesicht ist verschlossen, aber sein Auge sehr
ausdrucksvoll, lebhaft, und man hängt mit Vergnügen an seinem Blicke. Bei vielem Ernst hat
seine Miene doch viel Wohlwollendes und Gutes.
Er ist brünett und schien mir älter auszusehen,
als er meiner Berechnung nach wirklich sein
kann." Der livländische Landschaftsmaler Karl Graß
schilderte Goethe am 12. Februar 1792: „Das Gesicht
Goethes ist voller Feuer und doch Weichheit, nicht
wie bei Herder: Marmor. Sein Auge ist rund und
frei, braun, ein dunkler Spiegel, der desto reiner und
heller auffaßt. Sein Blick ist oft unmerklich auf Dinge
gerichtet, die er gar nicht zu bemerken scheint. Lips
hat ihn, wie noch niemand zuvor, gezeichnet." Ein
anderer, anonymer Kritiker dagegen tadelt das Finstere und unglücklich Idealisierte des Bildes: „Goethe,
selbst wenn er auch in einer ernsten, ja sogar in
einer melancholischen Stunde sollte gezeichnet sein,
sieht freier, heiterer und bedeutender aus." Einen ein
gehenden Vergleich zieht David Veit am 20. März
1793: „Er ist von weit mehr als gewöhnlicher Größe,
und dieser Größe proportioniert dick, breitschulterig.
Die Stirn ist außerordentlich schön, schöner, als ich
sie je gesehen; die Augenbrauen im Gemälde vollkommen getroffen, aber die völlig braunen Augen
mehr nach unten zugeschnitten als dort. In seinen
Augen ist viel Geist, aber nicht das verzehrende
Feuer, wovon man soviel spricht. Unter den Augen
hat er schon Falten und ziemlich beträchtliche Säcke;
überhaupt sieht man ihm das Alter von 44–45 Jahren
recht eigentlich an, und das Gemälde ist in der Tat
zu jugendlich ... Die Nase ist eine recht eigentliche
Habichtsnase, nur daß die Krümmung in der Mitte
sich recht sanft verliert. Der Mund ist sehr schön,
klein, und außerordentlicher Bewegung fähig ...
Wenn er schweigt, sieht er recht ernsthaft, aber
wahrhaftig nicht mürrisch, und kein Gedanke, keine
Spur von Aufgeblasenheit ... Das Gesicht ist voll,
mit ziemlich herabhängenden Backen."

521. Wilhelm Meister erzählt der mit dem Schlaf
kämpfenden Marianne von seinem früheren Puppen-
spiel: „Marianne, vom Schlaf überwältigt, lehnte sich
an ihren Geliebten, der sie fest an sich drückte und
in seiner Erzählung fortfuhr, indes die Alte den
Überrest des Weins mit gutem Bedachte genoß."
(Lehrjahre I, 8)

522. D. Chodowiecki gab im „Taschenbuch für
Frauenzimmer von Bildung auf d. J. 1799" die ersten
Illustrationen zu Goethes Epos „Hermann und Dorothea", hier zum 2. Gesang (Terpsichore): Hermann trifft unter den Flüchtenden auf seine spätere
Braut Dorothea: „Als ich nun meines Weges die neue
Straße hinanfuhr, / fiel mir ein Wagen ins Auge, von
tüchtigen Bäumen gefüget, / von zwei Ochsen gezogen,
den größten und stärksten des Auslands, / nebenher
aber ging mit starken Schritten ein Mädchen, / lenkte
mit langem Stabe die beiden gewaltigen Tiere, / trieb
sie an und hielt sie zurück, sie leitete klüglich. / Als
mich das Mädchen erblickte, so trat sie den Pferden
gelassen / näher und sagte zu mir: Nicht immer war
es mit uns so / jammervoll, als ihr uns heut auf diesen
Wegen erblicket. / Noch nicht bin ich gewohnt, vom
Fremden die Gabe zu heischen, / die er oft ungern
gibt, um loszuwerden den Armen."

521. „Wilhelm Meisters Lehrjahre"
Titelkupfer zur Ausg. letzter Hand, 1828

522. „Hermann und Dorothea"
Kupferstich von D. Chodowiecki, 1798

„Himmel! was komt da für ein Gesindel? — Halt, Passagiere! —
Keiner passiret mir durch, eh' er den Paß mir gezeigt."

523. Satirische Zeichnung auf den Xenienkampf. 1797

524. Erscheinung des Erdgeistes
Zeichnung von Goethe, 1810–1812

525. Lithographie von Eugène Delacroix
zum „Faust". Valentinszene, 1828

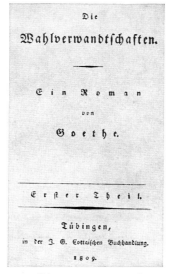

526–528. *Titelblätter zu Erstausgaben Goethes*

529/530. „*Westöstlicher Divan*"   531. „*Wanderjahre*"

523. In einer der zahlreichen Schmähschriften gegen Goethes und Schillers *Xenien*, den „Trogalien zur Verdauung der Xenien, Kochstädt, zu finden in der Speisekammer 1797" von Christian Fürchtegott Fulda, zeigt ein Stich „Schiller und Comp.", wie sie die Säulen von Anstand, Sittlichkeit und Gerechtigkeit umzustürzen drohen, bis ihnen Einhalt geboten wird.

524. In den Jahren 1810–1812, als Riemer und P. A. Wolff sich mit dem Plan einer Faust-Aufführung trugen, entwarf Goethe, um seine eigene Auffassung zu verdeutlichen, einige geniale Skizzen zu Situationen und Dekorationen, am bekanntesten die abgebildete zur *Erscheinung des Erdgeistes*, 2. Fassung.

525. Im Jahre 1828 erschien eine französische Übersetzung des *Faust* von Albert Stapfer mit 17 Lithographien des französischen Historienmalers Eugène Ferdinand Victor Delacroix, über den Goethe in „Kunst und Altertum" VI, 1 urteilt: „Ein Künstler, dem man ein entschiedenes Talent nicht ableugnet, dessen wilde Art jedoch, womit er davon Gebrauch macht, das Ungestüm seiner Konzeptionen, das Getümmel seiner Kompositionen, die Gewaltsamkeit der Stellungen und die Roheit des Kolorits keineswegs billigen will. Deshalb aber ist er eben der Mann, sich in den Faust zu versenken."

530. Die arabische Inschrift lautet: „Der östliche Divan vom westlichen Verfasser."

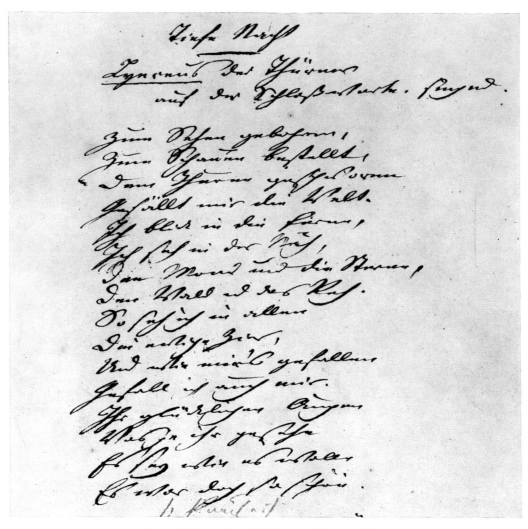

532. Das Türmerlied aus „Faust II" (11 288 ff.). Handschrift Goethes

533. Die *Marmorbüste* von Johann Gottfried Schadow, dem Schöpfer der Quadriga auf dem Branden-
burger Tor, entstand 1823 nach einer Gesichtsmaske, die Carl Gottlieb Weißer im Oktober 1807 abgenommen hatte – nicht nach einer angeblichen Gesichtsmaske von Schadow am 10. Februar 1816 – und
die das einzige objektive, weil von künstlerischer Subjektivität unabhängige, Dokument über Goethes
Gesichtsbildung ist. Diese Gesichtsmaske wurde von den Bildhauern Weißer, Schadow, Rauch und Tieck
ihren Büsten zugrunde gelegt. Schadow, der Goethe zuerst 1802 und dann im Februar 1816 mehrfach
gesehen und auch ein Wachsrelief nach der Natur von ihm angefertigt hatte, ließ diese Erinnerungen
aus verschiedenen Zeiten in seine Arbeit einströmen, die daher weniger ein aus der unmittelbaren Erregtheit
entstandenes Abbild als ein zeitloses Denkmal des Dichters ist.

534. Der braunschweigische Porzellanmaler Ludwig Sebbers zeichnete vom 2.–9. September 1826 das
ergreifendste *Altersbildnis* des 77jährigen Dichters, dessen Original leider seit etwa 1880 in New York
verschollen ist. Das scharfe Profil, die hochgewölbte, gefurchte Stirn, das weitgeöffnete, gespannt und
scheinbar in die Unendlichkeit blickende Auge und der strenggeschlossene, schmale Mund kennzeichnen
den „Weisen von Weimar", der das Treiben der Welt überlegen, verklärend in sich aufnimmt. Gustav
Parthey schilderte Goethe am 30. August 1827: „An die gewölbte, mäßig gefurchte Stirn, die durch
das zurückgekämmte Haar in ihrer ganzen Höhe erschien, schloß sich eine gebogene, durch das Alter
etwas schwer gewordene Nase im richtigsten Verhältnisse an. Die großen braunen Augen, von einem
hellen Altersringe eingefaßt, konnten unbeschreiblich sanfte Blicke und dann wieder Feuerfunken werfen.

533. *Goethe. Marmorbüste von J. G. Schadow, 1823*   534. *Goethe. Kreidezeichn. von L. Sebbers, 1826*

Der ganz zahnlose Mund war das einzige, an dem die 78 Jahre ihr Recht geltend machten; er war beim Sprechen und noch mehr beim Lachen unschön."

535. Das *Ölgemälde* seines Hausmalers Johann Joseph Schmeller, von dem Goethe auch alle ihm näher befreundeten und interessanten Besucher zeichnen ließ (vgl. Abb. 654), ist wohl ohne neue Sitzungen Goethes nach vorhandenen Bildnissen zusammengestellt. Dem Arbeitszimmer fehlt als dem einzigen Zimmer im Hause am Frauenplan jeder künstlerische Schmuck: keine Gardinen, bequemen Sessel oder Teppiche, nur nackte Wände und schlichte Eichenmöbel. Durch keinen Kunstgegenstand abgelenkt oder zu Bequemlichkeit verleitet, verbrachte Goethe hier seine Vormittage von 5 oder 6 Uhr morgens an, um den Tisch herumwandernd und diktierend: „Was ich guts finde in Überlegungen, Gedanken, ja sogar Ausdruck, kommt mir meist im Gehn. Sitzend bin ich zu nichts aufgelegt."

535. *Goethe in seinem Arbeitszimmer, seinem Schreiber John diktierend Gemälde von J. J. Schmeller, 1831*

536. Goethes Mutter   537. Lili Schönemann   538. Charlotte Buff

539. Herzog Karl August   540. Charlotte von Stein   541. Christiane und August

542. K. Fr. Zelter   543. Marianne von Willemer   544. J. P. Eckermann

545. Über die Entstehung des Bildes während *Schillers* Dresdner Zeit im Mai 1786 erzählt der Maler:
„Die größte Not, zuletzt auch die größte Freude hat mir das Porträt Schillers gemacht, das war ein un-

545. *Friedrich von Schiller. Gemälde von Anton Graff, 1786-1791*

ruhiger Geist, der hatte, wie wir sagen, kein Sitzfleisch ... Ich war genötigt, den schon auf die Leinwand gezeichneten Umriß mehrmals auszuwischen, da er mir nicht stille hielt. Endlich gelang es mir, ihn in eine Stellung festzubannen, in welcher er, wie er versicherte, sein Lebtag nicht gesessen, die aber von den Körner'schen Damen für sehr angemessen und ausdrucksvoll erklärt wurde. Er sitzt bequem und nachdenklich, den zur linken Seite geneigten Kopf auf den Arm stützend. Ich meine den Dichter des ,Don Carlos', aus welchem er mir während der Sitzungen vordeklamierte, in einem glücklichen Momente aufgefaßt zu haben."

546. Schillers Vater
Ölgemälde von Ludowike Simanowiz, 1793

547. Schillers Mutter
Ölgemälde von Ludowike Simanowiz, 1793

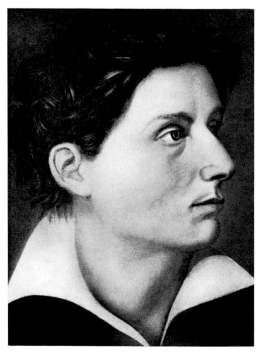

548. Schillers Geburtshaus in Marbach
Heutiger Zustand als Museum

549. Schiller
Gemälde von Jak. Friedr. Weckherlin, um 1780

550. Die Karlsschule in Stuttgart. Kolorierter Stahlstich nach einer Zeichnung von Conz

546/547. Die mit Schillers Eltern befreundete Malerin Ludowike Simanowiz malte als Geschenk für Schiller 1793 zuerst seine Mutter, die der Dichter „in diesem Bilde vollkommen wieder fand" und um ein gleiches Porträt von seinem Vater bat, das er als dessen Geburtstagsgeschenk noch im gleichen Jahre erhielt. Kurz darauf entstanden auch die Bilder Abb. 562/563. Schillers Vater Johann Caspar Schiller (1723–1794), hier ein Jahr vor seinem Tode abgebildet, war Wundarzt und württembergischer Offizier und starb als Vorgesetzter der Gärtnerei auf der Solitude bei Stuttgart. Am 29. April 1749 heiratete er die Marbacher Bäckerstochter Elisabetha Dorothea Kodweis (1732–1802).

548. In dem kleinen Haus zu Marbach am Neckar, wo die Familie Schiller zwei Zimmer und Küche gemietet hatte, wurde Schiller am 10. November 1759, während sein Vater im Siebenjährigen Krieg zu Felde lag, geboren. Hundert Jahre später wurde das Haus vom Marbacher Schillerverein erworben, in den alten Zustand zu Schillers Zeit zurückversetzt und zur Gedenkstätte ausgestattet.

549. Das dem Karlsschüler Jakob Friedrich Weckherlin zugeschriebene Ölgemälde des Dichters zeigt den etwa 20jährigen Schiller zur Zeit seiner Arbeit an den „Räubern" während seines Studiums an der Karlsschule als einen weltoffenen, energischen Jüngling, der zugleich durch einen eigenartig verträumten Zug um die Augenpartie gekennzeichnet ist. Etwa aus der gleichen Zeit stammt die ausführliche Schilderung seines Äußeren und seiner Haltung von Gg. Friedrich Scharffenstein, Schillers vertrautestem Freund an der Karlsschule: „Schiller war von gerader, langer Statur, lang gespalten, langarmig; seine Brust war heraus und gewölbt, sein Hals sehr lang. Er hatte aber etwas Steifes und nicht die mindeste Eleganz in seiner Turnüre. Seine Stirn war breit, die Nase dünn, knorplig, weiß von Farbe, in einem merklich scharfen Winkel hervorspringend, sehr gebogen auf Papageienart und sehr spitzig. Die Augenbrauen waren rot, ungebogen, nahe über den tiefliegenden dunkelgrauen Augen und inklinierten sich bei der Nasenwurzel zusammen. Diese Partie hatte sehr viel Ausdruck und etwas Pathetisches. Der Mund war ebenfalls voll Ausdruck, die Lippen waren dünn, die untere ragte von Natur hervor, schien aber, wenn Schiller mit Gefühl sprach, als wenn die Begeisterung ihr diese Richtung gegeben hätte, und drückte sehr viel Energie aus. Das Kinn war stark, die Wangen blaß, eher eingefallen als voll und ziemlich mit Sommerflecken besät. Die Augenlider waren meistens inflammiert, das buschige Haupthaar war rot von der dunkeln Art. Der ganze Kopf, der eher geistermäßig als männlich war, hatte viel Bedeutendes, Energisches, auch in der Ruhe."

550. Auf Drängen des Herzogs Karl von Württemberg schickte der Hauptmann Schiller seinen Sohn am 16. Januar 1773 in die „Herzogliche Militärakademie" auf der Solitude, die im November 1775 in die abgebildeten Gebäude hinter dem neuen Schloß in Stuttgart umzog. Schiller studierte hier erst Jura, dann Medizin und wurde am 15. Dezember 1780 als Regimentsmedikus in herzoglichem Dienste entlassen. „Acht Jahre rang mein Enthusiasmus mit der militärischen Regel, aber Leidenschaft für die Dichtkunst ist feurig und stark wie die erste Liebe", schrieb Schiller wenige Jahre darauf.

551. Schiller trägt im Bopserwald die „Räuber" vor
Skizze von Victor Heideloff

552. „Die Räuber"
Titelblatt der Erstausgabe, 1781

551. *Schiller,* der seinen Mitschülern schon gelegentlich auf Spaziergängen, in Gärten, Höfen und Winkeln der Karlsschule seine Dichtungen vorgetragen hatte, benutzte an einem Maisonntag einen Spaziergang aller Zöglinge unter Führung eines Hauptmanns, um sich bei guter Gelegenheit an eine abgelegene Stelle des Bopserwaldes mit seinen Freunden abzusondern und ihnen dort, auf einer Baumwurzel stehend, die „Räuber" vorzutragen. Diese Situation hat der anwesende Maler Victor Heideloff in seinem Skizzenbuch festgehalten: Hinter Schiller an den Baum gelehnt der Kupferstecher Schlotterbeck, davor der Militäreleve Joseph Kapf, ihm gegenüber der Zeichner des Bildes, Victor Heideloff, dahinter F. W. von Hoven, der Schiller die Quelle zu den „Räubern" und die Bekanntschaft mit Schubart vermittelte, und stehend der Bildhauer Dannecker (vgl. Abb. 569); im Hintergrund die Stuttgarter Stiftskirche. Nach der abgebildeten Skizze schuf der Sohn des Zeichners, Karl Heideloff, ein pathetisches Aquarell.

552. Das Titelblatt der anonymen Erstausgabe der *Räuber* von 1781 mit den falschen Druckorten Frankfurt und Leipzig – die Ausgabe wurde zur Ostermesse 1781 auf Schillers Kosten in Stuttgart gedruckt – zeigt in der Vignette den alten Moor, Karl Moor (stehend) und Hermann vor dem Turm. Erst die 2. Auflage von 1782 gab den Verfassernamen und unter einem springenden Löwen das Motto „in Tirannos".

553–555. In Reichards „Theaterkalender auf das Jahr 1783, Gotha, bey Karl Wilhelm Ettinger", veröffentlichte D. Chodowiecki sechs Kupferstiche zu Schillers *Räubern,* von denen wir drei wiedergeben: Amalia und der alte Moor, der im Lehnsessel schlafend von Karl träumt; der Pater im Räuberlager, die Räuber vergeblich zu Übergabe und Auslieferung ihres Hauptmanns auffordernd; Amalia und der unerkannte Karl Moor in der Bildergalerie.

556. Das *Mannheimer Nationaltheater* („teutsche Comödienhaus") wurde 1778 von Lorenzo Quaglio errichtet. Im Südflügel, links vom dreitürigen Hauptportal, lag der Schauspielsaal, in dem am 13. Januar 1782 unter dem Intendanten Wolfgang Heribert Freiherr von Dalberg Schillers „Räuber" mit J. M. Boeck als Karl Moor und Iffland als Franz Moor uraufgeführt wurden. Bei einem zweiten Besuch im Mai 1782 machte Dalberg Schiller Hoffnungen auf eine Anstellung am Theater, die er jedoch erst ein Jahr nach Schillers Flucht erfüllte: Schiller wurde vom 1. September 1783 bis 1. September 1784 als Theaterdichter angestellt und hatte vertragsmäßig drei Stücke im Jahr für die Bühne zu schreiben: am 11. 1 1784 wurde hier der „Fiesko", am 15. 4. 1784 „Kabale und Liebe" erstaufgeführt. Die Uraufführungen beider Stücke erfolgten in Frankfurt. Nach Ablauf der einjährigen Anstellung wurde Schiller durch Iffland verdrängt. – Das 1853 umgebaute Theater brannte am 5. September 1943 nieder; die Wiedereröffnung eines modernen Mannheimer Nationaltheaters an anderer Stelle erfolgte am 13. Januar 1956 – genau 175 Jahre nach der Uraufführung – mit Schillers „Räubern".

Horch, horch! sein Sohn ist in seinen Träumen
Die Räuber II.ᵉ Act. 2.ᵗᵉ Se.

Ich werde unsinnig, ich laufe davon!
II.ᵉ A. 3.ᵗᵉ Sc.

Aber das Bild rechter Hand? — Du weinst, Amalia?
IV.ᵉ A. 2.ᵉ Se.

553—555. Drei Kupferstiche von D. Chodowiecki zu Schillers „Die Räuber". 1783

556. Das Nationaltheater in Mannheim
Zeichnung von J. F. von Schlichten. Stich von Klauber, 1782

Wilst du dein Maul halten? wilst
das Violoncello am Hirnkasten wiß
sen? Kabale und Liebe
                    I. Aufz. 2. Auftr.
              D. Chodowiecki inv et fc.

Ohrfeig um Ohrfeig — das ist so
Tax bey uns — Halten zu Gna
den.
              II Aufz 6 Auftr.

Geschöpf und Schöpfer verlaßen
mich, Soll kein Blick mehr zu mei
ner Erquickung fallen?
                  Letzter Auftr.

557–559. *Drei Kupferstiche von Chodowiecki zu Schillers „Kabale und Liebe". 1786*

560. *Körners Weinberghäuschen in Loschwitz*
Sepiazeichnung (Ausschnitt)

557–559. Im „Königlich Großbrit. Genealogischen Kalender auf das 1786. Jahr"
veröffentlichte D. Chodowiecki 12 Kupferstiche zu Schillers *Kabale und Liebe*, von
denen wir drei wiedergeben: Miller be-
droht seine Frau in Anwesenheit des Sekre-
tarius Wurm mit dem Cello; der Präsident
von Walter (rechts) mit Gefolge bei der
Verhaftung von Luisens Eltern, hinter der
ohnmächtigen Luise stehend Ferdinand;
der Präsident an der Leiche Ferdinands
und Luisens.

560. Während seiner Dresdner Zeit (1785
bis 1787) weilte Schiller wiederholt in
Körners Wohnhaus in Loschwitz und
wohnte im September und Oktober 1785
in dem kleinen *Pavillon* auf dem Wein-
berg. Hier vollendete er den „Don Carlos".

561. Schiller wünschte wiederholt eine
Illustration seines *Don Carlos* durch den
bekannten Maler Johann Heinrich Ramberg, den er für den besten Illustrator
seiner Zeit hielt. Ein schwungvoller, un-
vollendeter Entwurf des Künstlers zur
fünften Szene des ersten Aktes zeigt
Marquis Posa in den Hintergrund zurück-
tretend und Don Carlos vor der Königin
niedergeworfen: „So ist er endlich da, der Augenblick, / Und Carlos darf diese teure Hand berühren!"
Kupfer nach ähnlichen Entwürfen Rambergs erschienen erst 1810 im Taschenbuch „Minerva".

562/563. Das *Ölbild* des in einem Armsessel behaglich ruhenden, Erlebtes überdenkenden Dichters, das
die mit Schillers Familie befreundete Malerin (vgl. zu Abb. 546/547) im Sommer 1793 während Schillers
Aufenthalt in Schwaben schuf, war nach dem Zeugnis von Schillers Schwester „gar auffallend gut".
Schillers Jugendfreund F. von Hoven (Abb. 551) berichtet aus dieser Zeit: „Er war ein ganz anderer
Mann geworden; sein jugendliches Feuer war gemildert, er hatte weit mehr Anstand in seinem Betragen,
an die Stelle seiner vormaligen Nachlässigkeit in seinem Anzuge war eine anständige Eleganz getreten,
und seine hagere Gestalt, sein blasses, kränkliches Aussehen vollendeten das Interesse seines Anblicks." –
Im Frühjahr 1794 schuf die Malerin auf Schillers Wunsch auch ein gleichartiges Gemälde seiner Frau.

561. Szene aus „Don Carlos". Aquarell von Johann Heinrich Ramberg, nach 1794

562/563. Charlotte und Friedrich Schiller. Ölgemälde von Ludowike Simanowiz, 1794, 1793

564. Schiller. Ölgemälde von G. von Kügelgen, 1808/1809   565. „Historischer Calender". 1791

566. „Das Mädchen aus der Fremde". Scherenschnitt von Luise Duttenhofer

564. Das Ölgemälde von Gerhard von Kügelgen entstand erst 1808/1809, drei Jahre nach dem Tode des Dichters, auf Grund vorhandener Zeichnungen und der Büste von Dannecker, wurde jedoch von den Zeitgenossen als besonders lebensecht gerühmt. Johanna Schopenhauer schrieb 1809: „Nach dem Urteil aller, die Schiller genau kannten, sogar nach dem seiner Gattin, ist dies Gemälde das einzig befriedigende; es sind nicht nur seine Züge, sondern sein eigenstes Dasein strahlt daraus hervor." So erscheint das durchgeistigte Antlitz mit dem markanten Profil als eine Apotheose der Gestalt vom Geistigen her.

565. In dem *Historischen Calender für Damen* für die Jahre 1791–1793, der bei Göschen in Sedez-Format erschien – unsere Abbildung gibt die Originalgröße – veröffentlichte Schiller erstmalig seine „Geschichte des Dreißigjährigen Krieges".

566. „Und teilte jedem eine Gabe, / Dem Früchte, jenem Blumen aus."

567. „Die Bürgschaft". Stich nach H. Ramberg, 1825

568. Die Schillerglocke in Schaffhausen

567. Aus „Penelope. Taschenbuch für das Jahr 1825", charakteristisch für den Stil der zeitgenössischen und späterer Schiller-Illustrationen: „Was wolltest du mit dem Dolche, sprich!"

568. In der Krünitzschen Enzyklopädie fand Schiller eine Notiz über die große *Glocke* auf dem Münster zu Schaffhausen mit der Inschrift „Vivos voco, mortuos plango, fulgura frango" (= Die Lebenden rufe ich, Tote beklage ich, Blitze breche ich), die Schiller, der die Glocke selbst nie gesehen hat, als Motto seinem großen Gedicht voranstellte.

569. Schillers Jugendfreund Johann Heinrich Dannecker sandte die während Schillers Stuttgarter Aufenthalts im März 1794 modellierte *Büste* im September dem Dichter nach Jena: „Die dich gesehen, finden es vollkommen ähnlich, die dich nur aus deinen Schriften kennen, finden in diesem Bild mehr als ihr Ideal sich schaffen konnte." Schiller bedankt sich im Oktober 1794: „Ganze Stunden könnte ich davor stehen, und würde immer neue Schönheiten an dieser Arbeit entdecken. Wer sie noch gesehen, der bekennt, daß ihm noch nichts so Ausgeführtes, so Vollendetes von Skulptur vorgekommen ist." Er nennt sie „ein rechtes Meisterstück, wer sie sieht, erstaunt über die Wahrheit und große Kunst der Ausführung." Nach dem Tode des Dichters 1805 entschloß sich Dannecker zu einer Kolossalbüste in Marmor: „Ich will Schiller lebig machen, aber

569. Schiller. Büste von H. Dannecker

der kann nicht anders lebig sein als kolossal. Schiller m u ß kolossal in der Bildhauerei leben, ich will eine Apotheose." Über diese Büste urteilt Heinrich Voß: „Ich glaubte Schiller in verklärter Gestalt vor mir zu sehen, den hohen Ernst und dabei die unaussprechliche Güte und Milde."

570. Schillers Haus und Garten in Jena. Lavierte Federzeichnung von Goethe, 1810

571. Maria Stuart auf ihrem Todeswege
Aquarell von L. Wolf

570. Goethe schreibt zu seiner Zeichnung: „Schillers Garten, angesehen von der Höhe über dem rechten Ufer der Leutra; der Brückenbogen führt zum Engelgatter. Das Häuschen daran eine Gartenlaube, welche Schiller zur Küche verwandeln ließ; das gerade entgegenstehende Eckgebäude errichtete Schiller als ein einsames Arbeitszimmer und hat darin die köstlichsten Werke zustande gebracht. Als das Grundstück nach seinem Ableben in andere Hände kam, verfiel das Gebäude nach und nach und ward im Jahr (1817?) abgetragen. An dem höher stehenden Wohnhaus sind die zwei oberen Fenster des Giebels merkwürdig. Hier hatte man die schönste Aussicht das Tal hinabwärts und Schiller bewohnte diese Dachzimmer." Schiller wohnte im Gartenhaus vom 2. Mai 1797 bis zum 5. Oktober 1799, zur Zeit des regsten Gedankenaustausches mit Goethe. Hier entstanden der „Wallenstein" und die bekanntesten Balladen.

571. Maria Stuart. Sechste Szene des fünften Akts: Melvil kniend vor der Königin, rechts Graf Leicester.

572. Szenenbild der Weimarer Uraufführung von Wallensteins Lager mit Schillers Prolog gelegentlich der Eröffnung des umgebauten Theaters am 12. Oktober 1798.

573. Gelegentlich seines Berliner Aufenthalts im Mai 1804 führte Iffland Schiller zu Ehren dessen Dramen auf; der übertriebene Pomp des Krönungszuges in der Jungfrau von Orleans fand des Dichters Tadel. Unser Kupferstich gibt die Krönungsszene nach dem Bühnenbild wieder.

572. „Wallensteins Lager". Kolorierter Stich von C. Müller nach G. M. Kraus

573. Der Krönungszug in der „Jungfrau von Orleans". Stich von Fr. Jügel nach H. Dähling

574. Schillers Sterbezimmer in Weimar

575. Friedrich Schiller.
Zeichnung von J. G. Schadow aus dem Jahre 1804

574. Im Dezember 1799 siedelte Schiller endgültig nach Weimar über und bezog im April 1802 am Südrand der Stadt das heutige *Schillerhaus* an der Esplanade, das er unter großen Entbehrungen erworben hatte; hier verlebte er die drei letzten Jahre seines Lebens bis zum Tod am 9. Mai 1805, hier in den schlichten Räumen des Dachgeschosses, die der Dichter bewohnte, an dem Schreibtisch mit dem Globus darauf, entstanden „Die Braut von Messina", der „Wilhelm Tell", der Anfang des „Demetrius" und die letzten großen Gedichte sowie die Bühnenbearbeitungen. Heute Schiller-Gedenkstätte.

575. Die *Zeichnung* von J. G. Schadow 1804 zeigt den 45jährigen Dichter ein Jahr vor seinem Tode in ungeschmeichelter Natürlichkeit: Die Haare sind dünn geworden und zum Zopf gebunden, die Stirn durch Haarausfall erhöht und die Nase dadurch kleiner erscheinend, das Kinn eingedrückt, doch der Blick offen und gütig. Heinrich Voß beschreibt den Dichter gleichzeitig als „einen Mann von wirklich schönem majestätischem Wuchs, einem schönen, freien, aber etwas eingefallenen und bleichen Antlitz, der, solange man ihn ruhig sieht, finster und ernst erscheint, dessen Gesicht aber, durch eine freundliche Rede in Tätigkeit gesetzt, durchaus herzlich und liebevoll ist."

576. Szenenbild der Weimarer Uraufführung von *Wilhelm Tell*, die am 17. März 1804 „mit dem größten Success" stattfand; erste Szene des 4. Akts: „Ich bin befreit!"

577. Die *Handschrift* zeigt den Entwurf zur Rede Attinghausens in den Versen 2417 ff. aus der zweiten Szene des vierten Aktes von „Wilhelm Tell" in einer noch vor der Druckfassung liegenden früheren Fassung mit Schillers eigenhändigen Korrekturen.

576. „Wilhelm Tell". Kolorierter Stich nach einem Gemälde von K. L. Kaaz

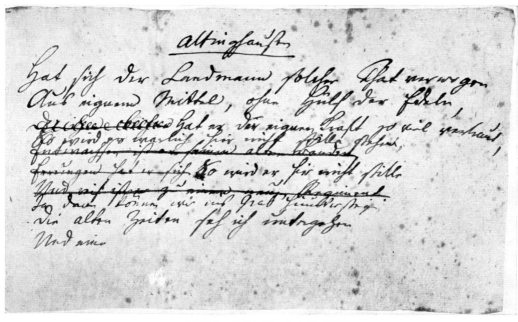

577. „Wilhelm Tell". Handschrift Schillers

578. *Karl Philipp Moritz*
Gemälde von Schumann, 1791

579. *Wilhelm von Humboldt*
Zeichnung von J. J. Schmeller, 1826

578. Den Erzähler und Kunstschriftsteller *Karl Philipp Moritz* (1757–1793) ließ Gleim „wegen seines Anton Reiser", seines autobiographischen Romans, für seinen Freundschaftstempel in Halberstadt malen. Goethe, der ihn in Rom seinen „liebsten Gesellschafter" nannte, äußerte über ihn: „Er hat sehr viel mimisches Talent und kann aussehen wie der lebendige miltonische Teufel, doch ists schade um ein so edles Gebilde, es verzerrt zu sehen." Auch nach Schillers Zeugnis war er „ein sehr edler Mensch und drollig interessant im Umgange."

579. Der Gelehrte und Staatsmann *Wilhelm von Humboldt* (1767–1835) wurde durch Schiller, dessen Mitarbeiter an den „Horen" er war, mit Goethe bekannt gemacht; dieser schloß mit dem Vorkämpfer des deutschen Idealismus ein enges Freundschaftsverhältnis, forderte ihn zur Kritik seiner Werke heraus und ließ ihn 1826 durch seinen Hausmaler Johann Joseph Schmeller zeichnen.

580. Als der vielgefeierte Dichter *Jean Paul* (Friedrich Richter, 1763–1825) im Juni 1818 ein paar Wochen in Stuttgart verweilte, veranstaltete der Oberhofmeister Graf von Beroldingen mit seiner Frau zu Ehren des Dichters ein Picknick. Jean Paul berichtet: „Der gute Graf Beroldingen und sie nahmen mich neulich zu einem Picknick auf die Geisburg (ein sehr schöner Berggarten), wo der österreichische Gesandte Trautmannsdorf, der baiersche Tautphäus, der preußische Köster, der hiesige Minister der auswärtigen Angelegenheiten Winzingrode, der junge, aber reichausgebildete Graf Kufstein, die Oberhofmeisterin von Seckendorf und noch andere Weiber waren und alles heiter und frei." Die unvollendete getuschte Zeichnung zeigt in der Mitte stehend Jean Paul, vorn seinen Pudel Ponto, rechts an den Baum gelehnt Uhland.

581. Zum Erstdruck 1793 von Jean Pauls Roman *Die unsichtbare Loge* schuf D. Chodowiecki als Titelkupfer eine Zeichnung der Szene, wie der acht Jahre unter der Erde erzogene Gustav ans Tageslicht gebracht wird: „Wahrlich wär' ich der zweite oder dritte Chodowiecki: so ständ' ich jetzo auf und stäche zu meinem eignen Buche den Auftritt in schwedisches Kupfer..., wie unser herausgetragner blaßroter Liebling unter seiner Binde in einem gegitterten Rosengarten schlummert" heißt es im Roman.

582. Den 34jährigen *Jean Paul* ließ Gleim für seinen Freundschaftstempel malen. Henriette Herz lernte den Dichter zwei Jahre später kennen: „Jean Pauls Erscheinung hatte nichts Auffallendes; seine einfache Kleidung paßte zu seinem Gesicht und Wesen. Auf seiner Stirn thronte Licht, auf seinen Lippen Anmut und Milde. Seine hellblauen Augen leuchteten in sanfter Glut. Seine Bewegungen waren in Einklang mit seiner Einfachheit und seinem natürlichen Anstand. Vielleicht würde seine Erscheinung einem Unkundigen nichts von seinem Genius verraten haben. Ernst, Anstand, viel natürliche Anmut blickten daraus hervor; durch ihre Anspruchslosigkeit selbst war sie gewinnend."

580. Picknick des Grafen Beroldingen zu Ehren Jean Pauls. Aquarellierte Zeichnung

581. „Die unsichtbare Loge"
Stich von D. Chodowiecki, 1793

582. Jean Paul
Gemälde von Heinrich Pfenninger, 1798

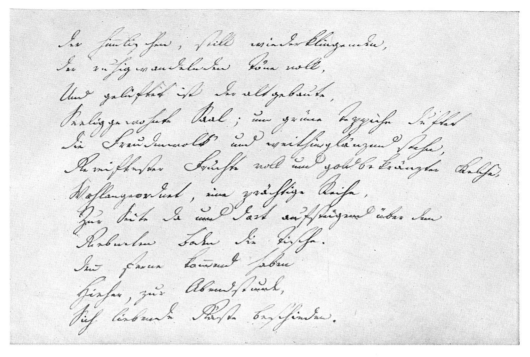

583. Hölderlins Handschrift zum Gedicht „Friedensfeier", 1. Strophe

583. Die *Friedensfeier*, Hölderlins wohl im Herbst 1802 anläßlich des Friedens von Lunéville entstandenes Gedicht, wurde erstmalig durch eine im Jahre 1954 in England aufgefundene Handschrift des Dichters bekannt, von der unsere Abbildung die erste Strophe wiedergibt. (Bibliotheca Bodmeriana, Genf)

584. Als Hölderlin 1796 eine Erzieherstelle im Hause des Frankfurter Bankiers J. F. Gontard annahm, begegnete ihm dort dessen Gattin Susette, geb. Borkenstein (vgl. zu Abb. 362), die als *Diotima* mit dem Namen der mantineischen Seherin aus Platons Symposion in sein Werk und Leben eingegangen ist. „Sie ist schön, wie ein Engel", schreibt Hölderlin später, „ein zartes geistiges himmlisch-reizendes Gesicht! ... Majestät und Zärtlichkeit, und Fröhlichkeit und Ernst, und süßes Spiel und hohe Trauer und Leben und Geist, alles ist in und an ihr zu Einem göttlichen Ganzen vereint." Die abgebildete Marmorbüste von Landolin Ohmacht wurde 1944 bei einem Luftangriff auf Frankfurt vernichtet.

585. Ein Pastellbild von der Hand seines Freundes Franz Karl Hiemer aus dem Jahre 1792, das *Hölderlin* später als Hochzeitsgeschenk seiner Schwester Heinrike bestimmte, zeigt den damals 22jährigen Tübinger Stiftler, der überall durch die Anmut und Gefälligkeit seiner Gestalt Aufsehen erregte und bei dessen Eintreten es seinen Mitschülern nach Chr. Schwabs Zeugnis schien „als schritte Apollo durch den Saal". I. A. von Rehfues hat diesen Eindruck geschildert: „Seine regelmäßige Gesichtsbildung, der sanfte Ausdruck seines Gesichts, sein schöner Wuchs, sein sorgfältiger, reinlicher Anzug und jener unverkennbare Ausdruck des Höheren in seinem ganzen Wesen sind mir immer gegenwärtig geblieben." Und sein Jugendfreund Rudolf Magenau bestätigte: „Wer ihn sah, liebte ihn, und wer ihn kennen lernte, der blieb sein Freund."

586. Die letzten 35 Jahre seines Lebens, 1807–1843, verbrachte Hölderlin in geistiger Umnachtung unter der Obhut des Schreinermeisters Zimmer in Tübingen in einem *Turm* von dessen Haus am Neckarufer, das auf den Grundmauern des alten Zwingers errichtet worden war. Wilhelm Waiblinger schreibt über seine dortige Lebensweise: „Sein Tag ist äußerst einfach. Des Morgens, besonders zur Sommerzeit, wo er überhaupt viel unruhiger und gequälter ist, erhebt er sich vor und mit der Sonne und verläßt sogleich das Haus, um im Zwinger spazieren zu gehen. Dieser Spaziergang währt meist vier bis fünf Stunden ... Dabei spricht er immer mit sich selbst ... Alsdann geht er ins Haus und schreitet dort umher. Man bringt ihm sein Essen aufs Zimmer, und er speist mit großem Appetit ... Der übrige Teil des Tages verfließt in Selbstgesprächen und Auf- und Abgehen in seinem Zimmerchen."

587. Friedrich Theodor Vischer (Abb. 726) schildert den gealterten *Hölderlin*: „Sein Antlitz trug noch die Spuren großer Schönheit. Die Stirne hoch und klar, die Nase von prächtigem Adel, das Kinn in der richtigen Griechenlinie untergestellt. Um so tragischer war der Eindruck seiner Gebrochenheit."

584. Diotima
Marmorbüste von Landolin Ohmacht, um 1800

585. Friedrich Hölderlin
Pastellbild von Franz Karl Hiemer, 1792

586. Der Hölderlinturm in Tübingen
Heutiger Zustand

587. Hölderlin im Alter
Farbiges Wachsrelief von W. Neubert

588. *Heinrich von Kleist. Anonyme Zeichnung, 1806*   589. *Vermutliche Gesichtsmaske Kleists*

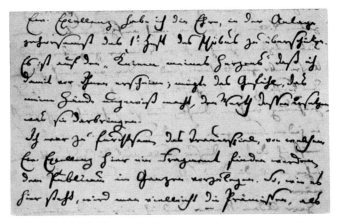

590. *Brief Kleists an Goethe vom 24. Januar 1808, 1. Seite*

588. Die anonyme Kreidezeichnung *Heinrichs von Kleist* (1777–1811) wiederholt vermutlich ein Miniaturgemälde des 24jährigen Dichters von 1801, das dieser an seine Braut sandte mit den Worten: „Mögest Du es ähnlicher finden, als ich. Es liegt etwas Spöttisches darin, das mir nicht gefällt, ich wollte, er hätte mich ehrlicher gemalt – Dir zu gefallen habe ich fleißig während des Malens gelächelt, und so wenig ich auch dazu gestimmt war, so gelang es mir doch, wenn ich an Dich dachte." Clemens Brentano schildert den Dichter 1810 als „frisch und gesund . . ., ein untersetzter Zweiunddreißiger mit einem erlebten runden stumpfen Kopf, gemischt launigt, kindergut, arm und fest."

589. Die *Gesichtsmaske* aus der Totenmasken-Sammlung von Lilienthals ist bis heute sehr umstritten.

590. In dem berühmten *Brief* an Goethe bittet Kleist „auf den Knien meines Herzens" um wohlwollende Aufnahme seiner „Penthesilea" und um Goethes Mitarbeit am „Phöbus".

591. Der abgebildete *Stich* hing während Kleists Aufenthalt in Bern 1802 in Zschokkes Zimmer und gab den Anlaß zu einem poetischen Wettbewerb der Berner Freunde, indem jeder das dargestellte Motiv nach seiner Art behandeln sollte. Zschokke schrieb eine naiv-sentimentale Erzählung, Ludwig Wieland, der Sohn des Dichters, eine Satire, und Kleist errang mit seiner Komödie „Der zerbrochene Krug" den Preis.

592. Zweite Szene des 4. Aktes: Unter dem Holunderstrauch bei Schloß Wetterstrahl belauscht der Graf vom Strahl *Käthchen* im Schlaf und erfährt das Geheimnis ihres Traumes, der sie an ihn bindet.

593. In der ersten Ankündigung des *Phöbus* schreibt Kleist: „Wir stellen den Gott, dessen Bild und Name unsre Ausstellungen beschirmt, nicht dar, wie er in Ruhe im Kreise der Musen auf dem Parnaß erscheint, sondern vielmehr, wie er in sicherer Klarheit die Sonnenpferde lenkt."

591. „Der Richter oder der zerbrochene Krug"
Stich von Jean Jacques Le Veau nach einem Gemälde von Louis Philibert Debucourt, 1782

592. „Käthchen von Heilbronn"
Gemälde von Moritz von Schwind

593. „Phöbus", 1. Heft, Januar 1808
Umschlagzeichnung von Ferdinand Hartmann

594. August Wilhelm Schlegel
Gemälde von Adolf Hohneck, 1830

595. Friedrich Schlegel
Kreidezeichnung von Caroline Rehberg, um 1794

596. Ludwig Tieck. Gemälde
von Vogel von Vogelstein, um 1823

597. Wilhelm Heinrich Wackenroder
Marmorrelief von Friedrich Tieck, 1798

594. Der Kritiker und Shakespeareübersetzer *August Wilhelm Schlegel* (1767–1845) war seit 1818
Professor in Bonn. Heinrich Heine, der dort im Jahre 1819 bei ihm hörte, schildert ihn: „Herr A. W.
Schlegel trug Glacehandschuhe und war ganz nach der neuesten Pariser Mode gekleidet, er war parfümiert
von guter Gesellschaft und Eau de mille fleurs ... Sein Äußeres gab ihm wirklich eine gewisse Vornehmheit. Auf seinem dünnen Köpfchen glänzten nur noch wenige silberne Härchen, und sein Leib war so

Bach Rauch Steffens Eichendorff .... Kopisch Franz Kugler .... Holtei
.... Humboldt Fr. Paalzow Fr. Crelinger Bettina v. Arnim Varnhagen .... Friedrich Tieck
Schelling .... J. Grimm Cornelius .... Gräfin Finkenstein .... Ludwig Tieck
.... Meyerbeer .... Mendelssohn Fanny Hensel .... Charlotte von Hagn

598. Leseabend bei Tieck in Dresden. Xylographie nach einer Zeichnung von Ludwig Pietsch

dünn, so abgezehrt, so durchsichtig, daß er ganz Geist zu sein schien, daß er fast aussah, wie ein Sinnbild des Spiritualismus."

595. A. W. Schlegels jüngeren Bruder *Friedrich Schlegel* (1772–1829), das geistige Haupt der Frühromantik, schildert Henrich Steffens 1799 als „einen merkwürdigen Mann, schlank gebaut, seine Gesichtszüge regelmäßig schön und im höchsten Grade geistreich."

596. *Ludwig Tieck* (1773–1853) der „Dichterfürst" der Jenaer Romantik, erschien Henrich Steffens als „schlank gebaut, schön, mit Augen, deren geistige Gewalt und wunderbare Klarheit selbst das Alter bis jetzt nicht zu besiegen vermochte. In allen seinen Bewegungen herrschte eine große Anmut, ja Zierlichkeit; seine Sprache entsprach seiner körperlichen Erscheinung völlig. Als die Krankheit ihm noch nicht die volle Beweglichkeit seines Körpers geraubt hatte, war seine wechselnde und reiche Mimik ebenso bewunderungswürdig wie die Flexibilität seiner Sprache."

597. Noch vor dem Tode seines Freundes und Studienkameraden *Wilhelm Heinrich Wackenroder* (1773 bis 1798) gab Tieck dessen „Herzensergießungen eines kunstliebenden Klosterbruders" heraus, in denen das Programm der romantischen Malerschule vorweggenommen wird.

598. Als Ludwig Tieck 1825 Dramaturg des Dresdner Hoftheaters wurde, hielt er in seinem Heim am Altmarkt seine weitberühmten *Leseabende* vor namhaften Besuchern. Eckermann beschreibt einen solchen Leseabend in Weimar: „Jedermann war im Anhören versunken und davon hingerissen; die Lichter brannten trübe, niemand dachte daran oder wagte es, sie zu putzen, aus Furcht vor der leisesten Unterbrechung; Tränen in den Augen der Frauen, die immer wieder hervorquollen, zeugten von des Stückes tiefer Wirkung und waren wohl der gefühlteste Tribut, der dem Vorleser wie dem Dichter gezollt werden konnte."

599. Novalis. Stahlstich von Ed. Eichens, 1845

600. Sophie von Kühn, Novalis' Verlobte

599. Henrich Steffens sah *Novalis* (Friedrich von Hardenberg, 1772–1801), den Dichter der blauen Blume, im April 1800 in Jena: „Sein Äußeres erinnerte dem ersten Eindruck nach an jene frommen Christen, die sich auf eine schlichte Weise darstellen. Sein Anzug schien diesen ersten Eindruck zu unterstützen, denn dieser war höchst einfach und ließ keine Vermutung seiner adligen Herkunft aufkommen. Er war lang, schlank, und eine hektische Konstitution sprach sich nur zu deutlich aus. Sein Gesicht schwebt mir vor als dunkel gefärbt und brünett. Seine feinen Lippen, zuweilen ironisch lächelnd, für gewöhnlich ernst, zeigten die größte Milde und Freundlichkeit. Aber vor allem lag in seinen tiefen Augen eine ätherische Glut. Er war ganz Dichter. Das ganze Dasein löste sich für ihn in eine tiefe Mythe auf."

600. Über *Sophie von Kühn*, die dreizehnjährige Verlobte des Novalis, die der Dichter nach ihrem Tode 1797 in schwärmerischer Nachfolge verehrte, berichtet Ludwig Tieck: „Alle diejenigen, welche diese wunderbare Geliebte unseres Freundes gekannt haben, kommen darin überein, daß es keine Beschreibung ausdrücken könne, in welcher Grazie und himmlischen Anmut sich dieses überirdische Wesen bewegt und welche Schönheit sie umglänzt, welche Rührung und Majestät sie umkleidet habe. Novalis ward zum Dichter, sooft er nur von ihr sprach."

601. Novalis' Handschrift. Aus den Aufzeichnungen zum 2. Teil des „Heinrich von Ofterdingen"

602. Zacharias Werner
Nach einer Zeichnung von E. T. A. Hoffmann

603. Werners „Attila"
Illustration von Study. 1808

602. Entsprechend seiner Zeichnung von 1812 schildert E. T. A. Hoffmann in den „Serapionsbrüdern" eine Vorlesung des Schicksalsdramatikers *Zacharias Werner* (1768–1823): „Wie gewöhnlich in der Mitte des Kreises an einem kleinen Tischchen, auf dem zwei helle Kerzen in hohe Leuchter gesteckt brannten, saß der Dichter, hatte das Manuskript aus dem Busen gezogen, die ungeheure Tabaksdose, das blaugewürfelte, geschickt an ostpreußisches Gewebe, wie es zu Unterröcken und anderen nützlichen Dingen üblich, erinnernde Schnupftuch vor sich hingestellt und hingelegt. – Tiefe Stille ringsumher! – Kein Atemzug! – Der Dichter schneidet eins seiner absonderlichsten jeder Schilderung spottenden Gesichter, und beginnt!"

603. Zacharias Werner hatte E. T. A. Hoffmanns Szenenkupfer zu seinem Historiendrama *Attila* zugunsten der Entwürfe von Study zurückgewiesen.

604. Der Schicksalsdramatiker *Adolf Müllner* (1774 bis 1829) hatte nach dem Zeugnis seines Freundes und Biographen Schütz „schöne, große, seelenvolle Augen, die unter seinem dunklen ... Haupthaare und einer hohen ... Stirne hervorleuchteten", einen wohlgeformten Mund, „dessen Lächeln jedoch stets ein charakteristischer Zug von satirischer Laune umspielte", und eine „höchst unpoetisch gebildete, dicke und breite Nase."

604. Adolf Müllner

605. Clemens Brentano
Zeichnung von W. Schadow, 1805

606. Clemens Brentano
Ölgemälde von E. Linder, 1835

605. Der *Brentano*, wie er auf der Zeichnung von Wilhelm Schadow von 1805 ein wenig träumerisch-verspielt ausschaut, ist trotz des fast kindlichen „Milchgesichts", das er mit Kleist gemeinsam hatte, vornehmlich der Romantiker Brentano, mit 27 Jahren verheiratet mit Sophie von Mereau und auf der Höhe seines dichterischen Schaffens: „Godwi", „Gustav Wasa" und „Ponce de Leon" sind bereits erschienen, an der „Chronika eines fahrenden Schülers" und an dem ersten Band des „Wunderhorns" (s. Abb. 612), der im gleichen Jahr erscheint, wird bereits gearbeitet, und auch zu den „Romanzen vom Rosenkranz" ist der Anfang gemacht. (Albertina, Wien)

606. Das zweite Porträt dagegen, ein Ölbild, das *Brentanos* Vertraute der Münchner Zeit, die Malerin Emilie Linder, 1835 schuf, zeigt den Gealterten, durch den Tod seiner Frau, die Rückkehr zum Katholizismus und den fünfjährigen Aufenthalt bei der stigmatisierten Nonne Anna Katharina Emmerick Gereiften, dem das Dichten nur noch eine gefährliche Vergangenheit bedeutet und der seine früheren Dichtungen nur noch zu karitativen Zwecken herausgibt. Und dennoch liegt in den ernsten, wissenden Augen ein Zug verspielter Kindlichkeit von einst. (Kloster St. Bonifaz, München)

607. *Gockel, Hinkel, Gakeleia* ist das einzige Märchen, das noch zu Brentanos Lebzeiten in Buchform erschien: 1838, Marianne von Willemer gewidmet. Auf dem Titelkupfer erscheinen alle Hauptfiguren des Geschehens in einer an Runge gemahnenden, doch erdfesteren, erstaunlich symmetrischen Anordnung.

608. Die Zeichnungen und Titelkupfer zu den Ausgaben seiner Werke pflegte Brentano, der noch 1814 bei Schinkel in Berlin Zeichenunterricht gehabt hatte, meist nach eigenen Entwürfen anfertigen zu lassen. Auf dem Titelkupfer zu seinem historisch-romantischen Drama *Die Gründung Prags*, den „Frick von Kassel" ausführte, thronen die drei Zauberschwestern Libussa (Mitte), Tetka und Kascha in feierlicher Ruhe auf Wolken, während die im Hintergrund strahlend aufgehende Sonne die Türme Prags aus dem Morgennebel hervortauchen läßt: Sieg des christlichen Lichts und seiner Prophetin Libussa über das finstere Heidentum.

609. Zu der auf Abbildung 607 abgebildeten Ausgabe entwarf Brentano auch vier Kupfer mit charakteristischen Situationen aus dem Märchen: Die Bewohner von ganz Gelnhausen, voran Fleischer- und Bäckermeister, bestaunen das über Nacht plötzlich entstandene gräfliche Schloß, das sich Gockel durch seinen Zauberring gewünscht hat, und befragen den großen, bärtigen Türsteher in Schweizertracht nach dessen Bewohnern. Er sprach aber: „Hört einmal ihr lieben Bürger von Gelnhausen! Es ist sehr unartig, daß ihr hier bei Anbruch des Tages einen so abscheulichen Lärm vor dem Schlosse seiner Hoheit des hochgebornen Raugrafen Gockel von Hanau, Hennegau und Henneberg, Erbherrn auf Hühnerbein und Katzenellenbogen, macht. Seine hochgräflichen Gnaden werden es sehr ungern vernehmen, so ihr Sie also frühe in der Ruhe stört, und wünsche ich, das nicht wieder zu erfahren, das laßt euch gesagt sein."

607. „Gockel, Hinkel, Gakeleia"
Titelkupfer, 1838

608. „Die Gründung Prags"
Titelkupfer, 1815

609. „Gockel, Hinkel, Gakeleia". Illustration nach Brentanos Entwurf, 1838

610. *Gut Wiepersdorf bei Dahme. Arnims ständiger Wohnsitz seit 1814*

611. *Achim von Arnim*   612. *„Des Knaben Wunderhorn"*
Gemälde von P. E. Ströhling, 1804   *Titelkupfer des 2. Bandes, 1808*

610. Auf dem Gute *Wiepersdorf,* einem alten märkischen Herrensitz, verbrachte Achim von Arnim (1781 bis 1831) nach seiner Heirat mit Bettina Brentano, der Schwester Clemens Brentanos, die letzten zwei

613. Quartettabend bei Bettina von Arnim. Aquarell von Joh. Carl Arnold, um 1854/56

Jahrzehnte seines Lebens; hier besuchten ihn seine Freunde Clemens Brentano und auch Wilhelm Grimm, der an Görres darüber schreibt: „Wiepersdorf liegt für die dortige, ganz ebene und außer einer gewissen Heimlichkeit und außer den zierlichen Birkenwäldern wenig reizende Gegend recht schön. Vor seinen Fenstern hinter einem grünen Rund steht ein Halbkreis von alten Geistern aus hohen und breiten Fichten, zur Seite hat er ein Dutzend abhauen lassen zu Heldensitzen in einem Walhalla."

611. Bei seinem Aufenthalt in London ließ sich *Arnim* 1804 von dem Maler Ströhling in Öl malen und schenkte das Bild nach seiner Heimkehr seinem Freund Clemens Brentano. Eichendorff beschreibt Arnim: „Männlich schön, von edlem, hohem Wuchse, freimütig, feurig und mild, wacker, zuverlässig und beherrscht in allem Wesen ... war Arnim in der Tat ... eine ritterliche Erscheinung im besten Sinne."

612. Mit der Herausgabe der Volksliedersammlung *Des Knaben Wunderhorn* durch Arnim und Brentano erreicht die Heidelberger Romantik ihren Höhepunkt. Das Titelkupfer des zweiten Bandes (1808) zeigt ein im mittelalterlichen Geschmack verziertes Horn auf dem Hintergrund der Heidelberger Landschaft.

613. Arnims Gattin *Bettina* (1785–1859) lebte in ihrem hohen Alter in Berlin. „Ihr Liebstes war die Musik, die ihr die treuen Freunde darboten", schreibt ihre Tochter Maxe, „dann saß die Mutter nahe der Tür in ihrem dunklen Zimmer und lauschte den Tönen im Saal, während ihre Gedanken um 50 Jahre zurückkehrten zu der Zeit, da sie Beethoven selbst nahegestanden hatte." Im Hintergrund des Aquarells das von Bettina entworfene Goethedenkmal, dessen Entwurf sie dem Dichter 1824 in Weimar überbrachte.

614. Brüder Grimm
Gemälde von Elisabeth Jerichau, 1855

615. „Brüderchen und Schwesterchen"
Kupferstich von Ludwig Emil Grimm

616. Joseph Görres
Stich nach J. Settegast, 1838

617. Friedrich de la Motte-Fouqué
Anonymes Gemälde

614. Die Brüder Grimm, Jakob (1785–1863, rechts), der Rechtshistoriker, Altertums- und Sprachforscher, und Wilhelm (1786–1859, links), der Sammler und Herausgeber, sind durch ihre gemeinschaftlichen Bemühungen um die Sammlung und Wiedererweckung altdeutscher Sprach- und Literaturdenkmäler zu

618. *Ernst Moritz Arndt*
Gemälde von Ferdinand Bender, 1843

619. *Theodor Körner*
Gemälde von Dorothea Stock

den Begründern der germanistischen Wissenschaft und zum Sinnbild romantischer Wiederbelebung der deutschen Vergangenheit geworden. Schon 1807, während seiner Arbeit am „Wunderhorn", berichtet Brentano an Arnim: „Ich habe hier zwei sehr liebe, liebe altdeutsche vertraute Freunde, Grimm genannt, die ich nun nach zwei Jahre langem, fleißigem, sehr konsequentem Studium so gelehrt und so reich an Notizen, Erfahrungen und den vielseitigsten Ansichten der ganzen romantischen Poesie wiedergefunden habe, daß ich bei ihrer Bescheidenheit über den Schatz, den sie besitzen, erschrocken bin."

615. Als Titelkupfer zu den *Kinder- und Hausmärchen* erschien in der 2. Auflage (1. Band, 1819) eine Zeichnung von dem dritten Bruder, dem Zeichner Ludwig Emil Grimm, zu dem Märchen „Brüderchen und Schwesterchen".

616. *Joseph von Görres* (1776–1848), der katholische Publizist und Herausgeber des „Rheinischen Merkur", war nach dem Zeugnis von Friedrich Perthes 1816 „ein langer, wohlgebildeter Mann, kräftig und derb, letzteres aber etwas maniriert". Und Eichendorff, der ihn 1807 als Dozenten in Heidelberg erlebte, berichtet: „Sein durchaus freier Vortrag war monoton, fast wie ein fernes Meeresrauschen schwellend und sinkend, aber durch dieses einförmige Gemurmel leuchteten zwei wunderbare Augen und zuckten Gedankenblitze beständig hin und wieder; es war wie ein prächtiges nächtliches Gewitter." Diese Züge sprechen auch noch aus dem Porträt des 62jährigen, das Görres selbst als ihm sehr ähnlich bezeichnete.

617. Über *Friedrich de la Motte-Fouqué* (1777–1843), den Verfasser der „Undine", den Chamisso als einen „ehrenfesten, edlen Degen, einen Kernmensch" bezeichnete, schreibt der Komponist C. B. von Miltitz 1812: „Sein Gesicht ist ungemein fein und zart, aber bräunlich, nicht ekel weiß. Er ist ungemein weich. Sein Anzug ist modern, aber nicht zierbengelhaft."

618. Der politische Schriftsteller und vaterländische Freiheitsdichter *Ernst Moritz Arndt* (1769–1860) traf im April 1813 mit Henrich Steffens zusammen, der ihn treffend charakterisiert: „Daß dieser Mann Aufsehen erregen mußte, war begreiflich; er war bestimmt, die Gemüter in Bewegung zu setzen, durch Worte und starke Lehre das Volk zu stählen; die nationale Gesinnung, wo sie in irgendeinem Gemüte noch schlummerte, sollte durch ihn erweckt, in Tätigkeit gesetzt, bewaffnet werden. Er selbst stellte sich ganz als der biedere deutsche Mann des Volkes dar, und mit dem Ausdruck der derben kühnen Gesinnung verband sich ein inneres geistiges Nachsinnen, ja der in sich versenkte trübe Blick des besorgten Hausvaters, der die bedenkliche Lage der Familie sich nicht verbirgt, während er unablässig für sie tätig bleibt."

619. Der Schillerepigone *Theodor Körner* (1791–1813) hat durch seinen frühen Heldentod als Adjutant im Lützowschen Freikorps größeren Ruhm erlangt als durch seine Dichtungen. Das abgebildete Gemälde seiner Tante Dorothea Stock entstand nach einer Zeichnung seiner Schwester Emma zwei Monate vor seinem Tode.

620. *Eichendorffs Geburtshaus, Schloß Lubowitz bei Ratibor an der Oder*
Aquarell von Karl Straub, 1790

621. *Joseph von Eichendorff*
Gemälde von Franz Kugler, 1832

622. *Der junge Eichendorff*
Bildnis von Joseph Raabe, 1809

620. In dem von seinem Vater und Großvater umgebauten Landschloß *Lubowitz*, dem „stillen, hohen Haus" am steilen Ufer der Oder, wurde Joseph Freiherr von Eichendorff am 10. März 1788 geboren und verbrachte hier seine Kinder- und Jugendjahre. Das Schloß, das „weiß und schlank emporstrebend aus

623. „Der wandernde Student"
Zeichnung von Ludwig Richter, 1844

624. „Aus dem Leben eines Taugenichts"
Federlithographie von Adolf Schroedter

den Wipfeln und Blüten eines reizenden Gartens, in dessen Schattenkühle Nachtigallen und Wasserkünste wetteifernd jeden neuen Frühling begrüßen, weithin sichtbar seine lichten Formen gegen den dunklen Hintergrund der nahen Karpathen und Sudetenberge" abhebt, lebt mit seinen anheimelnden Parks und seinen festlichen Gesellschaften in vielen Liedern und Erzählungen Eichendorffs fort. In diesem Jugendparadies unternahm der Dichter seine Streifzüge durch Wald und Flur, hier entstand 1810 beim Abschied vor einer Reise nach Wien auch sein bekanntestes Lied „O Täler weit o Höhen", dessen ursprüngliche Überschrift „An den Hasengarten" auf einen Teil des Schloßgartens verweist. Als Gut und Schloß Lubowitz 1822 nach dem Tode der Eltern verkauft wurden, mied Eichendorff den Ort, der ihm lebenslang Inbegriff der Heimat war, bewußt und hat ihn seither nur einmal wiedergesehen. Das Schloß wurde um 1860 vom Herzog von Ratibor in einem unglücklichen englisch-gotischen Stil umgebaut.

621. Während seiner Berliner Zeit als vortragender Rat im preußischen Kultusministerium (1831–1844) pflegte *Eichendorff* eifrigen Verkehr mit den Berliner Literatenkreisen um Savigny, Raumer, Chamisso, Mendelssohn, Hitzig und lernte dort als Schwiegersohn des letzteren den Malerdichter Franz Kugler (vgl. Abb. 744) kennen, der das abgebildete Porträt des Dichters schuf und durch seine Vermittlung eine Anstellung im Ministerium erhielt. 22 Jahre später, gelegentlich eines neuen Berliner Aufenthalts, traf der damals 65jährige Dichter im gleichen Kreis auch mit Theodor Storm zusammen, der ihn schildert: „Es ist ein Mann von mildem, liebenswürdigem Wesen, viel zu innerlich, um, was man gewöhnlich vornehm nennt, an sich zu haben. In seinen stillen blauen Augen liegt noch die ganze Romantik seiner wunderbar poetischen Welt." Und Adolf Schöll schildert den Dichter: „Er ist von einer Atmosphäre natürlicher Güte umgeben, und aus seinem Betragen spricht eine Heiterkeit, in deren leichten Tönen ein aufmerksames Ohr den Grundton gewonnener Ruhe und vergangener Siege wohl vernehmen kann. Ich glaube aber nicht, daß er jemals im Leben – wenn auch aus dem Frieden – aus der Kindlichkeit herausgerissen worden ist; sie ist ihm noch rein natürlich, wie seine Bescheidenheit, sein Humor, seine freundlich blühenden Gedanken, sie vereinigt sich mit jenem Gleichmut, welcher nur durch Erfahrung erobert wird."

622. Am 3. Oktober 1809 notierte *Eichendorff* in sein Tagebuch: „Ließ mich von dem nicht ganz talentlosen Maler Raabe auf der Taschengasse en miniature als schwarzer Ritter mit goldener Kette und Stickerei für L. malen." Aus dem kecken, für Eichendorffs Braut Luise von Larisch bestimmten Kostümporträt des 34jährigen Dichters spricht die ganze Entschlossenheit, Anmut und Begeisterungsfähigkeit des jugendliche Romantikers.

623. Die Zeichnung *Ludwig Richters* würde in ihrer typenhaften Zusammenstellung romantischer Elemente – Mond, Nacht, Seufzergäßle, Abendständchen – auch auf viele andere Lieder Eichendorffs passen.

624. Ein ausgesprochenes Zeugnis der Spätromantik dagegen sind die sechs seltenen Federlithographien von A. Schroedter zum *Taugenichts* (Berlin 1842) mit ihren durchaus festen und erdgebundenen Formen.

625. *Adalbert von Chamisso*
Gemälde von Robert Reinick

626. *„Peter Schlemihl"*
Zeichnung von Adolf Schroedter, 1836

625: R. M. Varnhagen beschreibt *Chamisso*: „Chamisso trug eine elegante polnische Kurtka mit Schnüren besetzt, ging mit schwarzem, natürlich herabhängendem Haar, mit einer leichten Mütze, was ihm sehr wohl stand und nebst einem kleinen Schnurrbart seinem geistreichen Gesicht voll Ernst und Güte, seinen schönen, sprechenden Augen voll Treue und Klugheit, einen eigentümlichen Ausdruck verlieh, so daß er als eine angenehme Erscheinung auffiel und Bekannte von mir sich erkundigten, wer der schöne Mann gewesen sei, mit dem man mich auf der Straße hatte gehen sehen. Zugleich war er voll ritterlicher Höflichkeit und Galanterie, ein Erbteil seiner französischen Abkunft, die manchmal einen Anstrich von Steifheit hatte, weil sie echt altritterlich war, sich im ganzen aber sehr gut an ihm machte, so daß man, sich in alte Zeit versetzend, ihn gern als einen Chevalier und ritterlichen Troubadour hätte denken mögen."

626. *Peter Schlemihl* verkauft dem „Mann im grauen Rock" seinen Schatten: „Er schlug ein, kniete dann ungesäumt vor mir nieder, und mit einer bewunderungswürdigen Geschicklichkeit sah ich ihn meinen Schatten, vom Kopf bis zu meinen Füßen, leise vom Grase lösen, aufheben, zusammenrollen und falten und zuletzt einstecken."

627. Als Chamisso 1815–1818 seine *Weltreise* unternahm, entwarf E. T. A. Hoffmann, der gerade einen Brief von ihm aus Kamtschatka erhalten hatte, in einer Kammergerichtssitzung auf einen rosa Aktendeckel diese launige Zeichnung, in der Chamisso-Schlemihl, die zoologischen Sammlungen hinter sich, die botanischen vor sich, zum Nordpol segelt „und von demselben freundlich empfangen wird."

628. Friedrich Laun beschreibt *Hoffmann* 1813: „Seine Physiognomie verwandelte sich alle Augenblicke. Das kleine, kluge Gesicht war fast immer ein anderes. Die dunkeln, stechenden Augen zeugten von einem gewaltigen Leben, und um die Lippen zuckten ihm offenbar Sarkasmen."

629. Die Zeichnung *Kreisler im Wahnsinn* entwarf Hoffmann 1822 für den nie geschriebenen 3. Band des „Kater Murr". Wie die Beschreibung Kreislers

627. *Schlemihl am Nordpol*
Karikatur von E. T. A. Hoffmann, 1816

628. E. T. A. Hoffmann
Selbstporträt in Öl, um 1810

629. Kreisler im Wahnsinn
Zeichnung von E. T. A. Hoffmann

630. „Die Elexiere des Teufels" und 631. „Das Frl. von Scuderi", Zeichnungen von Th. Hosemann, 1844

trägt auch seine Zeichnung Züge von Hoffmann selbst: dunkles, tief in die Stirn ragendes Lockenhaar und eine hervortretende, aber fein gebogene Nase.

630. „Da erhob sich plötzlich ein nackter Mensch bis an die Hüften aus der Tiefe empor und starrte mich gespenstisch an mit des Wahnsinns grinsendem, entsetzlichem Gelächter."

631. „In dem dämmernden Schimmer der Nacht gewahre ich nun, daß der Stein sich langsam dreht, und hinter demselben eine finstere Gestalt hervorschlüpft, die leisen Tritts die Straße hinabgeht."

632. Johann Peter Hebel
Kreidezeichnung von Feodor Iwanowitsch, 1809

633. „Kannitverstan"
Zeichnung von F. Rothbart, um 1850

634. Hebels Elternhaus in Hausen

632. Der Erzähler und alemannische Mundart-dichter *Johann Peter Hebel* (1760–1826) war nie, wie Sophie Haufe 1805 schildert, „was man aus-gelassen nennt, sondern bewahrte immer eine ge-wisse Gravität, seine Bewegungen hatten immer das gleiche Maß; wenn ihm aber gerade ein Spaß einfiel, so bewegten sich seine Gesichtsmuskeln recht lebhaft, und man konnte nun gewiß auf einen netten Witz hoffen." Diese ruhige Heiter-keit des von Kraushaar und Backenbart ein-gerahmten Antlitzes mit seinen charakteristischen Krähenfüßen und der hohen Stirn gibt das Por-trät des badischen Hofmalers Iwanowitsch wieder.

633. Von den zahlreichen Hebel-Illustratoren wußte Ferdinand Rothbart am besten den Charakter der Erzählungen wiederzugeben; aus seinem *Kannitverstan* spricht der schmunzelnde Zug dieser humorvollen Schilderung: „Guter Freund, könnt Ihr mir nicht sagen, wie der Herr heißt, dem dieses wunderschöne Haus gehört mit den Fenstern voll Tulipanen?"

634. Hebel mußte das elterliche Anwesen in *Hausen* im Schwarzwald, wo er seine Jugend vom sechsten bis zu seinem zwölften Lebensjahr ver-bracht und auch die Dorfschule besucht hatte, nach dem Tode seiner Eltern verkaufen, um sein Studium zu bezahlen; seinen Wunschtraum, ein neues Grundstück in seinem Heimatdorf zu er-werben, hat auch der spätere Gymnasialdirek-tor und Prälat nicht verwirklichen können.

635. Den Erzähler und Märchendichter *Wilhelm Hauff* (1802–1827) schildert Julius Klaiber als

635. Wilhelm Hauff
Ölgemälde von K. J. Leybold

636. „Lichtenstein"
Ölgemälde von J. J. Müller von Riga (Ausschnitt)

„einen schlanken, wohlgebildeten Jüngling, dem der feine Schnitt des blassen Gesichts, die blauen Augen im Kontrast mit den dunkelfarbigen Haaren einen eigenen Reiz gaben."

636. Das Ölgemälde von J. J. Müller von Riga zeigt das Schloß Lichtenstein zur Zeit Hauffs mit Gestalten aus Hauffs Roman „Lichtenstein"; erst aus Anlaß des erfolgreichen Romans ließ der Herzog von Urach 1841 die abgebildete, im Bauernkrieg halbzerstörte Burgruine durch Heideloff zu dem heute bekannten romantischen Schloß auf einem Felsgipfel des Schwäbischen Jura ausbauen; ein schönes Zeugnis für die Wirkung von Hauffs „romantischer Sage aus der württembergischen Geschichte": „Getrennt durch eine weite Kluft von der übrigen Erde lag auf einem einzelnen, senkrecht aus der nächtlichen Tiefe aufsteigenden Felsen der Lichtenstein. Seine weißen Mauern, seine zackigen Felsen schimmerten im Mondlicht. Es war, als schlummere das Schlößchen, abgeschieden von der Welt, im tiefen Frieden der Einsamkeit."

637. David Friedrich Strauß nannte den Lyriker und Erzähler Justinus Kerner (1786 bis 1862) einen „gemütlichen Mann", und Lenaus Schwager Anton Schurz schildert den Dichter, in dessen gastfreiem Weinsberger Heim alle schwäbischen Romantiker verkehrten: „Kerner war mir eine ungemein liebe und interessante Erscheinung. Er ist die Milde und herzliche Hingebung selbst."

637. Justinus Kerner. Zeichn. von A. Duttenhofer, 1840

638. *Gustav Schwab*
Ölgemälde von J. K. Leybold (Kopie)

639. *Ludwig Uhland*
Ölgemälde von Gottlob Wilhelm Morff, 1818

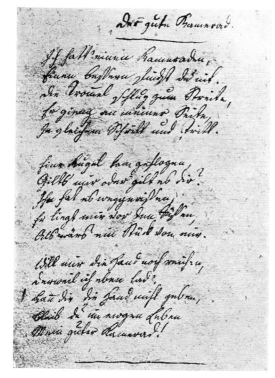

640. *„Der gute Kamerad"*
Handschrift Uhlands, 1809

641. *„Junker Rechberger"*
Zeichnung von S. H. Jarwart, 1837

638. Der Stuttgarter Schulmann und Theologe *Gustav Schwab* (1792–1850) ist weniger durch seine eigenen
Gedichte als durch seine Ausgaben romantischer Dichter und seine Nacherzählungen klassischer und deut-

642. Hermann Kurz
Lithographie von G. Engelbach, 1843

643. Nikolaus Lenau
Ölgemälde von Karl Rahl, 1833

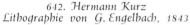

scher Sagen in die Literaturgeschichte eingegangen. Die Kopie eines 1945 verlorengegangenen Ölgemäldes von J. K. Leybold zeigt den Dichter in seinem besten Jugendalter.

639. *Ludwig Uhland* (1787–1862) wird von Friedrich Theodor Vischer treffend beschrieben: „Uhlands Kopf war auf den ersten Anblick nichts weniger als schön; kleines zurückgeschobenes Kinn ... scharf und herb geschlossen, mit etwas abwärtsgezogenen Winkeln der Mund; die Nase war kräftig gebildet, hier lag nichts Kleinliches, Energie sprach aus ihrer mäßig gebogenen Mitte, Scharfsinn aus ihrer länglich gezogenen Spitze. Was aber ... den ungewöhnlichen Menschen verkündigte, das war die hohe, breite, ausgezeichnet individuelle Stirn; eine mäßige Einziehung über dem markierten Vorsprung der Augenknochen, dann eine rückwärts geneigte mächtige Auswölbung ... Das blaue Auge war klein und schien dem oberflächlichen Beobachter unbedeutend ...; wer aber genauer zusah, dem sprach es von unergründeten Tiefen der Empfindung und Ahnung, von geheimen Wundern der Seele, von Milde und Güte." Das Gemälde von Morff zeigt den schwäbischen Dichter im 31. Lebensjahr, als sein dichterisches Schaffen im großen und ganzen bereits abgeschlossen und der germanistischen Forschung gewichen ist.

640. Mit dem *Guten Kameraden* gelang dem 21jährigen Uhland ein Gedicht, das in seiner gedämpften Stimmung und keuschen Zurückhaltung unsterblich geblieben ist.

641. 1837 erschien die erste Ausgabe von *Uhlands Gedichten* mit Zeichnungen des schwäbischen Illustrators Sixtus Heinrich Jarwart: Der Raubritter „Junker Rechberger" besteigt nachts aus seinem Grab das sich aufbäumende Geisterroß.

642. Der humoristisch-realistische Erzähler *Hermann Kurz* (1813–1873), ein Freund Mörikes und Uhlands schuf in seinem historischen Roman „Schillers Heimatjahre" 1843 ein breites Zeitgemälde um die Karlsschule und gab in seiner Dorfgeschichte „Der Sonnenwirt" einen psychologisch vertieften Kriminalroman.

613. *Nikolaus Lenau* (eigentlich Niembsch Edler von Strehlenau, 1802–1850), der Dichter der romantischen Zerrissenheit, wird von seinem Freund und Biographen Graf Auersperg geschildert: „Lenaus äußere Erscheinung war eine durchaus vorteilhafte, edle. Nicht von jenem tadellosen Ebenmaße männlicher Schönheit, welche nach den Vorbildern der Antike Bildhauer und Maler sich zum Modelle erwählen, war er doch immer ein schöner Mann zu nennen; es war eine durchgeistigte Gestalt, in deren Formen, Haltung und Bewegung sich die innere geistige Schönheit in harmonischer Übereinstimmung widergeprägt hatte ... sein Haupt war ungewöhnlich groß, aber edel geformt, das glattgekämmte Haupthaar nicht allzu üppig und, wie Backen- und Schnurrbart, dunkelbraun; die leicht gebogene Nase und die sanft hervortretenden Backenknochen hatten etwas vom edleren südslawischen Typus. Die Gesichtsfarbe war bleich und leise in südländisch gebräuntes Kolorit übergehend, die schmalen Lippen wenig aufgeworfen, das Kinn fleischig gewölbt. Die schöngebildete weiße Stirne war mehr breit als hoch ... das große dunkelbraune Auge voll Geist und Tiefsinn, oft in unheimlichem Feuer rollend, oft voll Weichheit und Schmelz; dieses Auge übte eine Gewalt, der man sich nicht zu entziehen vermochte." Das Ölgemälde entstand 1833–1834 nach Lenaus Rückkehr aus Amerika für seinen Freund Justinus Kerner (Abb. 637).

644. *Franz Grillparzer und* 645. *Kathi Fröhlich, seine Verlobte. Miniaturgemälde von M. M. Daffinger, 1823*

646. *Grillparzer an die Gräfin Dubsky über die Gedichte ihrer Tochter M. von Ebner-Eschenbach, 1847*

644/647. Marie von Ebner-Eschenbach beschreibt *Grillparzer:* „Als ich den Dichter persönlich kennenlernte, war er ein Greis. Die Gestalt klein, schmächtig, etwas zur Seite geneigt, schien schwer zu tragen an dem mächtigen Haupte, auf dem die reichen weißen Haare sich noch leicht und fein wellten. Die Stirn prachtvoll, breit und klar und wie umwoben von den Geistern großer Gedanken ... Ich sehe jedem Schmerz bis auf den Grund, sagte der Blick der blaugrauen, von starken Brauen überschatteten Augen; es lag in ihnen etwas schwermütiges Mildes ... Die Nase war kräftig und wohlgeformt, und längs ihrer Flügel zog sich zu der Unterlippe hin, wie erbarmungslos von grausamer Hand eingeschnitten, die sogenannte Kummerfalte. Was dieser Mann gelitten hatte, verriet am ergreifendsten der auch im Schweigen beredte Mund, mit seinen so deutlichen Spuren verbissener Schmerzen und niedergezwungenen Ingrimms."

647. *Grillparzer in seinem Arbeitszimmer in der Spiegelgasse in Wien. Zeichnung von Felix Kanitz, 1860*

648. *Zeichnung Grillparzers zur Schlußszene seiner „Argonauten"*

649. Die Kassierin vom „Silbernen Kaffeehaus". Kolorierter Stich von V. Katzler

650. Raimund und Constanze Dahn
in „Der Bauer als Millionär"

649. Das „Silberne Kaffeehaus" des Ignaz Neuner in Wien war der Treffpunkt der Wiener Literaten und Schauspieler; hier verkehrten seinerzeit Grillparzer, Lenau und Anastasius Grün, hier trafen sich (von links nach rechts) der Graf Jarosinsky, der Dichter und Zensor Deinhardtstein, der Lustspieldichter I. F. Castelli, die Komponisten Joseph Lanner und Johann Strauß Vater, Ferdinand Raimund und der Komiker Schuster.

650. In seinem bekanntesten Volksstück „Das Mädchen aus der Feenwelt oder *Der Bauer als Millionär*" spielte der Wiener Schauspieler und Theaterdichter Ferdinand Raimund (1790–1836) selbst die Hauptrolle: Raimund als Bauer Fortunatus Wurzel, der, plötzlich reich geworden und ins Großstadtleben verstrickt, von der Jugend (Constanze Dahn) an sein fortschreitendes Alter gemahnt und zur Mäßigkeit berufen wird. Über Raimunds Spiel schreibt der Hofschauspieler Costenoble: „Man hätte ihn für einen ganz fremden Menschen nehmen können, so hatte er sich seines Ichs entäußert. Gang, Sprache, Haltung – alles war anders wie gewöhnlich, und alles war wiederum Leben und Beglaubigung eines fremden, festgefaßten Charakters." Lithographie von F. Leitz, um 1835.

651. Über den Wiener satirischen Dramatiker und Schauspieler Johann Nestroy (1801–1862) berichtet Speidel: „Was das Wort unausgesprochen ließ und lassen mußte, gab sein Spiel kund. Er hatte witzige Gebärden, spöttische Mienen, ja das Spiel seiner Augen und Augenbrauen war dämonisch."

651. Johann Nestroy
Lithographie von J. Kriehuber, 1839

652. Nestroy als Sansquartier in „Zwölf Mädchen
in Uniform". Aquarell von M. Fritsch, 1857

Zeitungen berichteten: „Durch seine lange Gestalt, die er nach Belieben bald verlängerte, bald einknickte, durch seine schlotternden Bewegungen und mittelst frappanter Wechsel zwischen Schwerfälligkeit und Agilität überraschte und elektrisierte er sein Publikum."

652. Die Rolle des *Sansquartier*, eines alten, einäugigen Invaliden, in Angelys Vaudeville „Zwölf Mädchen in Uniform" hat Nestroy von der Erstaufführung im Dezember 1827 bis zu seinem Lebensende 256mal dargestellt; in dieser Chargenrolle, die er, zum tragischen Fach neigend, nur unwillig übernahm und dann zur Paraderolle ausbaute, entdeckte er seine komische Begabung. „Herr Nestroy", berichteten die Zeitungen zur Erstaufführung, „gab eine lustige Hogarthsche Art Invaliden, der mehr in der Liederlichkeit als im Dienste ergraut zu sein schien. Seine steifen Knochen, seine hochaufgepolsterte Halsbinde lassen vermuten, daß er sich seiner Hinfälligkeit nicht eben sehr zu rühmen habe, und man möchte wetten, daß ihm das Auge eher in einer Schenke als auf dem Schlachtfelde ausgeschlagen worden ist."

653. Ein Szenenbild aus Nestroys Zauberposse „Der böse Geist *Lumpazivagabundus* oder Das liederliche Kleeblatt" zeigt Nestroy (links, mit Zylinder) als Knieriem, Carl als Leim und Scholz als Zwirn, die drei leichtsinnigen Handwerksburschen beim Einzug in die Residenz.

653. „Lumpazivagabundus"
Kolorierte Zeichnung von Schoeller

654. Karl von Holtei
Zeichnung von J. J. Schmeller, 1829

655. Niebergall, „Datterich"
Titelbild, 1841

654. Als der junge Schauspieler und Theaterdichter *Karl von Holtei* (1798–1880) im Jahre 1827 Goethe in Weimar besuchte, fand Goethe in dem schlanken, jugendlichen Vortragskünstler einen „angenehmen Gesellschafter". Bei einem zweiten Aufenthalt in Weimar 1829, wo Holtei der ersten Weimarer Faust-Aufführung beiwohnte, ließ Goethe ihn durch seinen Porträtisten Johann Joseph Schmeller malen.

655. Mit der Darmstädter Lokalposse *Der Datterich* gelang Ernst Elias Niebergall (1815–1843) in der Schilderung des trunksüchtigen Aufschneiders, der sich durch pathetische Vornehmheit und geschickte Redekunst aus allen Verlegenheiten zieht, das bedeutendste deutsche Lokalstück. Das rankengeschmückte Umschlagbild der Erstausgabe zeigt unter einer Szene des Lustspiels die Darmstädter Landschaft.

656. *Karl Leberecht Immermann* (1796–1840), der satirische Erzähler und Düsseldorfer Theaterdirektor, wurde 1829 von seinem Freund Wilhelm Schadow, dem Leiter der Düsseldorfer Kunstschule, in idealisierendem Stil gemalt, mit einem Dichterlorbeer und seinem eben vollendeten klassizistischen Drama „Kaiser Friedrich II." in der Hand, an dessen Entstehung Schadow lebhaften Anteil nahm. Gutzkow, der 1840 mit Immermann in Hamburg zusammentraf, schildert ihn als „eine stattliche Figur, ein allerdings plastisch geformter Kopf, aber mit etwas blassen, schlaffen Zügen, und ein Auge, dessen Ausdruck bald in Hoheit und Strenge, bald in scheinbarer Harmlosigkeit, zuweilen wenn sich die Brauen etwas zusammenzogen in beinahe dämonischer Unheimlichkeit spielte." In seinem Roman „Münchhausen" läßt Immermann sich selbst auftreten und gibt bei dieser Gelegenheit eine berühmte Selbstcharakteristik: „Es war ein breitschulteriger untersetzter Mann, dieser Fremde im braunen Oberrock, der seinen Wanderstock bei jedem Schritte mit Energie auf die Erde stieß. Er besaß eine große Nase, eine markierte Stirn, deren Protuberanzen jedoch mehr Charakter als Talent anzeigten, und einen feingespaltenen Mund, um den sich ironische Falten wie junge spielende Schlangen gelagert hatten, die jedoch nicht zu den giftigen gehörten. Seine Augen wurden in den Reisepässen gewöhnlich als graue bezeichnet. Sie lagen auch wirklich wie hellgraue Perlhühner in ihren Höhlen unter Brauen eingewühlt, die trockenem gelbbräunlichem Reisig glichen. Nicht allein in dem Antlitze dieses Mannes . . ., sondern überhaupt in seinem gesamten Wesen war eine eigene Mischung von Stärke, selbst Schroffheit, mit Weichheit, die hin und wieder in das Weichliche überging, sichtbar."

657. Immermanns *Oberhof*-Erzählung aus dem „Münchhausen" wurde 1863 durch den Düsseldorfer Zeichner Benjamin Vautier mit feingefühlten Zeichnungen versehen: Der verfemte Spielmann „Patriotenkaspar" sinnt auf Rache am Hofschulzen, der ihn ins Elend gestoßen hat.

658. Durch Immermanns *Münchhausen*-Roman ließ sich sein Düsseldorfer Freund Adolf Schroedter zu einer – im übrigen freien – Gestaltung der Szene „Münchhausen erzählt seine Abenteuer" anregen.

656. Karl Immermann
Ölgemälde von Wilh. Schadow, 1829

657. Immermann, „Der Oberhof"
Illustration von B. Vautier, 1863

658. „Münchhausen erzählt seine Abenteuer". Ölgemälde von Adolf Schroedter, 1842

659. Annette von Droste-Hülshoff
Ölgemälde von Joh. Sprick, 1838

660. Das Rüschhaus bei Münster
Gartenseite

661. Zimmer im Fürstenhäusle, Meersburg

662. Schloß Meersburg am Bodensee

663. *August Graf von Platen*
Gemälde von Moritz Rugendas um 1830

664. *Friedrich Rückert*
Gemälde von Bertha Froriep, 1864

659. Levin Schücking lernte *Annette von Droste-Hülshoff* (1797–1848) im Frühjahr 1830 kennen: „Diese wie ganz durchgeistigte, leicht dahinschwebende, bis zur Unkörperlichkeit zarte Gestalt hat etwas Fremdartiges, Elfenhaftes; sie war fast wie ein Gebilde aus einem Märchen. Die auffallend breite, hohe und ausgebildete Stirn war umgeben mit einer ungewöhnlich reichen Fülle hellblonden Haares, das zu einer Krone aufgewunden auf dem Scheitel befestigt war. Die Nase war lang, fein und scharf geschnitten. Auffallend schön war der zierliche, kleine Mund mit den beim Sprechen von Anmut umlagerten Lippen...“ Die Dichterin selbst hielt das Bild des Malers Joh. Sprick, dem sie durch Aufträge aus wirtschaftlicher Bedrängnis half, für „schöner, als ich mein Lebtage gewesen“ und schenkte es ihrem Bruder Werner; Schücking tadelte den „Hauch jener temperamentlos-weichlich-ergebungsvollen, fast tränenseligen Stimmung“ an dem Bild.

660. Nach dem Tode des Vaters, 1826, bezog die Mutter mit Annette als Witwensitz das *Rüschhaus bei Münster*, das sich der Barockbaumeister J. C. Schlaun 1745–49 als Sommersitz erbaut hatte. Annette lebte hier mit gelegentlichen Unterbrechungen bis 1846. Levin Schücking beschreibt das Haus als „ein Bau, vollständig wie das echte althergebrachte sächsische Bauernhaus, nur daß es größer und ganz massiv von Steinen aufgeführt war, und daß es ... an seinem Ende zu einer sehr hübschen, wenn auch kleinen, herrschaftlichen Wohnung ausgebaut war.“

661. Vom Erlös ihrer Gedichte erwarb die Droste 1844 einen Weingarten mit dem *Fürstenhäusle* bei Meersburg, das sie als Sommerpavillon restaurieren ließ – heute Droste-Museum.

662. Auf dem alten *Schloß Meersburg*, das Annettes Schwager, der Freiherr von Laßberg (vgl. zu Abb. 31) 1838 erworben hatte, verlebte die Dichterin in einem runden Turmzimmer zur Seeseite mehrere Winter und die letzten Jahre ihres Lebens.

663. Von dem Formkünstler *August Graf von Platen-Hallermünde* (1796–1835) berichtet G. H. Schubert, Verfasser der „Ansichten von der Nachtseite der Naturwissenschaften“, 1819, er habe ausgesehen „nicht wie ein Wanderer aus der alltäglichen Nachbarschaft des Raumes und der Zeit, sondern wie ein Fremdling aus ferner Heimat und weitabgelegener Vergangenheit ... Es lag etwas Klassisches in den Zügen und dem Ausdrucke seines edlen jugendlichen Angesichts ... Ein innerer Stand und Adel gab sich in dem ganzen Wesen dieses selben Jünglings in unverkennbarer Weise kund.“ An Stelle des verlorenen Originalgemäldes ist nur noch eine Kopie von Karl Prochaska vorhanden.

664. Den greisen Sprachvirtuosen und Übersetzer *Friedrich Rückert* (1788–1866) schildert C. Beyer: „Sein Gesicht war charakteristisch durch seine tiefliegenden, dunklen, von starken Brauen beschatteten Augen, durch die hohe, breite, gedankenreiche Stirn, die von der Nase durch eine starke Vertiefung getrennt war, endlich durch die männliche Nase und den strenggeschlossenen Mund.“

665. Eduard Mörike
Lithographie nach einer Zeichnung von Bonaventura Weiß, 1851

666. Die Vikarstube in Owen. Zeichnung von Mörike, 7. 1. 1830

665. *Mörike* urteilt über das Porträt: „Wer es bis jetzt gesehen, erklärt es für sehr ähnlich, und ich, soviel sich einer selbst kennen kann, muß es auch zugestehen; auch ist das Ganze frei und gut mit einer Art von Eleganz behandelt." Theodor Storm besuchte im August 1855 den damals 51jährigen Freund, dessen dichterisches Schaffen zu jener Zeit bereits im wesentlichen abgeschlossen war, und berichtet: „In seinen Zügen war etwas Erschlafftes, um nicht zu sagen Verfallenes, das bei seinem lichtblonden Haar um so mehr hervortrat; zugleich ein fast kindlich zarter Ausdruck, als sei das Innerste dieses Mannes von dem Treiben der Welt noch unberührt geblieben." Bei dieser Begegnung las Mörike Storm seine eben vollendete Erzählung „Mozart auf der Reise nach Prag" vor.

666. In *Owen,* wo Mörike vom Dezember 1829 bis Mai 1831 Pfarrgehilfe war, entstand der größte Teil seines Romans „Maler Nolten". Mörike notierte auf die Rückseite der Zeichnung für seine damalige Verlobte: „.. Der junge Mensch am Ofen ist bloß Nebensache, macht keinen Anspruch auf ein Porträt und dient nur, den Raum etwas zu beleben. Übrigens scheint er eine Predigt zu memorieren, oder, was er jedenfalls lieber täte, er liest einen Brief von seinem Mädchen. Einige übelwollende Kenner meinen, die Reinlichkeit und Ordnung des Zimmers sprechen für die erstere Hypothese; es scheine Samstag Abend zu sein ..."

667. Aus der Zeit in Mergentheim, wo Mörike nach seiner Pensionierung 1844–1851 lebte, ist sein sorgfältig geführtes *Haushaltungsbuch* erhalten, das reizvolle Handzeichnungen Mörikes mit Erläuterungen und auf der abgebildeten Seite auch ein Selbstbildnis enthält.

668. Der verwandlungsfähige Dichter bediente sich zur Ironisierung gezierten Wortgepränges und bedeutsamen Geschwätzes der Phantasiefigur der Barbier Liebmund Maria *Wispel,* für den er außer dem Porträt auch eine eigene Handschrift erfand und eine eigene Gedichtsammlung („Sommersprossen", 1837) anlegte.

669. Die gelungene Zeichnung zu Mörikes bekannter Ballade von dem Feuerreiter, der jede Brandstätte besucht, stammt aus einem der wichtigsten illustrierten deutschen Bücher des 19. Jahrhunderts.

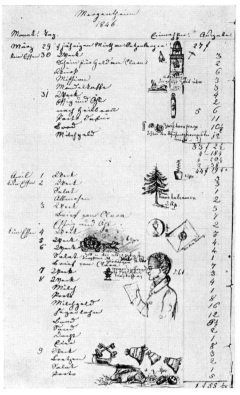

667. *Mergentheimer Haushaltungsbuch von 1846*

668. *Wispel. Kohlezeichnung Mörikes*

669. *Zeichnung von Adolf Ehrhardt zu Mörikes „Feuerreiter" aus „Dt. Balladenbuch", 1852*

670. *Stifters Geburtshaus in Oberplan (Böhmerwald). Aquarell von Josef Hoffmann, 1877*

671. *Adalbert Stifter. Gemälde von B. Székelyi, 1863*

671. *Adalbert Stifter* selbst urteilte über das Gemälde, das B. Székelyi 1863 kurz vor des Dichters schwerer Erkrankung malte: „Es ist weit besser als alle bisher von mir gemachten Bilder, aber noch nicht fertig." Der junge Rosegger besuchte den kranken Dichter im Sommer 1867: „Ich sah die Blässe und die feinen Furchen und eine Art von Harm auf seinem Antlitz; das war nicht das heiter behäbige volle Gesicht (mehr)... Ich sah die Silberfäden in seinem Backenbarte und in den Locken seines Hauptes..."

672. Stifter hat die *Ruine Wittinghausen*, die er mehrmals malte, in „Witiko" und besonders im „Hochwald" eingehend beschrieben: „Ein grauer viereckiger Turm steht auf grünem Weidegrunde, von schweigendem, zerfallenem Außenwerke umgeben, tausend Gräser, und schöne Waldblumen, und weiße Steine im Hofraume hegend, und von außen umringt mit vielen Platten, Knollen, Blöcken und andern wunderlichen Granitformen, die ausgesäet auf dem Rasen herumliegen..." Das Gemälde war sein Hochzeitsgeschenk für einen Jugendfreund.

673. Aus der Zeichnung Stifters um 1836, die einen Lieblingsplatz mehrerer österreichischer Dichter wiedergibt, spricht die Naturliebe und Zartheit seines Wesens.

674. Das Titelbild zur Erstausgabe des *Nachsommers* von Stifters Freund P. J. N. Geiger, Stich von J. Axmann, zeigt den alten Freiherrn von Risach vor seinem Rosenhaus.

672. *Ruine Wittinghausen. Ölgemälde von Adalbert Stifter,* 1839

673. *Der Sarnstein bei Alt-Aussee II*

674. *Titelblatt „Der Nachsommer" I*

675. *Ludwig Börne*
Gemälde von *Moritz Oppenheim, 1827*

676. *Heinrich Laube*
Lithographie von *A. Kriehuber, 1848*

675. Der jungdeutsche Journalist *Ludwig Börne* (1786–1837) war nach Heines Beschreibung im Jahre 1827 „ein zufriedenes Männchen, sehr schmächtig, aber nicht krank, ein kleines Köpfchen mit schwarzen glatten Härchen, auf den Wangen sogar ein Stück Röte, die lichtbraunen Augen sehr munter, Gemütlichkeit in jedem Blick, in jeder Bewegung, auch im Tone."

676. Der Erzähler, Dramatiker und spätere Leiter des Wiener Burgtheaters *Heinrich Laube* (1806–1884) war nach Heines Zeugnis ein „wohlgenährter, beinahe feister Mann von kleiner Mittelgröße mit einem Antlitz der feinsten Züge, äußerst schelmischen Augen und fein geschnittenem Munde."

678. Sein Kommilitone G. Knille beschreibt den jungen *Heinrich Heine* (1797–1856) im Jahre 1824: „Er hatte eine sanfte, überaus angenehme Stimme, mittelgroße schalkhafte Augen, voll Geist und Leben, die im Eifer des Gesprächs er halb zu schließen pflegte, eine schöne, leicht gebogene und scharf geschnittene Nase, keine ungewöhnliche Stirn und einen Mund, der in steter zuckender Bewegung war und in dem länglichen, mageren, kranken, blassen Gesicht die Hauptrolle spielte. Seine Hände waren von der zartesten Form, gleichsam durchgeistigt und alabasterweiß." Das abgebildete Gemälde von Moritz Oppenheim entstand Anfang 1831 in Frankfurt, als Heine schon auf der Reise nach Paris war.

679. Das Gemälde von Benedikt Kietz zeigt den *kranken Heine,* den eine Rückenmarkschwindsucht die letzten zehn Jahre seines Lebens an die „Matratzengruft" fesselte, mit seiner Frau Mathilde in Paris. Viele Besucher schildern den beklagenswerten Zustand des Dichters, dessen gelähmte Augen nur ein blinzelndes Sehen gestatteten, dessen kranke Nerven kein Rasiermesser mehr vertragen konnten, und dessen Beine „wie Baumwolle an seinem Körper herabhingen". Levin Schücking berichtet 1847: „Er lag gelähmt auf seinem Ruhebette, von dem er uns, sich mühsam erhebend, die Hand entgegenstreckte. Die frühere gesunde Röte war von seinem Antlitz gewichen und hatte einer feinen Wachsbleiche Platz gemacht, fein waren alle seine Züge geworden, sie waren verklärt, vergeistigt, es war ein Kopf von unendlicher Schönheit, ein wahrer Christuskopf, der sich uns zuwandte. Betroffen über diese wunderbare Veränderung und ebenso erschrocken, sagte ich mir daß er in diesem Zustand, worin er schien, nicht sechs Wochen mehr leben könne! Und doch lebte er noch acht Jahre! Auch war er geistig fast ganz, was er früher gewesen, ebenso lebhaft, ebenso gesprächig und ebenso expansiv." Und Karl Maria Kertbeny schreibt im gleichen Jahr: „Das eine Auge schien völlig geschlossen. Das andere schwamm im Wasser und schien wenig Sehvermögen zu haben, die Lippen, fein und schmal, zitterten oft wie von inneren Schmerzen. Den einen Arm konnte er kaum bewegen und strich ihn meist mit dem anderen, überhaupt fast alle seine Glieder besonders in den Zwischenpausen des Gesprächs. Am schwersten und ärgsten ging ihm das Aufstehen und Niedersitzen, er ächzte und verzog das Gesicht dabei und nahm gern fremde Hilfe in Anspruch, um diese Bewegung behutsam zu vollführen."

677. „Loreley"
Handschrift Heines

678. Heinrich Heine
Gemälde von Moritz Oppenheim, 1831

679. Der kranke Heine in Paris. Gemälde von E. B. Kietz

680. Karl Gutzkow
Photographie, um 1870

681. Georg Herwegh. Stich von C. Gonzenbach
nach einem Gemälde von C. Hitz

682. Georg Büchner
Lithographie von A. Hoffmann

683. Büchners „Woyzeck"
Handschrift mit Federzeichnung

684. *Hoffmann von Fallersleben*
Gemälde von Ernst Henseler, 1893

685. *Ferdinand Freiligrath*
Gemälde von J. P. Hasenclever, 1851

680. Der Dramatiker und Erzähler *Karl Gutzkow* (1811–1878) wird von H. Laube beschrieben: „Seine Gestalt war von hoher Mittelgröße, seine Haltung leicht vorgeneigt mit Kopf und Schultern, vielleicht weil er kurzsichtig war ... Er schloß auch oft, wenn er aufmerksam zuhörte, die Augenlider zur Hälfte. Eine scharfe Nase beherrschte das längliche Gesicht, schlichte dunkelblonde Haare rahmten es ein; über der Lippe und am Kinn sproßte ein dünner Bart."

681. Der politische Lyriker *Georg Herwegh* (1817–1875), dessen pathetisch-rhetorische „Lieder eines Lebendigen" zu seiner Zeit großes Aufsehen erregten, war 1837 Mitarbeiter an der Zeitschrift „Europa"; deren Herausgeber August Lewald bezeichnet ihn als „einen hochaufgeschossenen, bleichen Menschen, mit straff herabhängendem Haare, ein brennendes, schwärmerisches Auge im Kopfe ... so kam er und saß mir stundenlang gegenüber, ohne ein Wort zu sprechen."

682. Der als Privatdozent in Zürich früh verstorbene realistische Dramatiker *Georg Büchner* (1813–1837) wird von seinem Schulfreund Ludwig Wilhelm Luck charakterisiert: „Ich sehe im Geiste sein Angesicht, ähnlich einem alten Bilde Shakespeares, von bürgerlich gediegenem, tatkräftigem, aber auch liebenswürdig übermütigem Ausdruck. Es lag darin Zurückhaltung, Entschlossenheit, skeptische Verachtung alles Nichtigen und Niederträchtigen. Die zuckenden Lippen verrieten, wie oft er mit der Welt im Widerspruch und Streit lag."

683. Die abgebildete Seite aus Büchners *Woyzeck*-Manuskript zeigt die achte Szene des Dramas (Gespräch zwischen Hauptmann und Doktor auf der Straße) mit entsprechenden Randzeichnungen der Figuren.

684. *August Heinrich Hoffmann*, der sich selbst von Fallersleben nannte (1798–1874), der volkstümliche Lyriker und Dichter des Deutschlandliedes, trat außer durch seine Dichtungen auch als Bibliothekar, Sprach- und Literaturforscher hervor. Heinrich Laube (Abb. 676) schildert ihn als „eine lange, sehr lange Gestalt mit einem kleinen Vogelkopfe und mit Augen in diesem Kopfe, welche immer lustig schimmerten. Dazu eine ganz unmodische Tracht: ein mantelartiger Rock, der die Mitte hielt zwischen einem Bettelmönch und einem fahrenden Schüler."

685. Über den politischen und exotischen Lyriker *Ferdinand Freiligrath* (1810–1876) schreibt der Sohn Justinus Kerners: „Seine unglaubliche Bescheidenheit und joviale Anspruchslosigkeit ließen keine Berühmtheit in ihm vermuten ... keine Spur von Koketterie bei ihm, kein schnelles, theatralisches Mantelauseinanderschlagen, um den Prinzenstern der Poesie dem erstaunten Publikum zu zeigen, alles nur unverfälschte Natürlichkeit, naturwüchsige Geradheit, die Bescheidenheit, wenn er von seinen Gedichten, seinen Erfolgen sprach, so kindlich und ungezwungen, daß man hätte glauben können, seine herrlichen Dichtungen seien nicht das Werk seines eigenen inneren Schaffens, und doch lag in seinen Augen solche Wahrheit und Ehrlichkeit, daß man sich wohl bewußt war, er dichte nichts, was er nicht auch tief empfinde."

686. *Christian Dietrich Grabbe*
Kreidezeichnung von Wilh. Pero, 1836

687. *„Marius und Sulla". Handschrift Grabbes, 1823*

686. Der Dramatiker *Christian Dietrich Grabbe* (1801–1836) traf auf der Suche nach einer Anstellung in Düsseldorf im November 1834 mit Karl Immermann zusammen, der von seinem Aussehen ein anschauliches Bild entwirft: „Nichts stimmte in diesem Körper zusammen. Fein und zart – Hände und Füße von solcher Kleinheit, daß sie mir wie unentwickelt vorkamen – regte er sich in eckigen, rohen und ungeschlachten Bewegungen. Die Arme wußten nicht, was die Hände taten, Oberkörper und Füße standen nicht selten im Widerstreite. Diese Kontraste erreichten in seinem Gesichte ihren Gipfel. Eine Stirn, hoch, oval, gewölbt, wie ich sie nur in Shakespeares (freilich ganz unhistorischem) Bildnisse von ähnlicher Pracht gesehen habe, darunter große, geisterhaft weite Augenhöhlen und Augen von tiefer, seelenvoller Bläue, eine zierlich gebildete Nase, bis dahin – das dünne, fahle Haar, welches nur einzelne Stellen des Schädels spärlich bedeckte, abgerechnet – alles schön. Und von da hinunter alles häßlich, verworren, ungereimt. Ein schlaffer Mund, verdrossen über dem Kinn hängend, das Kinn kaum vom Halse sich lösend, der ganze untere Teil des Gesichtes überhaupt so scheu zurückkriechend, wie der obere sich frei und stolz hervorbaute." Nach Grabbes Rückkehr nach Detmold berichtet Friedrich Ziegler im Mai 1836: „Sein Kopf war beinahe kahl, nur hin und wieder flatterte eine einsame Locke im Winde. Dabei lag auf seinem abgemagerten Gesichte eine tiefe Blässe, eine dicke Finsternis lagerte sich auf seiner hohen Stirne, ein Gewitter um den Olymp, aber die Blitze seiner Augen waren sehr matt."

688. Den Erzähler und Dramatiker *Otto Ludwig* (1813–1865) schildern Adolf Stern und Hermann Lücke als eine „hohe Gestalt im hellen Sommerrock, gegen den sich das dunkle Haar und der dunkle ... Bart des mächtigen Kopfes kräftig abhoben ... die Stirn über den ernsten tiefliegenden Augen hochgewölbt ..., aber noch beinahe faltenlos klar." Die Radierung von Th. Langer zeigt den 31jährigen Dichter auf dem Höhepunkt seines dramatischen Schaffens, während er sich später den Erzählungen und Shakespeare-Studien zuwandte.

689. Das „Häuschen unter den Weiden" am Fuß des Eisfelder Schloßbergs, das freilich inzwischen bauliche Veränderungen erfahren hat, ist Otto Ludwigs Vorbild zu seiner Thüringer Dorfgeschichte *Die Heiteretei* gewesen: „Hübsch genug sah es aus", schreibt er, „zumal ... wenn der große Holunderbusch, der das Häuschen unter seinem Arm hatte wie einen Hut, oder unter seinem Flügel wie ein Küchlein, zugleich in voller Blüte stand. ... Das schmale Weglein, das vom Schloßberg jäh

688. Otto Ludwig. Radierung von Th. Langer, 1844

689. Der Heiteretei-Winkel in Eisfeld

690. Ludwigs Gartenhaus in Eisfeld

691. „Die Makkabäer". Szenenbild, 1853

genug herabkommt, tut auf der kleinen Wiese dabei, als müßt es vor jedem Büschchen wieder ein Stückchen umkehren. Man sieht, ihm ist nur darum, nicht zu schnell vorbeizukommen, und kaum zwei Schritte unter dem Häuschen, da wirds gar aus mit ihm vor Vergnügen, da hörts ganz auf. Und just da ists, wo am Zehntbach hin die herrlichsten Tuten und Pfeifen wachsen in der ganzen Gegend, soviel Weiden auch dem Bach entgegengehen oder ihm das Geleite geben ..."

690: In dem *Gartenhaus*, das sein Vater 1814 in Eisfeld erwarb, verbrachte Otto Ludwig seine Kinderzeit, und die Jahre 1834–1839 und 1840–1842; in finanzieller Notlage mußte er es 1858 verkaufen.

691. In dem Schlußbild des 5. Aktes der Tragödie *Die Makkabäer* triumphiert das jüdische Volk unter Judah durch seine Opferbereitschaft im Freiheitskampf gegen Syrien. (Holzschnitt aus der Leipziger Illustrierten Zeitung, 1853)

692. Hebbels Geburtsort Wesselburen (Dithmarschen)
Zeichnung seines Jugendfreundes Wacker, 1834

693. Friedrich Hebbel
Gemälde von Karl Rahl, 1851

694. Hebbels Schreiberstube
in Wesselburen

692. In dem kleinen Landstädtchen *Wesselburen* in Dithmarschen mit der für norddeutsche Verhältnisse auffälligen Zwiebelturmkirche wurde Hebbel 1813 als Sohn eines Maurers geboren und verbrachte hier seine Jugend als Laufbursche und Schreiber bis zum 22. Jahr und seiner Übersiedlung nach Hamburg.

695. Hebbel, „Die Nibelungen"
Schlußszene des 2. Teils, 1861. Zeichnung von E. Döpler

693. Über das Aussehen *Friedrich Hebbels* (1813
bis 1863) berichtet Robert Kolbenheyer 1844: „Sein
Schädel fiel nicht durch Größe, wohl aber durch ungewöhnlich schöne Form und feine Modellierung auf.
Der obere Rand seiner Augenhöhlen bildete eine seltsam geschwungene Linie, die durch ihre Form an die
Büste Homers erinnerte. Die tiefblauen Augensterne
waren von wunderbar schillerndem Glanze, der Blick
wechselnd, aber vorwiegend etwas träumerisch; die
Nase fein, aber nicht hoch, die Nasenflügel im Gespräch
fortwährend vibrierend; die wohlgeformten, etwas zu
geworfenen Lippen verrieten durch die Art ihres
Schlusses Beredsamkeit und Geschmack." Auf das
Gemälde seines Freundes Rahl, das von Hebbels
Biographen als vortrefflich bezeichnet wird, verfaßte
Hebbel das Distichon: „Bild, jetzt bin ich zwar mehr,
wie du, doch magst du dich trösten, / Denn in der
kürzesten Frist wirst du schon mehr sein, wie ich."

694. In dieser *Schreibstube* des Kirchspielvogts Mohr
in Wesselburen arbeitete der junge Hebbel 1829–1835
als Schreiber; hier eignete er sich aus der Bibliothek
seines Herrn seine frühe Bildung an und verfaßte seine
ersten Gedichte. Die Einrichtung ist original, auf dem
Tisch das von Hebbel geführte Verhandlungsprotokoll,
im Regal weitere Akten und Protokolle der Zeit. Heute
Hebbelmuseum.

695/696. Szenenbild der Uraufführung der *Nibelungen*
unter Dingelstedt in Weimar am 31. Januar 1861,
Schlußbild von „Siegfrieds Tod": Kriemhild an der
Leiche Siegfrieds zu Hagen: „Hinweg, so standest du
nicht da, als du ihn schlugst." Hebbel war bei der Uraufführung persönlich anwesend und lobte die „Auf-
merksamkeit und Totenstille, als ob nicht von der Vergangenheit, sondern von der Zukunft die Rede wäre."

696. Christine Hebbel als Brunhild
Bühnenphoto

Bei der Weimarer Uraufführung der vollständigen Trilogie am 16. und 18. Mai 1861 spielte Hebbels
Frau Christine geb. Enghaus, die Wiener Hofschauspielerin, als Ehrengast die Rolle der *Brunhild*.

697. Im Krokodil. Zeichnung von Th. Pixis für die „Gartenlaube", 1866

698. Emanuel Geibel
Photo

699. Heinrich Leuthold
Gemälde von Franz von Lenbach, 1863

700. *Willibald Alexis*
Holzschnitt von A. Neumann, 1872

701. *Charles Sealsfield*
Einzige authentische Photographie von 1864

697. Die Dichter des *Münchner Kreises*, den Maximilian II. von Bayern seit 1852 um sich versammelte, trafen sich neben den offiziellen Zusammenkünften im königlichen „Symposion" auch zwanglos wöchentlich an einem Nachmittag in einem Wirtshaus, um ihre Werke vorzulesen und gegenseitig zu kritisieren. Ein Gedicht Hermann Linggs (vorn links stehend), „Das Krokodil zu Singapur", gab der Gesellschaft den Namen und das Wahrzeichen, das Steinbild eines Krokodils, dessen Begrüßung in der Versammlung unser Bild darstellt. Vor dem Tisch mit der Pyramide, die zur Aufbewahrung von Schriftstücken dient, steht, mit dem Glase in der Hand, Emanuel Geibel (s. a. Abb. 698), der besondere Günstling des Königs und das literarische Haupt des Kreises, links neben ihm Paul Heyse (s. Abb. 727), der den formellen Vorsitz führte. Das Krokodil tragen der Epiker Wilhelm Hertz und der Erzähler Hans Hopfen; vor ihnen sitzt Melchior Meyr, Verfasser der „Erzählungen aus dem Ries", als letzter am Vorhang steht Victor von Scheffel (s. Abb. 728/729). Am vorderen Tisch rechts sitzt rauchend Friedrich von Bodenstedt, Verfasser des „Mirza Schaffy", neben dem Ästhetiker Moritz Carrière; im Hintergrund stützt sich Heinrich Leuthold (s. Abb. 699) auf die Schulter des historischen Romanschriftstellers Felix Dahn.

698. *Emanuel Geibel* (1815–1884), der formvollendete Lyriker und epigonale Dramatiker, wurde von seinen Zeitgenossen mit einem Minnesänger verglichen, sie rühmen die plastische Form seines schönen Kopfes, das lockig wallende Haar mit Schnurr- und Knebelbart; sein großes, geistvolles und kühnes Auge und sein keckes, leicht aufbrausendes Benehmen machten ihn zu einer auffallenden Erscheinung.

699. Der Schweizer *Heinrich Leuthold* (1827–1879), für den sich Gottfried Keller lebhaft einsetzte, gilt als der begabteste und eigenwilligste Lyriker des Münchner Kreises; aus seinem etwas derben Gesicht sprechen die Züge des unhöfischen, ruhelosen Bohemiens, der seinen Lebensabend in geistiger Umnachtung verbrachte.

700. Den märkischen Erzähler *Willibald Alexis* (= Georg Wilhelm Heinrich Häring, 1798–1871) schildert Fontane als „schwer und knorrig", Auerbach als „eine kernhafte und doch sinnige Erscheinung".

701. Den realistischen Erzähler *Charles Sealsfield* (Karl Postl, 1793–1864), den Verfasser des „Kajüten-buches", schildert K. M. Benkert 1860: „Der Kopf schien kleiner, als die Schultern erwarten ließen. Der Blick zeigte sich tiefliegend und durch die Augengläser mit Anstrengung scharf scheinend. Die Stirne gab sich hoch, aber der Unterteil des Gesichtes breiter. Stark war die Nase, aber plump; der große Mund schien, wahrscheinlich durch Mangel an Backenzähnen, eingekniffen, dadurch das Kinn vorstehender. Das kurze Kopfhaar war noch nicht weiß, bloß salz- und pfeffergrau. Charakteristisch wies sich der kurz mit der Schere zugestutzte Schnurrbart dadurch, daß er über der Lippe noch schwarz geblieben, dann aber graumeliert sich mit dem spärlichen weißen Backenbarte zusammenzog, wodurch das Kinn ausrasiert hervortrat. Am meisten und nicht angenehmsten fielen die großen flachen Ohren auf, die breitgedrückt wegstanden und oben wie faunisch zugespitzt waren."

702. „Barfüßele"   703. Berthold Auerbach
Zeichnung von Benjamin Vautier, 1869   Ölgemälde von Julius Hübner, 1846

702. Auerbachs heute oft als sentimental empfundene „Schwarzwälder Dorfgeschichten" brachten im
19. Jahrhundert einen gewaltigen Erfolg; insbesondere sein Roman Barfüßele wurde in den schlimmen
Prachtausgaben der Zeit weitverbreitet, deren Illustrationen von Benjamin Vautier jedoch sehr feinfühlig
und graphisch gedacht sind: Die beiden Waisenkinder beim Abschied voneinander, Dani, der als Holz-
fäller nach Amerika gehen will und am Scheitern seiner Pläne schließlich reift, und Amrei, die in der
Heimat bleibt und später einen reichen Bauernsohn heiratet.

703. Berthold Auerbach (1812–1882) wurde 1846 bei seinem Dresdner Aufenthalt von seinem Freund
Julius Hübner gemalt. Ein Jahr vorher schilderte der Heimatdichter Joseph Rank seinen Leipziger
Zimmernachbar: „Ich sehe Auerbach noch vor mir, wie er damals erschien, die Gestalt klein, wohlgenährt,
das Gesicht rund und blühend, in den blaßblauen, etwas vortretenden Augen freundliche Munterkeit, die
Oberlippe mit einem kurzgehaltenen dunklen Schnurrbärtchen geziert, das Haupt von dichtem schwarzen
Kraushaar umwallt, das, wenn er ausging, stramm gebürstet bis in den Nacken hinabreichte."

704. In dem prächtigen Pfarrhaus in Lützelflüh im Emmental, das, 1655 erbaut und seit Gotthelfs Zeit
unverändert erhalten, sich wie ein vornehmes Gutshaus aus dem Grün der Landschaft abhebt, wohnte
Jeremias Gotthelf seit 1831. zuerst als Vikar, dann als Pfarrer, bis an sein Lebensende – das geöffnete
Fenster links oben bezeichnet sein Sterbezimmer.

705. Das Porträt des Solothurner Malers Friedrich Dietler entstand im November 1844 in der Berner
Wohnung des Malers und befriedigte den Dichter sehr. Der große Schweizer Erzähler Jeremias Gotthelf
(= Albert Bitzius, 1797–1854) war nach dem Zeugnis von Ludwig Eckhardt 1849 „eine markig gedrungene
Gestalt von mehr als mittlerer Größe, kerngesundem, durch keine Lukubration gebleichtem Antlitz und
gedankenreicher Stirne". A. E. Fröhlich schreibt: „Sein großes, schönes und kräftiges Auge leuchtet
wirklich von Freude, und seine Stimme ist die Herzlichkeit selber."

706. Uli, der Meisterknecht, der den Fallstricken oberflächlicher und reicher Mädchen entgangen ist, und
Vreneli, die waise Magd, verloben sich morgens am Brunnen, nachdem Uli am Vortage nicht ihr Jawort
erhalten hatte: „Mit pochendem Herzen erkannte Vreneli seinen Uli, da stund der Ersehnte. Da schwanden
Nacht und Nebel, wie Morgenrot ging es ihm auf, und, wie ein Herz ziehen könnte, das fühlte es jetzt.
Doch den unwiderstehlichen Zug noch mädchenhaft zu umschleiern, war ihm seine Schalkheit zur Hand,
und mit unhörbarem Tritte an Uli getreten, schlug es rasch beide Hände vor dessen Augen." („Wie Uli,
der Knecht, glücklich wurde", 25. Kapitel)

707. „Elsi, die seltsame Magd" (links) weigert sich, mit ihrer Bäuerin und dem um sie werbenden Jung-
bauern Christen im Marktflecken in ein Wirtshaus zu gehen, da ihr Vater sein Vermögen vertrunken
hat. Die Kalendergeschichte Gotthelfs berichtet von der späten Erfüllung ihrer Liebe im Tod.

704. Gotthelfs Pfarrhaus in Lützelflüh
Heutiger Zustand

705. Jeremias Gotthelf
Gemälde von Johann Friedrich Dietler, 1844

706. „Uli der Knecht"
Zeichnung von Friedrich Walthard, 1850

707. „Elsi, die seltsame Magd"
Zeichnung von Friedrich Walthard, 1858

708. Gottfried Keller. Gemälde von Karl Stauffer-Bern

709. Keller als Freischärler. Aquarell von Johannes Ruff

708. Im Sommer 1886 richtete sich der Maler Karl Stauffer-Bern in Zürich vorübergehend ein Atelier ein; dort saß ihm *Keller* (1819–1890) an vielen heißen Sommertagen. – Adolf Frey schildert Kellers Aussehen 1877: „Eine sehr hohe Stirn schwang sich mit einer Linie von vollendeter Schönheit unter die schlichten schwarzen Haare hinauf, die oben links und rechts ziemlich weit zurückwichen und in der Mitte einen Büschel vorschoben. Die Schläfen waren gewölbt, die Brauen fein und dünn, die Augenhöhlen von einer seltenen Ausdehnung. Die gegen den äußeren Augenwinkel beträchtlich nach abwärts gezogenen unteren Lider, die gebogene, etwas starke Nase und die ziemlich ausgeprägte Falte um Nase und Lippen verliehen dem Antlitz etwas Entschiedenes und Ernstes, während der hübsche Mund ihm einen freundlichen Zug gab."

709. Der „erzradikale Poet" beteiligte sich an zwei Freischarzügen der Zürcher Liberalen gegen die reaktionär katholische Kantonsregierung in Luzern, jedoch ohne Erfolg: am 7./8. Dezember blieben sie schon nach einer Stunde liegen, am 31. März 1845 wurden die etwa 80 Mann an der Zürcher Kantonsgrenze durch mangelnden Zuzug bewogen, nächtlicherweise auf Leiterwagen die Heimreise anzutreten; obendrein hatte sich Keller ein Gewehr geliehen, ohne zu bemerken, daß es statt des Feuersteins ein Sperrhölzchen enthielt. Diese Erlebnisse, von Keller in „Frau Regel Amrain" dichterisch verwertet, verspottet das Aquarell des Mitkämpfers Johannes Ruff von 1845 in biedermeierlicher Komik; im Vordergrund der fünf Freunde, von denen nur zwei militärisch ausgerüstet sind, Gottfried Keller mit Zylinder und Trommel, im Hintergrund die „Häfelei", die Stammkneipe des Freundeskreises, in der, wie auch das Emblem der Fahne andeutet, solche Züge wohl endeten.

710. Die Tuschzeichnung des Einundzwanzigjährigen *Richterswil* am Zürcher See entstand um 1840 vor seiner Übersiedlung nach München. In der Mitte zwischen den heroisch-dekorativen Phantasielandschaften und der idyllischen Kleinmalerei haltend, zeigt sie besonders durch die Lichtverteilung und die Luftperspektive starke Stimmungshaftigkeit und künstlerische Qualitäten.

711. Kellers „Abendlied", Januar 1879 entstanden, bildet mit seiner abgeklärten und doch lebensfrohen Diesseitsbejahung den Höhepunkt seines lyrischen Schaffens.

712. In diesem schmalen Haus „Zum Goldenen Winkel" in den engen Gassen der Zürcher Altstadt (Neumarkt 27) wurde Keller am 19. Juli 1819 geboren; seine Eltern wohnten hier noch etwa zwei weitere Jahre.

710. *Richterswil am Zürcher See. Tuschzeichnung von Gottfried Keller*

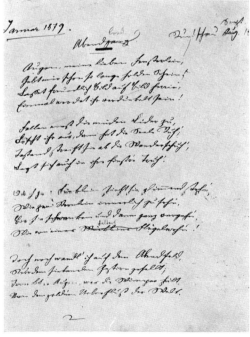

711. *„Abendlied". Kellers Handschrift*

712. *Kellers Geburtshaus in Zürich*

713. Theodor Storm
Gemälde von Marie von Wartenberg, etwa 1879

714. Storms Geburtshaus in Husum
Zeitgenössische Zeichnung

715. „Pole Poppenspäler"
Illustration von H. Speckter

716. „Immensee"
Gravüre von W. Hasemann, Festausgabe 1887

713. Das Ölgemälde einer Verwandten zeigt *Storm* (1817–1888) in den sechziger Jahren auf der Höhe seines Novellenschaffens. Seine Tochter Gertrud schildert den Dichter: „Er war von schlanker, etwas gebeugter Gestalt. Im Punkte des Geradehaltens war er von unverbesserlicher Bequemlichkeit. Mund und Nase waren nicht schön, aber über seinen leuchtend blauen Augen wölbte sich eine hohe, klare Stirn. Sein Haar trug er zurückgekämmt, und im eifrigen Gespräch strich er sich unbewußt mit seiner schlanken, schönen Hand darüber." Und der Maler Ludwig Pietsch charakterisiert den späteren Freund: „Ein schlank gebauter, sich etwas gebückt haltender Herr ... Aus dem leicht geröteten, von einem Bart auf den Wangen und unter dem Kinn umgebenen, mit einem nichts weniger als koketten und gepflegten Schnurrbart geschmückten Antlitz ... leuchteten ein Paar blaue Augen mit ganz seltsamem, schwärmerischem Glanz."

717. Storm berichtet seinem Freund Paul Heyse über den Anstoß zur Novelle „Aquis submersus": „Vor ein paar Jahren sah ich bei einem Besuche bei meinem Schwager Pastor Feddersen in dem zwei Meilen von hier liegenden nordfriesischen Dorfe *Drelsdorf* ... in der alten Kirche die schlecht gemalten Bilder einer alten dortigen Predigerfamilie. Der eine Knabe war noch einmal als Leiche gemalt, ob mit einer oder welcher Blume entsinne ich mich nicht. Unter diesem Totenbilde standen, oder stehen noch, die merkwürdigen, harten Worte: Incuria servi aquis submersus (durch Unachtsamkeit des Dieners ertrunken). Hinter dem Pastorate war noch eine Koppel mit einer Wassergrube, wahrscheinlich hatte der Knecht den Knaben dort ertrinken lassen."

718. Der Gasthof „auf halber Höhe des Binnendeichs", kurz hinter der „blinkenden Wehle" am Außendeich, ist vermutlich der Schauplatz der Rahmenerzählung aus dem *Schimmelreiter*.

719. In diesem Arbeitszimmer in seinem Haus in Hademarschen entstanden Storms letzte zehn Novellen; an dem „wahrhaft fürstlichen *Schreibtisch*", den er zum 70. Geburtstag von Kieler Verehrerinnen seiner Dichtkunst geschenkt bekam, schrieb Storm den „Schimmelreiter".

717. *„Aquis submersus"-Bild in der Kirche zu Drelsdorf*

718. *„Schimmelreiter"-Krug in Sterdebüll*

719. *Storms Schreibtisch in Hademarschen*

720. Klaus Groth
Gemälde von Ludwig Bokelmann, 1891

722. Fritz Reuter
Gemälde von Paul Spangenberg, 1876

721. „Matten Has'"
Zeichnung von Otto Speckter, 1856

723. „Ut mine Stromtid"
Illustration von L. Pietsch, 1865

720. Den plattdeutschen Lyriker *Klaus Groth* (1819–1899), den Begründer der niederdeutschen Dialekt-dichtung, schildert E. M. Arndt, der ihn als Bonner Studenten kennenlernte, als „ein echt friesisches Mannsbild, hoch, schlank, mit breiter offener Stirn und zugleich freundlichen und etwas trotzigen, echt friesisch deutschen blauen Augen".

721. Klaus Groths plattdeutsche Gedichte, die Sammlung „Quickborn", erschien in 4. Auflage 1856 mit zahlreichen Holzschnitten von Otto Speckter. In dem bekannten Gedicht *Matten Has'* fordert der Fuchs den Hasen listig zum Tanz auf: „Kumm, lat uns tosam! / Ik kann as de Dam! / De Krei de spelt Fitel ..."

722. Über den humorvollen plattdeutschen Erzähler *Fritz Reuter* (1810–1874) berichtet sein Biograph

724. „Die Journalisten"
Szenenbild der Aufführung Berlin 1853

Adolf Wilbrandt, daß „seine körperliche Erscheinung nicht schön war – stattlich, kraftvoll, behaglich; klar und herzlich aus sinnigen Augen blickend; doch ohne den idealen Reiz, den unsre Meinung von einem Dichterkopf erwartet." Das abgebildete Ölgemälde schuf P. Spangenberg zwei Jahre nach dem Tode des Dichters auf Grund einer Photographie aus dem Jahre 1872.

723. Reuters bekanntester niederdeutscher Roman *Ut mine Stromtid*, mit der populär gewordenen Gestalt des Inspektor Bräsig, erschien 1863/64 mit Holzschnitten nach Zeichnungen von Ludwig Pietsch: Bräsig landet bei dem Versuch, Fritz Triddelfitz bei einem gestellten Rendezvous mit der als seine Geliebte verkleideten Frau Pastorin zu ertappen, recht unsanft im Graben.

724. Der Holzschnitt aus der „Leipziger Illustrierten Zeitung" vom 21. Mai 1853 gibt eine Szene aus dem 1853 in Berlin aufgeführten Lustspiel *Die Journalisten* von Gustav Freytag wieder: Der Redakteur Konrad Bolz (Mitte) und sein Mitarbeiter Kämpe (links) haben es erreicht, mit dem Weinhändler Piepenbrink bekannt zu werden, den sie als Kandidaten für ihre Partei gewinnen wollen.

725. Der Schweizer Malerdichter Karl Stauffer-Bern zeichnete und malte im Oktober 1886 den damals 70jährigen Erzähler *Gustav Freytag* (1816 bis 1895): „Ist das ein Prachtmensch! So was von Herzensgüte und Liebenswürdigkeit ist mir bis Dato noch nicht vorgekommen. Es ist ein großer Mann mit einem ausgeprägt slawischen Kopf."

725. Gustav Freytag
Radierung von Karl Stauffer-Bern, 1887

726. *Friedrich Theodor Vischer*
Lithographie von Bonaventura Weiß, 1845

727. *Paul Heyse*
Gemälde von Franz von Lenbach, 1896

728. *Victor von Scheffel am Hohentwiel*
Zeichnung von Anton von Werner, 1882

729. *„Ekkehard"*
Illustration von Anton von Werner, 1867

726. Der Erzähler und Ästhetiker *Friedrich Theodor Vischer* (1807–1887) erscheint als junger Tübinger Professor in römischem Samtrock. Ilse Frapan schildert den Professor: „Die Gestalt kaum mittelgroß, wohlgebildet, eher hager als fett, die mächtige Stirn frei erhoben ... Es ist merkwürdig, daß dieser eherne

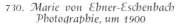

730. *Marie von Ebner-Eschenbach*
Photographie, um 1900

731. *Luise von François*
Anonyme Kreidezeichnung, um 1850

Charakter, dieser starke Mann, ein so zartes Gesicht hatte, ein Gesicht, das rührte und ergriff, ebensosehr wie der durchgeistigte Ausdruck desselben imponierte; ... seine Züge trugen gewöhnlich den Ausdruck des Sinnens, des still und gesammelt bei sich daheim weilenden Geistes ... und dann, sowie etwas kam, was ihn besonders belebte, welch ein Aufblitzen in den blauen Augen!"

727. Den Erzähler und Dramatiker *Paul Heyse* (1830–1914), der früher zum Berliner „Tunnel über der Spree" (Abb. 744) und zum Münchner „Krokodil" (Abb. 627) gehörte, schildert Theodor Fontane: „Er ist in der Tat ein Liebling der Grazien, sein ganzes Wesen ist Reiz. Wenn er spricht, so ist mir's immer, als würden reizende Nippsachen von Gold oder auch von Bronze, aber alle gleich zierlich gearbeitet, über den Tisch geschüttet. Man sieht hin, das Auge lacht über die bunten Farben und schönen Formen, und ein unwillkürliches Ah! ringt sich von der Lippe ... Er ist so graziös, so witzig, so wohlwollend, daß er eben alles sagen kann."

728. Den romantisierenden Versepiker, Erzähler und Lyriker *Victor von Scheffel* (1826–1886) zeichnete der Scheffel-Illustrator Anton von Werner in der Nähe seiner letzten Wohnstätte Radolfzell mit dem Blick auf den Hohentwiel: „Düster ragt die Kuppe des Hohentwiel mit ihren Klingsteinzacken in die Lüfte. Als Denkstein stürmischer Vorgeschichte unserer alten Mutter Erde stehen jene schroffen malerischen Bergkegel in der Niederung", heißt es im „Ekkehard". G. Zernin schildert den Dichter 1878 als „einen kräftig gewachsenen Mann, gar nicht schlank, aber auch nicht sehr beleibt; die Gestalt ist untersetzt und breitschultrig, ein Ausdruck von Kraft und Fülle ist ihr eigen. Gesicht und Hände sind sonnengebräunt, die Stirn nicht sehr hoch, Kinn und Oberlippe werden von einem nicht starken Bart bedeckt ... die Bewegungen sind ruhig und gemessen, verraten aber durchaus den Mann von Welt; der Anzug ist einfach, ländlich."

729. *Ekkehard* trägt die Herzogin Hadwig über die Schwelle des Klosters St. Gallen: „Er war unverzagten Mutes und umfaßte mit starkem Arm die Herzogin, die schmiegte sich vergnüglich an ihren Träger, und lehnte den rechten Arm auf seine Schulter. Fröhlich schritt er unter seiner Bürde über die Schwelle, die kein Frauenfuß berühren durfte, der Abt ihm zur Seite, Kämmerer und Dienstmann folgten."

730. Die Erzählerin *Marie von Ebner-Eschenbach* (1830–1916) schildert Ferdinand von Saar als „eine gewinnende Erscheinung, nicht hoch von Wuchs, aber schlank und zierlich gebaut ... Das Gesicht nicht schön, aber doch höchst ausdrucksvoll; die mächtige Stirn von mattbraunen Haaren umrahmt. Aus dem Blick der etwas tiefliegenden graublauen Augen sprach unendliche Güte."

731. Marie von Ebner-Eschenbach porträtiert die ihr befreundete Erzählerin *Luise von François* (1817 bis 1893) als „groß, fast überschlank, mit tief dunkelbraunen Augen, die nicht bloß sahen, sondern schauten, deren Blick Herz und Nieren prüfte, die eigenes Licht zu haben schienen, wenn die lebhafte, geniale Frau in Eifer geriet, wenn etwas ihre Bewunderung oder Entrüstung erweckte."

732. Der junge C. F. Meyer
Zeichnung von Paul Deschwanden, 1842

733. „Der römische Brunnen"
1. Fassung. Handschrift Meyers, um 1862

734. „Zwei Segel"
Handschrift Meyers um 1875

735. Conrad Ferdinand Meyer
Radierung von K. Stauffer-Bern, 1887

736. Peter Rosegger
Ölgemälde von Ferdinand Pamberger, 1910

737. Roseggers Geburtshaus
in Krieglach

732. Die leichte Bleistiftzeichnung des 16jährigen *Conrad Ferdinand Meyer* (1825–1898) vor seinem Aufenthalt in Lausanne, die von seiner Schwester als sehr ähnlich bezeichnet wird, gibt ein erschütterndes Abbild des zarten und verträumten Jünglings mit dem feingeschnittenen Gesicht, den Planlosigkeit und Unfähigkeit zu eigenen Entschlüssen in nervöse Überreiztheit und Vereinsamung trieben, so daß er später von sich sagen konnte: „Ich war von einem schweren Bann gebunden. Ich lebte nicht. Ich lag im Traum erstarrt."

733/734. Sehr eindrucksvoll spiegelt sich die Wandlung des Menschen C. F. Meyer, der in der Dichtung eine Lebensaufgabe und einen Halt findet, in seiner *Handschrift* wider: In der frühen Handschrift stehen die gleichmäßiger gezogenen gotischen Buchstaben größtenteils selbständig nebeneinander, ohne Verbindung auch innerhalb der einzelnen Worte, die ohne Nachdruck beginnen und enden. Die späteren Schriftzüge sind bis zur Unkenntlichkeit gewandelt: deutliche, konzentrierte Zusammenschreibung der Wörter, charakteristische verdickte Enden der Abstriche geben ein einheitliches und schwungvolles Schriftbild, hinter dem ein bewußter Wille steht.

735. Adolf Frey, der den Dichter 1878 besuchte, schreibt: „Ich traf einen wohlgewachsenen Mann von fast soldatisch aufrechter Haltung. Er war ziemlich stark, auch am Hals, in welchen das Kinn etwas rasch überging. Auffallend war der große, zur Schulterbreite und Statur übrigens nicht unproportionierte Kopf, dessen Mächtigkeit mir erst später völlig deutlich wurde. Aus dem gewellten, beinahe kurzen und ums fünfzigste Jahr ergrauten, später silberweißen Haar senkte sich die schöne Linie der breiten und ziemlich hohen Stirne zu den dünnen Brauen hinab. Die Nase war fein gebogen, fein und zierlich der Mund, dessen schmale Oberlippe ein Schnurrbärtchen deckte. Die gewölbten, kurzsichtigen und etwas kleinen Augen, deren äußere Winkel um ein Geringes höher standen, als die inneren, schienen von schwer bestimmbarer Farbe, waren aber blaugrau mit gelbbraunen Flecken; allein sie funkelten meistens in so ungewöhnlichem Glanze ..., daß man ihnen eine tiefe, feurige Bläue zutraute, und halfen jenes heitere Lächeln hervorzaubern, jenen unbeschreiblichen Schimmer, der auf seinem Antlitz lag und ihm etwas eigentümlich Serenes verlieh, ... ein großes stilles Leuchten'."

736. Die Gräfin Salburg beschreibt den steiermärkischen Volksschriftsteller *Peter Rosegger* (1843–1918): „Ein Charakterkopf, in welchem sich altes Bauerntum, etwas Priesterliches und große abgeklärte Geistigkeit mischten. Im Leben ernst, zurückhaltend, durchaus salonfremd, außerordentlich verinnerlicht, war er als Vortragender bezwingend. Alle Lichter eines köstlichen, echten, tiefgründigen Humors, einer inneren Güte und Menschenkenntnis spielten in seinen Zügen."

737. Auf dem *Kluppeneggerhof* in Alpl bei Krieglach, einem damals strohgedeckten Holzgebäude, verbrachte Rosegger seine Jugend als Hirtenknabe und „Waldbauernbub".

738. Wilhelm Busch. Selbstbildnis mit Weinglas   *739. Wilhelm Busch, „Der hl. Antonius"*

738. Den großen Humoristen *Wilhelm Busch* (1832–1908) schildert Emil Michelmann als „eine große, stattlich aufgerichtete Erscheinung mit dem nicht sehr langen graumelierten Bart und dem dichten grauen Haar. Seinen breiten schwarzen Schlapphut hatte er noch auf dem Kopf." Aus dem temperamentvoll gemalten Selbstbildnis in Öl spricht das launige Behagen und die Humorigkeit als eine Seite im Wesen des Künstlers, dessen malerische und dichterische Doppelbegabung vielleicht die bedeutendste unter den deutschen Künstlern ist: Der in Düsseldorf, Antwerpen und München ausgebildete Maler schuf etwa 900 Ölgemälde und 12 Plastiken.

739. Hinzu kommen bei *Busch* die rund 3000 Zeichnungen zu seinen Bildergeschichten und Tausende von anderen Handzeichnungen. Bei den bekannten Bildergeschichten entstanden die Zeichnungen zuerst, die Reime fanden sich währenddessen fast gleichzeitig oder folgten nach, das Ergebnis jedoch ist eine vollkommene Einheit. Die skizzenartig karikierenden Zeichnungen beruhen auf genauer Beobachtung und humoriger Übertreibung auch im kleinsten: Der heilige Antonius hat sich nach seinen Versuchungen in die Einsiedelei zurückgezogen, das „wilde Kraut" wächst ihm aus Nase und Ohren, auf seinem Heiligenschein sitzen zwei Vögel. „Er sprach: Von hier will ich nicht weichen, / Es käme mir denn ein glaubhaft Zeichen."

740. Hermann Hesse schildert seinen Besuch bei dem 72jährigen Dichter *Wilhelm Raabe* (1831–1910), ein Jahr vor seinem Tode: „Da stand in der Dämmerung eine sehr große hagere Gestalt . . .; sie wandte sich mir zu, nach Bildern erkannte ich Raabes Gesicht, und doch war es anders als auf den Bildern. Schmal und sehr hoch, stand die friedliche und auch feierliche Gestalt, und von ihrer Höhe blickte ein altes, faltiges, spöttisch-kluges Gesicht zu mir herab, sehr lieb und freundlich und doch ein Fuchsgesicht, schlau, verschlagen, hintergründig, das greise Gesicht eines Weisen, spöttisch ohne Bosheit, wissend aber gütig, altersklug, aber eigentlich ohne Alter, woran auch die aufrechte Haltung der Gestalt teilhatte, ein Gesicht, ganz anders und doch dem meines Großvaters verwandt, aus der selben Zeit, von der selben herben Reife, von beinahe der selben Würde und Ritterlichkeit, die ein vielfältiges Spiel alter, erprobter Humore überflog und milderte . . . So sieht ihn meine Erinnerung heute noch: in einer kleinen dämmerigen Stube, Bücher auf dem Tisch, Bücher an den Wänden, stehend, sehr groß und aufrecht, aus milden und sehr klugen Augen auf mich niederblickend."

741. Die *Umschlagzeichnung* von Raymond de Baux vereinigt verschiedene Figuren und Situationen aus dem Roman. Vorn am Schreibtisch, mit der Pfeife in der Hand und zu seinen Füßen den Hund Karo, sitzt der Chronist, um ihn herum schweben die Gestalten seiner Erinnerung: die drei Jugendgespielen, der wilde Franz am Sarg Marias und als Maler, Dr. Wimmer, Elise und Gustav und das Schmiedepaar aus der Sperlingsgasse. Die ersten Werke veröffentlichte Raabe unter dem latinisierten Namen Jacob Corvinus.

742. Erster ausführlicher Entwurf zum Roman *Der Hungerpastor* in Raabes Notizbuch vom 6. November 1862; der Roman entstand vom 28. März bis 3. Dezember 1863.

740. *Wilhelm Raabe*
Gemälde von Hans Fechner, 1892

741. *„Die Chronik der Sperlingsgasse"*
Umschlagbild von Raymond de Baux, 1858

742. *„Der Hungerpastor"*
Handschrift Raabes

743. *„Die Gänse von Bützow"*
Federzeichnung Raabes

743. „An der Ecke des Marktes stieß ich auf einen anderen bemäntelten Laternenträger, der ebenfalls den
Dreimaster tief in die Stirn gezogen hatte und mit seinem messingbeklopften Stabe vorsichtig die gefähr-
lichen Stellen seines Pfades austastete." (1. Kapitel)

744. Eulenspiegelfest des Berliner literarischen Sonntagsvereins, Menzel zeichnet P. Heyse
Ölgemälde von Müller nach einer Zeichnung von Blomberg, 1852

744. Fontane berichtet: „Lauter Werdende waren es, die der *Tunnel* allsonntäglich in einem von Tabaks-
qualm durchzogenen Kaffeelokale versammelte." Fontane gehörte dem „Tunnel über der Spree" seit 1844
an; sein „Archibald Douglas" war der größte Erfolg des Dichterkreises. Unser Bild zeigt ein Eulenspiegelfest zu Ehren des Schutzpatrons, von links nach rechts in der Reihenfolge der Köpfe: Anton Wollheim
da Fonseca, Bildhauer Wilhelm Wolff, Maler Hugo von Blomberg, Kammergerichtsrat Wilhelm von
Merckel, Julius Schramm, Franz Kugler, Adolf Menzel, Theodor Fontane, Hermann Weiß, Redakteur
Ferdinand Eggers, Paul Heyse, Schriftsteller Heinrich Schmidt, Dichter Georg Hesekiel.

745. Thomas Mann („Der alte Fontane") spricht gelegentlich der Beschreibung eines Fontane-Bildes von
dem „prachtvollen, fest, gütig und fröhlich dreinschauenden Greisenhaupt, um dessen zahnlosen Mund
ein Lächeln rationalistischer Heiterkeit liegt, wie man es auf gewissen Altherren-Porträts des achtzehnten
Jahrhunderts findet ... Dies Bild zeigt den Fontane der Werke und Briefe, den alten Briest, den alten
Stechlin, es zeigt den unsterblichen Fontane." Und Franz Servaes berichtet 1898: „Da stand er ... allein
und blickte halb über das Gewühl hinweg, mehr in der Stellung eines Lauschenden als eines Schauenden.
Fast erschrak ich ein wenig, als ich ihn sah: so alt schien er mir plötzlich geworden, so nahe dem Verfall.
Um so mehr lag etwas ungemessen Ehrwürdiges in der ganzen Erscheinung. Er schien völlig in Sinnen
verloren, beinahe der Welt schon entrückt. Etwas wie ein kindliches, seliges Staunen, wie dankesfrohes
Mitgenießen lag auf seinen Gesichtszügen, in denen die Augen einen eigenen, gleichsam verklärten Glanz
zeigten."

746. In der Potsdamer Straße 134c in Berlin lebte Fontane die letzten 26 Jahre seines Lebens. „Es war
gemütlich da oben und ganz einfach; altväterisch, fast kleinbürgerlich. Nichts erinnerte an Berlin, das tief
unten, die Potsdamer Straße entlang, in tosenden Taktschlägen vorüberbrauste. Da oben hat er wohl in
seinen letzten Jahren recht viel gesessen und still für sich gebosselt." (Franz Servaes)

745. Theodor Fontane
Zeichnung von Max Liebermann, 1896

746. Fontanes Arbeitszimmer in der Potsdamer
Straße. Aquarell von M. v. Bunsen

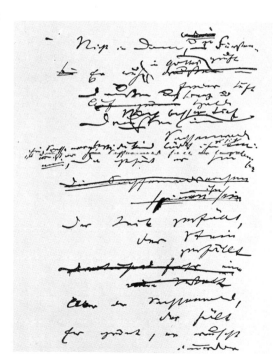

747. Handschrift Fontanes
„Wo Bismarck liegen soll"

748. „Prinz Louis Ferdinand". Zeichnung von
O. Wisniewski in der Zeitschrift „Argo", 1860

749. Ludwig Anzengruber
Pastellzeichnung von Ludwig Michalek, 1905

750. Anzengruber
„Der Meineidbauer", 1893

751. Arno Holz
Radierung von Hermann Willenberg, 1922

752. Johannes Schlaf
Photo

749. Den österreichischen Volksdramatiker und Erzähler *Ludwig Anzengruber* (1839–1889) schildert Peter Rosegger im Jahre 1888 als „eine knorrige, etwas unbehilflich schwerfällige Gestalt. Seine stark gerötete Gesichtsfarbe, seine scharfgebogene, charakteristische Nase, seine hohe Stirn, sein blondes, nach rückwärts wallendes Haar, sein rötlicher, langer Vollbart, seine falben Augenwimpern gaben ihm schier das Aussehen eines teutonischen Recken. Aber auf diesem urgermanischen Gesicht saß ein Zwicker; und auch seine starke Dichterseele hatte manchmal einen solchen Zwicker auf, der ihm nicht gut zu Gesicht stand, einen Zwicker mit dunklen Gläsern – den Pessimismus."

750. Szenenbild der Erstaufführung von Anzengrubers Volksstück im Wiener Burgtheater am 28. Oktober 1893, aus der „Gartenlaube" 1893. Zweiter Akt, 10. Szene: Der *Meineidbauer* Mathias Ferner schießt in einer Gewitternacht im Gebirge auf seinen Sohn, der seinen Meineid offenbaren wollte.

751. Ostpreußische Zähigkeit, Energie und verbissene Willenskraft sprechen aus dem Gesicht von *Arno Holz* (1863–1929), dem Theoretiker des konsequenten Naturalismus, den Paul Fechter („Menschen und Zeiten", 1949) beschreibt: „Unter dem weißen Haar leuchtete die hohe, harte Stirn über dem bartlosen, tief durchfalteten kleinen

753. Arno Holz, „Phantasus". Aus der Zeitschrift „Jugend", 1898

Antlitz. Die Augen hinter dem Klemmer blickten schmal und scharf: zu der ganzen Erscheinung paßte der Name Holz ausgezeichnet ... Es ging etwas von ihm aus, das den Gegner ohne Worte schwächte ... Man spürte deutlich, wie der kleine, harte Mann mit den kühlen, schmalen, scharfen Augen hinter den Klemmergläsern die andern überwuchs; er nahm ihnen durch sein Dasein die Kraft des Widerstandes, zwang sie unter seinen stärkeren Willen. Er überzeugte nicht mit Worten, er vergewaltigte die anderen, entleerte sie schweigend durch sein Wesen."

752. Der weiche, sensible Erzähler und Dramatiker *Johannes Schlaf* (1862–1941) lernte Arno Holz im Winter 1887–1888 kennen und wurde in den Jahren 1888–1889 sein Stubengenosse in Niederschönhausen bei Berlin, wo durch gemeinsames Experimentieren im naturalistischen „Sekundenstil" die Skizzen „Papa Hamlet" und das Drama „Die Familie Selicke" entstanden. Schlafs Übergang zum Impressionismus verursachte 1892 das Zerwürfnis beider Dichter.

753. In seiner „Revolution der Lyrik" verlangte Arno Holz „eine Lyrik, die auf jede Musik durch Worte als Selbstzweck verzichtet und die, rein formal, lediglich durch einen Rhythmus getragen wird, der nur durch das lebt, was durch ihn zum Ausdruck ringt." Das Ergebnis seiner theoretischen Besinnung war die reim- und strophenlose „Phantasus"-Dichtung in „unregelmäßig abgeteilten, um eine unsichtbare Mittelachse gruppierten Zeilen"; in Wirklichkeit, da Holz das Widerspiel von Bindung und Freiheit, Metrum und Rhythmus, in seiner Bedeutung für die lyrische Form verkannte, nichts weiter als einfache Prosa! – Den Text der abgebildeten Gedichte hat der Dichter seit dem abgebildeten Vorabdruck in der Zeitschrift „Jugend" von 1898 weitgehend geändert. Die für die Zeit der Jahrhundertwende und insbesondere für den Stil der „Jugend" charakteristischen Formen der gerankten Pflanzen- und Tierornamente im Jugendstil schuf Bernhard Pankok.

754. G. Hauptmann als Bildhauer in Rom

755. Probe der „Ratten". Darmstadt 1931

756. Gerhart Hauptmann. 1932

757. „Der Biberpelz"

758. „Fuhrmann Henschel" mit Heinrich George. Schillertheater Berlin, 1924

754. Vom Oktober 1883 bis März 1884 lebte *Gerhart Hauptmann*, der 1880–1882 an der Königlichen Kunst- und Gewerbeschule Breslau Bildhauerkunst studiert hatte, als „Gherardo Hauptmann, Scultore" in seinem Atelier in der Via degli Incurabili in Rom und schuf dort zahlreiche Reliefentwürfe, überlebensgroße Statuen und Büsten sowie Tonmodelle. Erst nach diesem römischen Aufenthalt wandte sich Hauptmann endgültig der Dichtung zu.

755. Im Jahre 1884 nahm *Gerhart Hauptmann* dramaturgischen und Schauspielunterricht bei Alexander Heßler – dem Urbild des Harro Hassenreuter aus den „Ratten". Die dramaturgische Neigung blieb erhalten und zeigte sich darin, daß Hauptmann zahlreiche eigene und klassische Dramen selbst inszenierte.

756. Über das Äußere *Gerhart Hauptmanns* (1862–1946) schreibt Franz Servaes: „Man betrachte diesen Kopf, und man wird im modernen Dichter den alten Weber zu entdecken wissen. Durchgeistigung und Politur haben die rasseererbten Züge vielleicht ein wenig zurücktreten lassen, aber keineswegs verwischt. Wenn man von der herrlich gewölbten, raffaelisch-reinen Stirn und dem festen, durchdringenden, trotzdem leise verträumten Auge über die scharf vorspringende Prälatennase den Blick herniederschweifen läßt auf den schmerzlich geschlossenen Mund und das eigensinnige, breit ausladende Kinn, so ist es, als sei man durch eine vielgestaltige Seelenlandschaft gewandert, aber als Generaleindruck bleibt doch: innerhalb einer starken, glaubensvollen Energie ein tiefer, unheilbarer Seelenkummer." („Präludien", 1899). Bruno Wille schreibt 1922: „Mir fiel an ihm zunächst das Goetheprofil auf und das seltsame Blicken der wasserblauen Augen: ein Gemisch von Beobachtung und melancholischer Träumerei – als ob eine Seele, die im Innersten daheim ist, von Zeit zu Zeit hinausspäht in die umgebende Wirklichkeit." Die ausführlichste, launige Beschreibung des Dichters gibt bekanntlich Thomas Mann im „Zauberberg" (7. Kap.) in der Gestalt des Mynheer Peeperkorn: „ ... Seine Augen sind auch nur klein und blaß, ohne Farbe geradezu ..., und es nutzt nichts, daß er sie immer aufzureißen sucht, wovon er die ausgeprägten Stirnfalten hat, die erst an den Schläfen aufwärts und dann horizontal über seine Stirn laufen – seine hohe, Stirn, um die das weiße Haar zwar lang, aber spärlich steht."

757. Aufführung der „Tribüne", Berlin 1925 mit Lucie Höflich als Mutter Wolffen und Albert Steinrück als Wehrhahn in der Schlußszene.

758. Aufführung des Staatlichen Schillertheaters Berlin, vierter Akt: Die Schenkstube von Wermelskirch.

759. Max Halbes „Jugend". Aufführung im Nationaltheater Mannheim, 1935

759. Aus dem reichen Schaffen des westpreußischen Dramatikers *Max Halbe* (1865–1944) ragt das lyrische Liebesdrama „Jugend" hervor: im Rausch erster Jugendliebe finden sich im katholischen Pfarrhaus des Pfarrers Hoppe (Finohr) dessen Nichte Annchen (Marta Langs) und der künftige Student Hans Hartwig (F. Schmiedel). Zweiter Aufzug: der fanatische polnische Kaplan Gregor (R. Lauffen) fragt Hans: „Glauben Sie an einen Gott und an eine Vergeltung? Haben Sie überhaupt noch einen Glauben?"

760. Der Kopf des naturalistischen Dramatikers *Hermann Sudermann* (1857–1928) war nach dem Zeugnis Paul Fechters („Menschen und Zeiten") „schmal, vom Leben durchgearbeitet, der Kopf eines östlichen Menschen, der Schweres erlebt und erlitten hatte. Die Augen des Alten waren still gewordene, fragende, suchende Augen, wie denn das ganze, viel schmaler und geistiger wirkende Gesicht etwas Wartendes, in sich und in die Welt Horchendes bekommen hatte."

761. *Karikatur* auf die zeitgenössischen Polizeiverbote naturalistischer Dramenaufführungen, denen auch Sudermanns Kritik des neureichen Bürgertums in „Sodoms Ende" zum Opfer fiel. Oscar Blumenthal war Direktor des Berliner Lessingtheaters.

762. „*Karl Schönherrs* persönliche Erscheinung wurde trotz ihres großstädtischen Charakters durch einen merkwürdig-bäuerlichen Eindruck in der Bewegung mitbestimmt. Seine hochgewachsene, hagere Gestalt schritt auf langen Beinen mit wiegendem Gang – ähnlich wie die Bergbauern knieweich gehen – einher. Den Kopf trug er auf breiten Schultern leicht vorgebeugt ... Schönherrs helle, weiche Stimme stand in seltsamem Gegensatz zu seiner kraftvollen, sehnigen Gestalt. Ihm eignete ein herbes, verschlossenes Wesen, er war ein Einsamer, in seine dichterische Welt Versponnener." (K. Paulin, „Karl Schönherr", 1950)

763. Studentisch-bürgerliches Wesen und sentimental-ironische Haltung sprechen aus dem Äußeren des Lyrikers, Erzählers und Dramatikers *Otto Erich Hartleben* (1864–1905).

760. *Hermann Sudermann. Gem. von Slevogt, 1927*

761. *Karikatur aus „Kladderadatsch", 1890*

762. *Karl Schönherr. Büste von A. Hofmann*

763. *Otto Erich Hartleben. Nach Gem. von G. L. Meyn*

764. *Friedrich Nietzsche. Büste v. M. Klinger, 1904*

765. *Nietzsche, „Ruhm und Ewigkeit"*

766. *Das Nietzsche-Haus in Sils-Maria*

764. Ludwig von Scheffler beschreibt *Friedrich Nietzsche* (1844–1900) als „eine eher kleine als mittelgroße Gestalt. Der Kopf auf dem gedrungenen und doch zarten Körper tief in den Schultern. Und das Gesicht durch die schillernde Muschelbrille und den tief herabhängenden Lippenbart um jenen geistigen Ausdruck gebracht, der auch kurzgewachsenen Männern oft etwas Imponierendes verleiht. Und doch sprach nichts weniger als Gleichgültigkeit gegen den äußeren Eindruck aus dieser ganzen Persönlichkeit ... Nietzsche versuchte wohl auch weniger, den Dandy zu markieren – wann ist das auch dem deut-

767. Frank und Tilly Wedekind
im „Erdgeist"

768. Wedekind, „Frühlings Erwachen"
Umschlagbild von Franz Stassen, 1894

schen Professor jemals gelungen? – als er etwas Künstlerisches in seiner Erscheinung anstrebte. Dafür
sprach auch das langgewachsene Haar, das freilich nicht in Locken, sondern nur in Strähnen das blasse
Gesicht umrahmte ... Überaus kurzsichtige, stumpfe, durch eine Besonderheit nur befremdlich wirkende
Augen. Denn während die überflutende dunkle Pupille überaus groß schon erschien, war sie trotzdem noch
durch das Weiß des Augapfels nach den Lidern zu überragt. Das gab dem Blick, wenn er im Profil erschien,
etwas Aufgeregtes, Grimmiges ... In der Tat hat das Auge des milden, gütigen Mannes nie diesen Zug
besessen."

766. Als Nietzsche im Sommer 1879 die Landschaft des Engadin sah, fühlte er ihre Verwandtschaft zu
seinem Wesen. Den Sommer 1881 verbrachte er zum erstenmal in seinem „heroischen Idyll" Sils-Maria
bei Silvaplana, das ihm ein „ernster und liebenswürdiger Schweizer" empfohlen hatte und dem er viele
Jahre hindurch dankbar und treu blieb: „Das Engadin hat mich vor zwei Jahren im Leben festgehalten
und wird es auch diesmal tun, ich habe es nirgends besser." (1881) „Dagegen nehme ich es als Belohnung
auf, daß dies Jahr mir zweierlei zeigte, das zu mir gehört und mir innig nahe ist: das ist Ihre Musik und
diese Landschaft ... dies Sils-Maria will ich mir zu erhalten suchen." (1881 an Peter Gast) „Die Gegend
und ganze Art des Engadin gefällt mir wieder ausnehmend, es bleibt mir die liebste Gegend ... Die Leute
sind gut gegen mich und freuen sich meiner Wiederkehr ... Irgendein reicher Freund sollte mir hier ein
Haus von zwei Zimmern bauen." (1883) „Dies Engadin ist die Geburtsstätte meines Zarathustra. Ich
fand eben noch die erste Skizze der mit ihm verbundenen Gedanken; darunter steht: Anfang August 1881
in Sils-Maria, 6000 Fuß über dem Meere und viel höher über allen menschlichen Dingen." (1883) „Endlich
in Sils-Maria! Endlich Rückkehr zur – Vernunft!" (1884) „Sils-Maria ist allerersten Ranges, als Landschaft – und nunmehr auch, wie man mir sagte, durch ‚den Einsiedler von Sils-Maria'" (1884) „... der
einzige Gast dieses wunderbaren Orts, dem meine Dankbarkeit das Geschenk eines unsterblichen Namens
machen will." (1888) – Paul Deussen, der Nietzsche 1887 in Sils-Maria besuchte, berichtet: „Am nächsten
Morgen führte er mich in seine Wohnung, oder, wie er sagte, in seine Höhle. Es war eine einfache Stube
in einem Bauernhause, drei Minuten von der Landstraße; Nietzsche hatte sie während der Saison für
einen Franken täglich gemietet. Die Einrichtung war die denkbar einfachste."

767. Dritter Akt, 10. Szene: Lulu (Frau Tilly Wedekind) diktiert Dr. Schön (Frank Wedekind) den
Abschiedsbrief an seine Braut Adelheid, um ihn selbst zu heiraten. „Der Eindruck, den das Gesicht Wede-
kinds machte, war schon beim ersten Anblick sehr stark. Es war ein sehr besonderes, sehr intensives
Gesicht, das um so stärker wirkte, als jedes Wort, das er sprach, die ganze Vielfalt seiner Züge in
Bewegung setzte. Der Mund nicht nur, die Stirne selbst sprach mit." (Paul Fechter, „Menschen und
Zeiten", 1949)

769. Richard Dehmel
Photographie

770. Julius Bierbaum
Federskizze von Peter Halm, um 1908

771. Richard Dehmel, „Der Arbeitsmann"
Zeichnung von Anetsberger im „Simplizissimus", Jahrgang I, 1896

769. Über das Äußere *Richard Dehmels* (1863–1920) schreibt Paul Fechter („Menschen und Zeiten", 1949):
„Es war ein Gesicht aus der älteren Generation, ein Gesicht aus der Welt Klingers und der späten Wagner-
zeit, das Gesicht eines Dichters, der sich noch selbst als Dichter, als Sänger sah, zugleich aber auch ohne
Lyrik und Pathos die Rolle empfand, die ihm das Leben zugeteilt hatte. Er hatte einen schmalen, energischen
Kopf, der ohne Mühe in den eines klugen Industriellen, eines gebildeten Geheimrats umgestaltet werden

772. Detlev von Liliencron
Gemälde von Hans Olde. 1904

773. Zeichnung von Hans Lindhoff
zu Liliencrons Novelle „Umzingelt"

konnte; eine schöne, große, klare Stirne, graue, scharfe Augen, eine starke, gut geformte Nase. Es war, als ob hinter diesen bei aller Geistigkeit sehr männlichen Zügen schon der spätere Offizier, das Gesicht des Befehlenden saß und auf seine Stunde wartete."

770. Die leichte, temperamentvolle Natur *Julius Bierbaums* (1865–1910), des „ewigen Studenten", die sich in seinen Überbrettl-Liedern spiegelt, errang früh literarische Augenblickserfolge, seine späteren Werke treten hinter seiner Bedeutung als Herausgeber der Zeitschriften „Pan" und „Die Insel" zurück. Über Bierbaum schreibt Thomas Mann: „Seine ganze Erscheinung, das feiste originelle Gesicht mit den sanften und ruhigen Augen und dem bestimmt gezeichneten Mund voll gesunder Zähne, die gewählte und gute, ein bißchen ins Ästhetisierende spielende Kleidung, die kleinen, weißen, diskret gestikulierenden Hände, die klare und sympathische Sprechweise: das alles trug bei zu der Annehmlichkeit und heiteren Behaglichkeit seiner Wirkung."

771. Dehmels zukunftfrohes, soziales Lied *Der Arbeitsmann* wurde 1896 in einem Preisausschreiben des „Simplizissimus" als das „beste sangbare Lied aus dem deutschen Volksleben" preisgekrönt und mit der abgebildeten Zeichnung von Anetsberger veröffentlicht.

772. Den impressionistischen Lyriker *Detlev von Liliencron* (1844–1909) schildert Harry Maync nach einer persönlichen Begegnung von 1902: „Er gab sich nicht bloß jugendlich, er war es wirklich. Sein Auftreten war forsch, er sprach und lachte viel, man hatte den Eindruck eines urgemütlichen, famosen Kerls. Der kleine, rundliche, aber sich sehr straff haltende und bewegliche Mann mit schwarzem Gehrock ... war das Urbild des Offiziers a. D. oder z. D. von etwas kleinstädtischer Eleganz; vornehmlich kennzeichnete ihn die schnarrende und ‚krächzende Leutnantsstimme', die er sich selbst zuschreibt ... Der runde, stumpfe Kopf ohne scharfe Linien zeigte mit dem vollen, leicht angegrauten Haar im kurz gehaltenen Bürstenstil, dem flotten, langen Schnurrbart, den breitflächigen, rosigen Wangen und dem beweglichen Doppelkinn nichts, was auf eine tiefe Besonderheit gedeutet hätte. Auch die ‚blaugrauen, lustigen Augen' besagten, etwas verschleiert unter den schweren Lidern liegend, auf den ersten Blick nicht viel."

773. Ein in einem ummauerten Gutshof eingeschlossenes deutsches Bataillon wird nach einem nächtlichen Feuerangriff von einer französischen Abordnung zur Übergabe aufgefordert: „Der Angriff ist abgeschlagen; wie ein zurückschießendes Meer; die Töne ersterben. Aber andre klingen nun deutlich: ruhige, langsame. Trompetenstöße von dort, wo eben die Batterien gestanden. Drei Fackeln, die hoch hin und her geschwungen werden, zeigen sich. Zwischen den Fackeln geht einer, der unablässig eine weiße Fahne schwenkt; neben ihm ein Offizier. Alles geistert auf uns zu."

774. *Arthur Schnitzler. 1910*

775. *Max Dauthendey. 1914*

776. *Spitteler, „Imago", 1906*
Titelzeichnung von Rudolf Löw

777. *Carl Spitteler*
Gemälde von Ferdinand Hodler, 1915

774. Gedämpfte Melancholie und überlegen ironische Skepsis kennzeichnen das Wesen des impressionistischen Wiener Erzählers und Dramatikers *Arthur Schnitzler* (1862–1931).

775. Farbige, starke Sinnlichkeit, innere, grüblerische Unruhe und der romantische Drang nach der Ferne
sprechen aus dem Antlitz des verspäteten Romantikers *Max Dauthendey* (1867–1918).

777. Josef Manlig schildert *Carl Spitteler* (1845–1924) 1921: „Die Gestalt hatte durchweg etwas Männlich-
Mächtiges, etwas Aufrechtes und Felsiges, trotz des hohen Alters schien sie eine Verkörperung von Kraft

778. Hofmannsthal, Handschrift   779. Hugo von Hofmannsthal

und Rückgrat zu sein, so daß sie fast Furcht hätte einflößen können, wenn nicht über Haupt und Hände, ja über jede Geste eine ruhige Vornehmheit und feine Grazie gleichsam als Dämpfung gebreitet gewesen wäre. Die hohe Stirn wich unter einem dünnen, graumelierten Scheitel zurück, die Nase trat kühn, das Kinn mit dem wohlgepflegten Stutzbart weich hervor. Schon die freundlichen Krähenfüße in den Augenwinkeln und erst recht die stets offene, fast kindliche Klarheit und ruhighelle Feuchte der Augensterne verhießen eine so zuverlässige Güte und ein aus dem innersten Urquell des Wesens kommendes Verständnis für alles Menschliche." („Carl Spitteler in der Erinnerung seiner Freunde", Artemis-Vlg. 1947)

780. Hofmannsthal, „Das Salzburger Große Welttheater". 1925

779. „Augen und Mund beherrschten das edel mattfarbige Gesicht. Jene waren von kindlicher, fast tierischer Schönheit, kirschbraun und prachtvoll beweglich im Forschen, Rollen und Aufschlag, dabei jener aushaltenden Sanftheit des Blickes fähig, die italienisch dolcezza heißt. Der strenggeschnittene Mund mit den kraftvollen Lippen wurde, sobald er lächelte, ein Lächeln, das sich in die Augen hinein fortpflanzte, unaussprechlich schön ... Dennoch war er nicht, was man einen schönen Mann nennt. Die Schönheit gehörte ganz dem Geiste an, der dies Gehäuse bewohnte, durchdrang und verklärte." (Rudolf Borchardt, „Erinnerungen an Hofmannsthal")

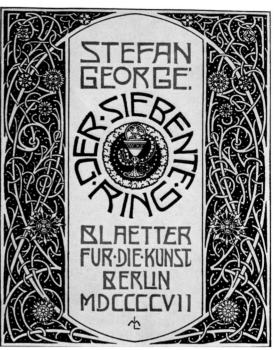

781. *Stefan George*. 1928   782. *George, „Der siebente Ring"*. 1907

Solches bleibt nunmehr zu tun:
Schritte die dein blick Gegriff
Innen als ein wunder sehn.

783. *Handschrift Georges, aus „Sprüche an die Lebenden" in „Das neue Reich"*

781. „Von der Überfülle des weißen Haares ist die mächtige, unten vorgebaute Stirn umrahmt, in die Denken lange Wellenlinien, Zorn wenig Steilfalten gezogen hat. Am Augapfel ist viel von den Lidern bedeckt, und aus dem dunklen Gefältel blicken messend harte Augen. Von der männlichen Nase leitet die Falte zum überaus sensitiven, in weitem Bogen gezogenen zarten und strengen Mund, um den, nah und fern, feinere Linien spielen. Das Ohr, groß und wohlgeformt, steht wie ein Wächter an der Ecke im Schutz der dichten Haarsträhnen. Als Abschluß das feste und breite Kinn. Ein königliches Haupt aus bäuerlichem Stoff voll Dämonie und mit apollinischen Lippenbogen, erfahren und weise, der Mensch auf seiner höchsten Stufe." (Robert Boehringer, „Mein Bild von *Stefan George*", 1951)

782. *Melchior Lechter*, den George 1894 kennenlernte, schuf die mit Ornamenten im Stil der englischen Praeraffaeliten versehene, kostbare Ausstattung zu Georges Gedichten.

784. „Auf einem schmächtigen Körper ein großes, vorgeneigtes Haupt mit zurückweichendem Mund und Kinn, die damals noch ein spärlicher, aschfarbener Bart halb und halb verhüllte, mit vordrängender Stirn und Nase, vordrängenden Augen, deren halb ermatteter Blick ausdruckslos erscheinen mochte, während er in Wirklichkeit von einer bohrenden und suchenden Inbrunst war, die sich nicht vergessen läßt." (Rudolf Alexander Schröder, „R. M. Rilke")

786. „Nicht nur, daß er seine Manuskripte so sorgfältig auf schönstem Papier mit seiner kalligraphisch runden Hand schrieb, daß wie nachgemessen mit dem Zollstab jede Zeile zur anderen in gleicher Schwebe stand; auch für den gleichgültigsten Brief wählte er erlesenes Papier, und regelmäßig, rein und rund ging seine kalligraphische Schrift hart heran bis an das Spatium." (Stefan Zweig, „Die Welt von gestern")

787. „Es wird vielleicht möglich sein, einen *alten Stein* (etwa des Empire) zu erwerben … Ebnet man die früheren Inschriften ab, so trage dieser dann: das Wappen … den Namen, und in einigem Abstand, die Verszeilen: Rose …" (Aus Rilkes Testament).

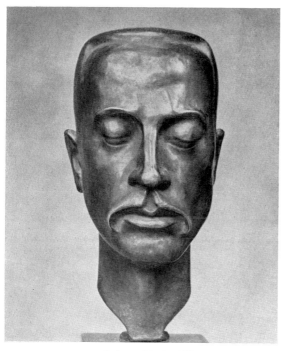

784. Rainer Maria Rilke
Büste von Fritz Huf, 1915

785. Rilke, „Das Stundenbuch". Erstausgabe
Umschlagzeichnung von W. Tiemann, 1905

786. Handschrift Rilkes, 1913/14

787. Grabstein an der Kirche von Raron

788. Lulu von Strauß und Torney

789. Agnes Miegel

790. Börries Freiherr von Münchhausen

788. „... das große, wie eine Maske wirkende Gesicht der leidenden Frau..., diese großen, dunklen, umschatteten Augen, die wie die eines Vogels wirkten und in denen etwas von der trauervollen Größe war, die so oft über der Dichtung von Lulu von Strauß und Torney liegt." (P. Fechter, „Menschen auf meinen Wegen", 1955)

789. „Sie war ... ein ganzer, Kraft ausstrahlender starker Mensch aus dem östlichen Bereich, eine Frau von großartiger Vitalität und Wärme... Ich sah ihre Augen, die nicht nur strahlen, sondern ebenso überlegen und fast übermütig funkeln können." (P. Fechter, „Menschen auf meinen Wegen", 1955)

790. „Das Ostfalengesicht mit der starken Nase und den hellen Augen wirkte zuweilen durchaus ländlich." (P. Fechter, „Menschen und Zeiten", 1949) Gemälde von C. Felixmüller, 1933.

791. „Ihre Gestalt und Haltung ließen sie in allem aristokratisch erscheinen... Wärme und Heiterkeit gingen von ihr aus, und Würde umgab sie." (M. Baum, „Leuchtende Spur", 1950)

793. „Unter dunklen schlesischen Brauenbögen saßen ein paar Augen, die als hell und braun zugleich in Erinnerung geblieben sind... Die Wangen waren fast slawisch breit, die Winkel des großen Mundes melancholisch heruntergezogen." (P. Fechter, „Menschen und Zeiten") 1949)

794. „Groß, breit, mit einem mächtigen, imposanten Schädel...; er hatte die Ruhe des Bremers, der von einem bestimmten Niveau ab fast von selbst etwas von seinem eigenen Denkmal bekommt." (P. Fechter, „An der Wende der Zeit")

791. Ricarda Huch
Gemälde von Martin Lauterburg, 1930

792. „Vita somnium breve", 1903
(ab 5. Auflage 1913: „Michael Unger")

793. Hermann Stehr
Zeichnung von Emil Orlik, 1912

794. Rudolf Alexander Schröder
Gemälde von Leo von König, 1941

795. Paul Ernst, „Kassandra". Szenenbild der Berliner Erstaufführung im Deutschen Theater, 1938

795. Erster Aufzug: in der Königshalle von Troja sitzen Priamos (Robert Taube), Kassandra (Angela Salloker), Hekuba (Edith Wiese) und Andromache (Gisela von Collande) in Erwartung von Paris. von Paris.

796. Über den neuklassischen Dramatiker und Erzähler *Paul Ernst* (1866–1933) schreibt Adolf Potthoff 1935: „Dieses königliche Haupt, umwallt von silbernem Haar, dieses ganz in sich geschlossene, unendlich ruhige und klare Gesicht mit den tiefliegenden, blitzenden Augen, diese mächtige Stirn, hinter welcher ganze Welten lebten, die sparsamen Bewegungen seiner Hand, die stille, klare Stimme, deren edler Klang so viel Herzensgüte kündete: Wer hätte es gewagt, in seiner Gegenwart an gewöhnliche Dinge zu denken. Wer spürte nicht heilige Scheu und tiefste Ehrfurcht vor diesem edlen Menschen?"

797. Über die Entstehung der Büste berichtet der Künstler, Prof. Jakob Wilhelm Fehrle: „Es war im Spätsommer des Jahres 1944. In Seeheim, dem herrlichen Wohnsitz von *Wilhelm von Scholz* (geb. 1874), spürte man nichts von dem Schrecken des Krieges. Im Freien, unter den schattigen Bäumen des Parkes am Bodensee, entstand die neue Büste; sie ist fast von selbst geworden – die anregende Unterhaltung und die geistreichen Anekdoten, von denen er übersprudelte, schufen eine lebendige Atmosphäre, die wohl in der Frische der Arbeit zum Ausdruck kommt."

798. Den Erzähler und Lyriker *Rudolf G. Binding* (1867–1938) schildert D. H. Sarnetzki: „Wenn er erschienen war, stand seine hohe, schmale, sehnige Reitergestalt schon bald im Mittelpunkt allen Geschehens, ohne daß er sich etwa darum bemüht hätte. In seinem Wesen, seiner Erscheinung, seinem Auftreten lag etwas, was die Menschen und am meisten die Frauen und die Jugend anzog oder gar bezauberte, ein echt männlicher Scharm, in allem Handeln ein Zug von Ritterlichkeit." Und Rudolf Bach beschreibt „seine schmale, gestraffte, nur ein bißchen vornübergeneigte Figur, den subtilen Kopf auf dem ziemlich langen Hals, die steil aufsteigende, offene Stirn über dem großflächigen, etwas verwitterten Antlitz mit der entschieden geraden Nase, dem gekerbten Mund unter dem knappen Schnurrbart, den sehr hell wirkenden, doch leicht überflorten, blauen Augen, an denen ich besonders ein ungemein junges, jungenhaftes, gute Laune verbreitendes Aufblitzen liebte."

799. Die formbewußte Lyrikerin und Erzählerin Isolde Kurz (1853–1944), Tochter von Hermann Kurz (Abb. 642) bezog ihre Schaffensimpulse aus dem Erlebnis italienischer Landschaft und Geschichte.

796. Paul Ernst
Büste von Charles Jaeckle

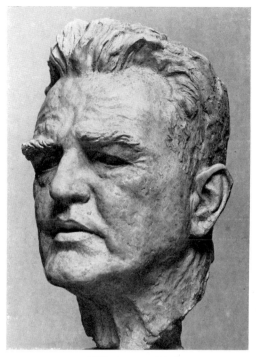

797. Wilhelm von Scholz
Büste von Wilhelm Fehrle, 1944

798. Rudolf G. Binding
Gemälde von Leo von König, 1938

799. Isolde Kurz. Kohlezeichnung
von Prinz Ernst von Sachsen-Meiningen

800. *Hermann-Löns-Denkmal bei Soltau in der Lüneburger Heide*

801. *Hermann Löns. Gemälde von W. Kricheldorf*

801. Den Heidedichter *Hermann Löns* (1866 bis 1914) beschreibt Ottokar Stauff 1911: „Hochgewachsen, hager und sehnig, paßt seine Gestalt nur in die einfache Lodenjoppe, die ihm prächtig steht. Der kecke Kopf mit den scharf, aber edel geschnittenen Zügen, sonnenverbrannt, deutet auf Kühnheit, Wagemut und zähe Ausdauer. Den Eindruck vervollständigt die scharfrückige Nase mit ihren feinen Flügeln, während der weiche Mund, dessen Oberlippe ein dichtes Bärtchen beschattet – aschblond wie das kurzgeschnittene Haar – auf einen gefühlvollen Menschen hindeutet. Das Ganze aber wird durch seine Augen gekrönt. Sie sind groß, licht, kristallklar, dabei aber scharf, bis auf den Grund der Seele dringend. Manchmal, wenn er lebhaft wird, leuchtet es in ihnen auf – leidenschaftlich, kampflich."

802. Den bayrischen Satiriker und volkstümlichen Erzähler *Ludwig Thoma* (1867–1921) beschreibt Korfiz Holm („Ludwig Thoma", 1953): „Er war in Wirklichkeit ein Nervenmensch von sehr viel höherer Bildung, als er in seinen Büchern merken läßt, war zart besaitet, herzenswarm und leicht verletzlich von Gemüt. Ich leugne nicht, daß er sich gern grobianisch gab, zum Teil aus seiner Lust am Urwüchsigen heraus, zum größeren Teil bestimmt aus seiner Scheu davor, die eigene Weichheit zu verraten."

804. Der Elsässer *Friedrich Lienhard* (1865–1929) wurde im Kampf gegen den großstädtischen Naturalismus zum theoretischen Verfechter der „Heimatkunst".

805. Über den Dithmarscher Erzähler *Gustav Frenssen* (1863–1945) schreibt Wilhelm Alberts 1922: „Über der ganzen Erscheinung liegt ein Hauch, ein Schleier des Ernsten, Grüblerischen. Wie die blauen Augen so tief unter der schweren, überwölbten Stirn liegen! Wie versponnen, vergrübelt sie blicken können! Wie sie oft fremd über die Dinge dieser Welt hinwegblicken! Unergründlich schimmert es in

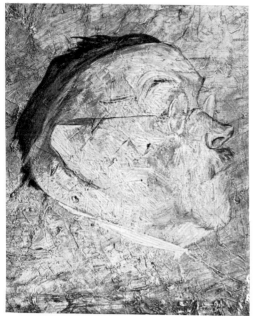

802. Ludwig Thoma
Gemälde von Gulbrannsson, 1929

803. Zeichnung von Gulbrannsson
zu Thomas „Lausbubengeschichten"

804. Friedrich Lienhard. Photo

805. Gustav Frenssen. Photo

ihren Tiefen, von allen möglichen geheimnisvollen, von hellen und düsteren, schelmischen und traurigen Lichtern. Schnell wechselt der Ausdruck der Züge. Ein plötzlicher Sonnenblick, und der helle Glanz der Freude, der reine, innige Ausdruck der Güte verklärt die eben noch so ernsten, und die Augen, die eben noch wie versunken und versonnen schienen und wie scheue Fremdlinge in dieser Welt waren, fliegen frei hinaus, scharf, klar nach Beute ausschauend."

806. Thomas Mann. Photo   807. Umschlagzeichnung von Wilhelm Schulz

808. Handschrift Thomas Manns aus dem „Zauberberg"

809. Das Buddenbrook-Haus in Lübeck   *810. Heinrich Mann. Kohlezeichn. v. J. Friedrich, 1929*

806. Klaus Mann berichtet über seinen Vater *Thomas Mann* (1875–1955): „Das väterliche Antlitz, dessen ich mich aus dieser Epoche erinnere, hat weder die Güte noch die Ironie, die beide so essentiell zu seinem Charakter gehören. Die Miene, die vor mir auftaucht, ist gespannt und streng. Eine empfindliche, nervöse Stirn mit zarten Schläfen, ein verhangener Blick, die Nase sehr stark und gerade hervortretend zwischen eingefallenen Wangen ... Seine Lippen sind gleichsam versiegelt über einem düsteren Geheimnis, und der sinnende Blick geht nach innen." („Der Wendepunkt"). Und Robert Faesi schreibt: „In dieser aufrecht würdigen Haltung ist auch etwas von Zurückhaltung, von Selbstkontrolle zumindest, welche urbane Distinktion mit Wohlwollen, Entgegenkommen, freundschaftlichem Anteil je nach der Gelegenheit sicher zu dosieren weiß." („Th. Mann", 1955).

809. Das *Buddenbrook-Haus*, bis zum Tod des Vaters (1888) das Stammhaus der Familie Mann, wurde 1943 durch Bomben zerstört.

811. H. Mann, „Kobes'
Illustration von George Gross

810. Über *Heinrich Mann* (1871–1950) schreibt Ferdinand Lion: „Die Gestalt Heinrichs, obwohl er sich lange vor Thomas als Demokrat gab, ist aristokratischer ... Im Gesicht hat er keinen einzigen komischen Zug wie bei Thomas die große vorstechende Nase mit den zu schmalen Nasenflügeln. Auch hat sein Gesicht nicht die faltenlose Glätte, er hat nicht die zart harmonisch geschwungene Stirn seines Bruders; um seine Lippen spielt nicht der verfangliche Zug von Ironie oder Spott, sein Ausdruck ist wurdevoll, selbstbewußt bis zum Stolz, mit chevalereskem Knebelbart." („Th. Mann", 1955)

811. Heinrich Manns satirisches Märchen von dem finanziellen Übergott *Kobes*, der nur durch Lautsprecher zu seinen in Klubsesseln hockenden Rayonchefs spricht, wurde durch 10 Lithographien von George Gross meisterhaft veranschaulicht.

812. Stefan Zweig

813. Emil Strauß

814. Wilhelm Schäfer. Gemälde von H. Altherr

815. Jakob Wassermann. Skizze von Rauchinger

816. Handschrift Hermann Hesses   817. Hermann Hesse. Büste von Hermann Hubacher

812. „In diesem schmächtigen Menschen, dessen schmiegsame, bürgerlich patrizische Art und Erscheinung typisch ist für die österreichische Dichtergeneration der letzten achtziger Jahre, ist eine fortwährende Radioaktivität. Er ist geladen mit Spannungen. In seiner Nähe glaubt man feine, vibrierende Drähte nach allen Weltrichtungen ausgespannt zu sehen." (R. Specht)

813. „Er war groß, hager, hatte ein langes, schmales Gesicht, charaktervoll durchgebildete Züge und eine hohe, edle Stirn. Alles an ihm war nach innen gedrängt, zeugte von Geistigkeit, Versonnenheit, Bildung." (Max Halbe)

814. Der rheinische Erzähler *Wilhelm Schäfer* (1868–1952) erwies sich besonders in seinen Anekdoten als Meister der pointierten Form.

815. „Gegen Ende erschien seine Miene, die niemals heiter gewesen war, zerfurcht, zerwühlt von Gram und Müdigkeit." (Klaus Mann)

817. „Ich liebe auch den Mann und den Menschen, seine heiter-bedachtige Art, den tiefen, schönen Blick der leider kranken Augen, deren Blau das hager und scharf geschnittene Gesicht eines alten schwäbischen Bauern erhellt." (Thomas Mann)

818. Hütte überm See. Aquarell von Hermann Hesse

819. Carl Sternheim
Holzschnitt von Felix Müller

820. Georg Kaiser. Kohlezeichnung
von Joachim Karl Friedrich, 1930

821. Ernst Barlach
Holzschnitt zu „Der Findling"

822. Ernst Toller
Photo

819. Der Dramatiker *Carl Sternheim* (1878–1942), der sich selbst „des zynischsten Jahrhunderts krassesten Besserwisser" nannte, griff in zahlreichen Komödien den bürgerlichen Spießer des Alltags an. Die Bücher im Hintergrund unseres Bildes geben die Titel seiner Werke wieder.

820. *Georg Kaiser* (1878–1945) erstrebte in seinen „Denkspiele" genannten Dramen vergeblich eine Erneuerung des Menschen. „Kaiser ist Melancholiker. Ein Blick auf sein Bild schon überzeugt uns davon. Es gibt kein mir bekanntes Bild des Dramatikers, auf dem er eine andere Kopfhaltung als eine leicht vorgeneigte – mit träumend-traurigen Augen – einnimmt." (E. A. Fivian)

821. Die Monumentalität der Plastiken und Holzschnitte *Ernst Barlachs* (1870 bis 1938) eignet auch seinen Dramen. Der Puppenspieler Thomas und die Krämerstochter Elise nehmen inmitten des „Schwarmes von Hungrigen", der Menschenfresser, den häßlichen Findling an Kindes Statt an, der sich im Augenblick der Umarmung in ein „leuchtend schönes Kind" verwandelt, dessen Dasein die Menschen erlöst.

822. Den Dramatiker *Ernst Toller* (1893–1939) beschreibt Klaus Mann („Der Wendepunkt") als „eine Persönlichkeit von sehr rührenden und liebenswerten Eigenschaften: hilfsbereit und kameradschaftlich bei aller Ich-Erfülltheit, aufrichtig bei aller Neigung zum Rhetorischen, dankbaren Herzens und oft heiteren Sinnes bei übrigens gefährlich sensitiver psychischer Disposition und einer omniösen Tendenz zum Manisch-Depressiven."

823. Über das Äußere *Bertolt Brechts* schreibt der Künstler, Prof. Kallmann: „Das Gesicht des Dichters in seinem Todesjahr war durchsichtig und voller Vorboten des Jenseitigen. Nie war sein dichterisches Hauptanliegen: das Leiden der armen Menschenkreatur, so in seinem Gesicht lesbar. Der eine Mundwinkel war voller Resignation und Schmerz, der andere lächelte unter Tränen. Das Anklägerische war nicht mehr an erster Stelle – er erinnerte mich an den sterbenden Harlekin von Ernst Barlach."

824. Aufführung von „Mutter Courage und ihre Kinder" durch das Berliner Ensemble im Theater am Schiffbauerdamm mit Helene Weigel, der Witwe Bertolt Brechts, in der Titelrolle. Die Marketenderin, die im Dreißigjährigen Krieg mit ihrem Wagen herumzieht und nacheinander ihre Kinder verliert, wird zur Verkörperung des unter dem Kriege leidenden Volkes.

823. *Bertolt Brecht*
Gemälde von *Hans Jürgen Kallmann, 1956 (Ausschnitt)*

824. *Bertolt Brecht, „Mutter Courage"*
Szenenphoto

825. Alfred Mombert

826. Theodor Däubler. Gemälde von Otto Dix, 1927

827. Georg Heym, „Umbra vitae"
Holzschnitt von E. L. Kirchner, 1924

825. Der hymnisch-philosophische Lyriker *Alfred Mombert* (1872–1942), „ein Visionär von der Art der alttestamentlichen Psalmisten und Propheten" (Richard Benz), war eine von starkem Intellekt geprägte Erscheinung, aus der zugleich das Rauschhaft-Schwärmerische, das visionäre Glühen und die mimosenhafte Menschenscheu des Dichters sprechen.

826. Von dem Versepiker und Lyriker *Theodor Däubler* (1876–1934) gibt Ernst Barlach ein Porträt in seinem Roman „Seespeck": „Über den Augen herrschte eine wahrhaft felsige Stirn, und den weichen Mund unterbaute ein bartbewucherter Quaderblock von Kinn. Das Merkwürdigste an ihm aber war der Stern, der ihm mitten im Gesicht stand, wie ein schwer erkennbarer Schlüssel zu dem Geheimnis dieser Natur. Die oberen Zacken dieses Sterns bogen sich in schrägen Schwüngen der Augenbrauen und kreuzten sich über dem Nasenrücken unter der Stirn und verliefen zu unteren Zacken als Falten zwischen Nase und Backen im umgekehrten Sinn des oberen Schwunges am Bart. Und der Bart im Verein mit dem Haargewüst schien nun dies bedeutende Menschengesicht mit dem Stempel des Himmlischen von der Umwelt durch einen mächtigen Raum feierlich scheiden zu sollen."

827. Die Darstellung des von der Angst, dem „Tier der Tiefe" gewürgten und vom schrecklichen Dämon der Großstadt in „zweier Arme schwarzen Sumpf" gezogenen, entwurzelten Menschen mit der Sehnsucht nach oben (Handbewegung), wie ihn der Titelholzschnitt einer späteren Ausgabe sieht, entspricht den dunklen, ekstatischen Visionen und der lichtlosgespenstischen Grundstimmung der Gedichte *Georg Heyms* (1887–1912).

828. *Ernst Stadler. Photo, 1914*   829. *Georg Trakl. Lithogr. von Hildegard Jone*

828. Die Gestalt des Lyrikers *Ernst Stadler* (1883–1914) beschwört Kasimir Edschmid in seinem Nachruf („Die weißen Blätter" 1915): „Da sah ich dein Gesicht: der schmale Kopf, ein wenig vorgebeugt, die schöne Stirn mit knapp hineingescheitelt dunklem Haar, der Mund bitter und froh ... und dann der Augen vergeblicher Versuch, den nervösen Vorhang des Gesichtes zu durchbrechen."

829. Den Lyriker *Georg Trakl* (1887–1914) beschreibt sein Freund, der Schweizer Dr. Hans Limbach 1914: „Er erschien stehend kürzer und gedrungener, als wenn er saß. Seine Gesichtszüge waren derb wie bei einem Arbeiter. Trotzdem prägte sich in seiner Erscheinung etwas ungemein Würdiges aus. Aber ein finsterer, fast bösartiger Zug gab ihm etwas Faszinierendes wie bei einem Verbrecher. Denn in der Tat, wie eine Maske starrte sein Antlitz, der Mund öffnete sich kaum, wenn er sprach, und unheimlich nur funkelten manchmal die Augen."

830. Die 1910 von Herwarth Walden und August Stramm gegründete Zeitschrift bekundete in literarischen und künstlerischen Beiträgen (z. B. von Oskar Kokoschka) den umstürzlerischen neuen Kunstwillen des Frühexpressionismus und bildete das erste Forum für viele Vertreter der neuen Stilrichtung. Unsere Abbildung zeigt die Kopfseite der Nr. 43 des ersten Jahrgangs mit Beiträgen von Mombert, Scheerbart, Hiller u. a.

830. *„Der Sturm", Titelblatt mit Zeichnung von Kokoschka*

831. Else Lasker-Schüler
Photo

832. E. Lasker-Schüler, kolorierte Einbandzeichnung
zur Gesamtausgabe ihrer Gedichte

833. Heinrich Lersch
Photo

834. Johannes R. Becher
Zeichnung von Ludwig Meidner, 1921

831. *Else Lasker-Schüler* (1876–1945), die Peter Hille den „schwarzen Schwan Israels" nannte, war nach dem Zeugnis von Sigismund von Radecki „klein von Wuchs, schmächtig, und hatte ein mageres, gelbliches, verwittertes Gesichtchen mit scharfen, edlen Zügen und großen schwarzen Glutaugen. Manchmal, in

SÖHNE

Neue Gedichte von GOTTFRIED BENN, dem Verfasser der Morgue
A. R. MEYER VERLAG BERLIN-WILMERSDORF

835. G. Benn, „Söhne"
Umschlagzeichnung von Ludwig Meidner, 1914

836. Gottfried Benn
Photo

Kühnheit, gemahnte es an das Antlitz eines Comanchen-Häuptlings. Wenn die Tränen kamen, so war es, als ob ein Gewitter mit Sturzregen über das Gesicht zog." Und F. S. Grosshut schreibt: „Wir blickten in ein Gesicht, dessen Alter unerratbar schien. Es war beherrscht von glühenden Augen aus Kohle, von unbeschreiblicher Schönheit. Die Augen waren in ständiger Bewegung, leuchteten verwirrend und überhellten das verwitterte Gesicht mit unfaßbarer Jugend."

832. Abschiedsbewußte Liebe, Wehmut und müde Trauer sind die Grundklänge der *Gedichte* von Else Lasker-Schüler; sie sind auch die Grundstimmung ihrer zahlreichen expressionistischen, kolorierten Handzeichnungen und Lithographien, mit denen die Dichterin ihre Werke versah.

833. Der rheinische Kesselschmied *Heinrich Lersch* (1889–1936) war der bedeutendste Vertreter der im Expressionismus auflebenden deutschen Arbeiterdichtung. Nach seiner Aussage war „ein früh zerschundener Körper mein Erbe", und Hans Eiserlo schreibt: „Wer ihn einmal gesehn, vergißt nicht so leicht das von Sorgen und Nöten zerfurchte Gesicht, den schmächtigen Körper, der kaum imstande schien, körperliche Arbeit zu leisten, geschweige die schwere Schmiedearbeit Tag für Tag zu bewältigen."

834. Der kommunistische Lyriker und Kulturpolitiker *Johannes R. Becher* (geb. 1889), der vom radikalen Expressionisten zum Verkünder gesellschaftsrevolutionärer Grundsätze wurde, gibt in seinem Gedicht „Bildnis" eine Selbstschilderung: „Im braunen Staunen deines Augenpaares / Zieht sich die Stirne hoch in wehen Falten, / Und während du dich mühst, zurückzuhalten / Den vorgewölbten Wellengang des Haars, / Entringt sich dir der Mund, als wäre er / Ein eignes Wesen, lose nur verbunden / Mit dem Gesicht . . ."

835. Das Titelbild zu Benns zweitem Gedichtband *Söhne* – vorangegangen war „Morgue" – illustriert die totale Existenzverzweiflung und schonungslos radikale Desillusionierung des menschlichen Verfalls in den expressionistischen Anfängen von Benns Lyrik, von denen Else Lasker Schüler aussprach, daß „jeder Vers ein Leopardbiß, ein Wildtiersprung" sei: eine düstere, schreckliche Vision von Krankheit und Verwesung, zynisches Aufzeigen der Dissonanzen des Daseins.

836. Dem Berliner Arzt und Dichter *Gottfried Benn* (1886–1956) hielt Hans Egon Holthusen die Totenrede: „ . . . Wir hatten bei uns seine hochbesondere und doch nachgerade so allgemein einleuchtende Gestalt, die in physiognomischer Sprache nichts anderes war, als was auch in seiner Kunst zum Ausdruck kam: die tiefste, bewegendste und bedeutendste Innewerdung des Menschseins in dieser Zeit und in deutscher Sprache. Wir hatten das Halblaute seiner Mitteilung, die zarte, feste Männlichkeit seiner Stimme, die melancholische Nachdenklichkeit seiner Schritte und die erkennende Kraft seiner halbverdeckten Blicke, die an der Oberfläche des Wirklichen entlangstreiften, und das Aufprasseln von genialen Verstecken an dieser Oberfläche unter diesem seinem Blick. Er war vielleicht der einsamste unter den Dichtern der Zeit."

837. Franz Werfel
Zeichnung von Ludwig Meidner, 1919

838. Werfel, „Die Troerinnen"
Holzschnitt von Ludwig Hofmann

839. Alfred Döblin. Photo 1947

840. Hermann Broch. Photo

837. Der Lyriker, Dramatiker und Erzähler *Franz Werfel* (1890–1945), der als sein dichterisches Ziel
bekannte, „immer und überall durch meine Schriften zu verherrlichen das göttliche Geheimnis und die

841. Franz Kafka. Photo   *842. Handzeichnung Kafkas*

menschliche Heiligkeit", wird von Klaus Mann („Der Wendepunkt") geschildert: „Man muß Werfel beim Hören von Musik gesehen haben, um ihn ganz zu kennen. Welch strahlender Blick! Welch kennerisch-ergriffenes Lächeln! Welch innige Konzentration im Lauschen und Genießen."

838. Werfels großer Anfangswurf, die Neugestaltung von Euripides *Troerinnen*, gipfelt im 7. Auftritt mit dem Schrei der gequälten Kreatur nach Gerechtigkeit. Vor dem Hintergrund des brennenden Troja kniet Hekuba mit dem Chor der trojanischen Frauen: „Hier knie ich, rufend um Gerechtigkeit, / Und was ich rufe, ist ein armes Wort. / Wir rufen, rufen mit dir in die unerbittliche Zeit, / Ins unerbittliche Walten: Gerechtigkeit."

839. Den Erzähler und Essayisten *Alfred Döblin* (1878–1957) schildert Paul Fechter: „Der schmale, kaum mittelgroße Mann fiel, auch wenn man ihn nicht kannte, sofort auf: das scharfe, streng geschnittene Gesicht mit der schweren Brille vor den sehr kurzsichtigen Augen verriet nicht so sehr den Mediziner als den sehr gescheiten, sehr abstrakten Kopf, der mehr vom Denken als vom Konkreten aus lebte und der Welt und den Menschen mit äußerst kritischer Haltung gegenüberstand." („Menschen auf meinen Wegen", 1955)

840. Der visionär-rationale Erzähler und Kulturphilosoph *Hermann Broch* (1886–1951) erkannte in den mystischen Tiefen des nur Erahnbaren die Gegenkraft gegen den Wertzerfall der modernen Zivilisation, die das Thema seiner Romane ist.

841. Gustav Janouch schildert *Franz Kafka* (1883–1924): „Er hatte schwarzes, zurückgekämmtes Haar, eine höckerige Nase, wunderbare, graublaue Augen unter einer auffallend schmalen Stirn und bittersüß lächelnde Lippen ... Sein braunes Gesicht ist sehr lebhaft. Kafka spricht durch sein Gesicht. Wo er das Wort durch Bewegung der Gesichtsmuskeln ersetzen kann, tut er es. Ein Lächeln, Zusammenziehen der Augenbrauen, Kräuseln der schmalen Stirne, Vorschieben oder Spitzen der Lippen, das sind Bewegungen, die gesprochene Sätze ersetzen ... Die schmalen Lippen umgab ein dünnes Lächeln, welches viel mehr der rührende Abglanz einer entfernten Freude als ein Ausdruck eigenen Frohseins war. Die Augen sahen den Menschen immer ein wenig von unten an. Kafka hatte eine so seltsame Haltung, als möchte er seine schlanke Größe entschuldigen. Seine Gestalt sah aus, als möchte sie sagen: Ich bin, bitte, ganz unwichtig. Sie machen mir eine große Freude, wenn Sie mich übersehen." („Gespräche mit Kafka", 1951)

842. Neben seinem schriftstellerischen Schaffen war Franz Kafka zugleich eine bemerkenswerte künstlerische Doppelbegabung auf zeichnerischem Gebiet. Die Originalität seiner *Zeichnungen* liegt in der Entstofflichung der Linie, die jenseits von ihren Darstellungsfunktionen eigenen Gesetzen folgt und dadurch eine gewisse grausame Wirkung hervorbringt, die der Stimmung seiner Erzählungen durchaus entspricht. Der Dichter selbst vernachlässigte seine zeichnerische Begabung und vernichtete seine „Schmierereien"; sein Freund Max Brod erbat sie sich als Geschenk oder suchte sie aus dem Papierkorb.

843. Carl Zuckmayer   *844. Wolfgang Borchert*

843. Der Dramatiker und Erzähler *Carl Zuckmayer* (geb. 1896) beschreibt sich selbst in der Gestalt des Bellmann in „Ulla Winblad": „In seinem Aussehen mischt sich auf eine merkwürdige Weise das äußerst Männliche mit dem äußerst Sensiblen, er wirkt kraftvoll, aber nicht robust – je nachdem ebenso unverwüstlich wie anfällig ... Man hat keinen Zweifel darüber, daß er nicht sparen kann, am wenigsten im Genuß und mit der eigenen Substanz." Und Luise Rinser schreibt: „Zuck, so nennen ihn seine Freunde, ist in seiner äußeren Erscheinung alles andere, als was man sich unter einem Dichter vorstellt ... Wenn man ihn in einem Hotel sieht, wohlangezogen, wird man ihm einen praktischen Beruf weit eher zuerkennen als einen intellektuellen oder geistigen. Zu Hause, in Chardonne am Genfer See, hat er wirklich etwas von einem Bauern an sich. Er hat ein eigensinniges Gesicht mit einer breiten, niederen, über den Brauen kräftig gebuckelten Stirn, und von seiner Figur schreibt Dorothy Thompson, sie sei *stocky* ... Dies bezeichnet seine Figur sowohl wie seinen Charakter, seine Gestik wie sein Wesen und seine Bestimmung: etwas handgreiflich Festes, Irdisches, in sich selbst Ruhendes, Seßhaftes; etwas, das breit und sicher steht, ohne zu fallen, stark genug, Last und Gewichte zu tragen, etwas Bodenständiges, in einem bestimmten Boden organisch Gewachsenes, die Kräfte dieses Bodens, einem Wurzelstock gleich, lebendig in sich bewahrend."

844. Ein Besucher am Kranken- und Sterbebett *Wolfgang Borcherts* (1921–1947) beschreibt den Dichter: „Ich war überwältigt, als ich sein Zimmer betrat, von dem Eindruck, einem Wesen gegenüberzustehen, das schon nicht mehr ganz auf dieser Welt weilte. Dieses liebe, feine und empfindsame Gesicht, das vor Freude ganz klein wurde und dann wieder aufblühte, die sanften und schnellen Augen, die aus den dunklen Höhlen glücklich aufleuchteten, weil ein Mensch von zu Hause kam und man von allem sprechen konnte."

845. *Josef Weinhebers* (1892–1945) Freund und Biograph Edmund Finke beschreibt den Lyriker: „Weinheber war ein erdhafter Mensch und in allem, was außerhalb seiner Kunst stand, und größtenteils auch noch in ihr, Realist. Wie er da mit seinen stämmigen, ein klein wenig kurzen Beinen, dem zurückgekämmten braunen Haar und dem schmunzelnden Munde, den ins Licht blinzelnden graublauen Augen, fest auf der blühenden, fruchtbaren Erde seines Besitztums in Kirchstetten stand, hätte man ihn viel eher für einen Bauern als für einen Städter, viel eher für einen Landmann als für einen Dichter halten können. Äußerlich erinnerte er ein wenig an Gottfried Keller, wenn er auch innerlich eher mit der schwer problematischen Natur C. F. Meyers belastet war."

846. Der sachlich-schlichte und schwermütige Lyriker *Günter Eich* (geb. 1907) trat in jüngster Zeit besonders als der bedeutendste deutsche Hörspieldichter hervor.

847. Den Dichter und Essayisten *Hans Egon Holthusen* (geb. 1913) nannte Gottfried Benn „einen bedeutenden Lyriker mit einer weit sich verzweigenden Empfindlichkeit für alle Strömungen, Erschütterungen, Beben der inneren und äußeren Welt."

845. Josef Weinheber
Gemälde von Paula Lützenburger, 1943

846. Günter Eich
Photo

847. Hans Egon Holthusen

848. Rudolf Hagelstange

848. Der Lyriker und Essayist *Rudolf Hagelstange* (geb. 1912) ist mit einer Vielfalt von Motiven und Formen eine der hoffnungsreichsten Erscheinungen der deutschen Gegenwartsdichtung.

849. Ina Seidel

850. Gertrud von Le Fort

851. Elisabeth Langgässer

852. Holzschnitt von Ruth Schaumann

853. *Werner Bergengruen*

854. *Stefan Andres*

855. *Reinhold Schneider*

849. Mütterliche Güte und romantische Gefühls-
versunkenheit sprechen aus dem Antlitz der
Lyrikerin und realistischen Erzählerin *Ina Seidel*.

850. Die katholische Erzählerin und Lyrikerin
Gertrud von Le Fort (geb. 1876) aus einer Huge-
nottenfamilie gestaltet in ihren Dichtungen das
mythisch-religiöse Erleben der Heilswahrheiten
und der bindenden Ordnung der Kirche.

851. Die Lyrikerin und Erzählerin *Elisabeth
Langgässer* (1899–1950) stellte ihr Schaffen in
den Kreis der heimatlichen pfälzischen Sagen-
überlieferung und in den Dienst einer magischen
Verherrlichung des Sakraments.

852. Die Dichterin, Malerin und Bildhauerin
Ruth Schaumann (geb. 1899) schmückte ihre
Gedicht- und Prosabände mit eigenen Holz-
schnitten und Federzeichnungen, so der abge-
bildeten Bethlehem-Szene aus der Sammlung „Die
Tenne" (1931).

853. Das dichterische Schaffen des deutschbal-
tischen Erzählers *Werner Bergengruen* (geb. 1892)
kreist um die sittliche Verantwortung und Ent-
scheidungsfähigkeit des Einzelnen in ungewöhnlichen Situationen.

854. Leidenschaftlichkeit, Vitalität und Sinnen-
haftigkeit kennzeichnen Werk und Wesen des
rheinischen Dichters *Stefan Andres* (geb. 1906).

855. Der kulturhistorische Erzähler, Dramatiker
und Lyriker *Reinhold Schneider* (geb. 1903) versteht seinen Dichterberuf als Mittler zwischen
Mensch und Gott.

856. Ernst Jünger

857. Hans Carossa

858. Manfred Hausmann

859. Ernst Wiechert. Gemälde v. Leo von König, 1939

856. Den Schriftsteller und Essayisten *Ernst Jünger* (geb. 1895) beschreibt Hans Speidel 1941: „Ein eigenes Fluidum spannt sich: es ist nicht nur der für alte Soldaten verständliche Nimbus des Pour le mérite-Ritters,

860. Kurt Kluge   861. Hermann Kasack

der ihn umgibt, sondern seine geistige, Achtung gebietende, elastische Erscheinung, sein Blick, in dem stählerne Härte und männliche Anmut sich merkwürdig zu verschwistern scheinen."

857. Den Arzt und Dichter *Hans Carossa* (1878–1956) charakterisiert Alois Winklhofer: „Schon damals fiel mir die Einfachheit, gütige Wärme und vor allem die seltsame Unauffälligkeit seines Wesens auf; seltsam, weil seine menschliche Erscheinung mit ihrer so natürlichen Kultiviertheit, die sich auch nach außen hin ausprägt, kaum zu übersehen ist und doch in keiner Weise effekthaft wirkt."

858. „Nach dem Unendlichen zu suchen in all der Endlichkeit der Welt" ist das Thema des lyrisch-romantischen Werkes von *Manfred Hausmann* (geb. 1898), das zwischen gelöster Heiterkeit und leichter Schwermut, abenteuernder Spielerei und träumerischer Versonnenheit durchaus eigene Töne findet.

859. Den ostpreußischen Erzähler *Ernst Wiechert* (1887–1950) schildert G. Kamin 1946: „Damals habe ich nicht wie heute gewußt, das jenes zerfurchte, von Gram und Bitterkeit entstellte Gesicht nur der Spiegel dessen war, was hinter ihm als Geheimnis und bedrückendes Wissen lag: daß Gott uns geschlagen hatte, jeden von uns, und daß nicht abzusehen war, nicht am Gesicht des Dichters und nicht an unserem, was wir tun würden und ob Gott sich noch einmal mit uns Mühe machen würde. So starr in der Aus-geprägtheit der Linien blieb das Gesicht, daß ich erschrak und erst am darauffolgenden Tage sah, wie es in seiner Tiefe, nur in wenigen Augenblicken zu erkennen, alle unverschüttete Güte und Liebe offenbarte, von denen es in früheren Jahren erfüllt gewesen war. Nackt erschien es, so nackt, daß man mit menschlichen Maßen es nicht mehr einzuordnen vermochte und daß es anderen vielleicht entstellt erschienen wäre. Voll verborgener Schönheit und Stille aber leuchtete es auf, sobald ein Lächeln darüber hinging, ein flüchtiger Zug des Grams, der nachdenklichen und fast ganz abwesenden Zugeschlossenheit, wenn es einer gestellten Frage nachsann. Und von einem tiefgründigen Wissen erfüllt, wenn es bei den Klängen einer Beethovenmelodie sich aus seiner Umgebung löste und in das ihm Zugehörige versank ... Ausweglos Abgründiges lag über dem Gesicht von damals, zerstört schienen alle sanfteren und zarteren Linien, zer-stört das träumerisch Hingegebene, das traurig aber demütig Ergebene, erloschen der stille Glanz der Augen."

860. Der humorvolle Erzähler *Kurt Kluge* (1886–1940) war nach dem Zeugnis Paul Fechters („Menschen und Zeiten", 1949) „ein mittelgroßer Mann mit einem beweglich lebendigen, weltoffen freundlichen Gesicht: blondes Haar, helle Augen, eine Stimme mit Willen zu naher menschlicher Beziehung. Er hatte die Gabe unmittelbaren Beteiligtseins, wurde im Gespräch rasch eifrig, die Nähe des anderen suchend."

861. Der Lyriker und Erzähler *Hermann Kasack* (geb. 1896) verweist in seinem surrealistischen Roman „Die Stadt hinter dem Strom" auf die Zufälligkeit unseres Daseins gegenüber den Mächten der Tiefe.

QUELLENVERZEICHNIS

Alber-Verlag, Freiburg 839, Amonn, Bozen 144, Käthe Augenstein, Bonn 847, 851, Augsburg, Staatliche Gemäldegalerie 109, 176, Bamberg, Staatliche Bibliothek 4, 5, Basel, Kunstmuseum 181, 796, Basel, Universitätsbibliothek 632, Prof. Baum, Stuttgart 3, Bebenhausen, Hölderlin-Archiv 584, Hanns Beer, Ansbach 663, Berliner Ensemble, Berlin 824, Berlin, Nationalgalerie 330, 398, 421, 459, 533, 575, 595, 617–619, 628, 664, 685, 720, 722, 745, 760, Berlin, Kupferstich-Kabinett 283, 287, 301, 487, 573, Berlin-Dahlem, Kupferstichkabinett 591, Berlin, Märkisches Museum 744, 746, Berlin, Staatsbibliothek 748, Bern, Kunstmuseum 172, 192, 791, Bertelsmann-Verlag, Gütersloh 844, Immo Beyer, Darmstadt 682, Enzian Binding, Bern 798, Tita Binz, Mannheim 858, Bomannmuseum, Celle 801, Sammlung Hugo Borst, Stuttgart 387, 491, 494, 655, 706, 707, 741, 768, Sammlung Chiavarracci, Wien 762, Gabriele Christ, Stuttgart 861, Veste Coburg, Kupferstichsammlung 271, Darmstadt, Hessische Landes- und Hochschulbibliothek 99, 118, Darmstadt, Hessisches Landesmuseum 484, Desch-Verlag, München 842, 859, Deutsche Verlagsanstalt, Stuttgart 790, 860, Diederichs-Verlag, Düsseldorf 788, 789, Hans Dietrich Co., Wien 843, Donaueschingen, Fürstlich Fürstenbergische Hofbibliothek 31, 69, 83, 93, 97, 100, 120, 126, 127, Deutsche Fotothek Dresden 463, 545, 594, 688, 727, Dresden, Sächsische Landesbibliothek 140, Düsseldorf, Goethe-Museum 486, 572, Düsseldorf, Kunstakademie 589, Düsseldorf, Städtische Gemäldegalerie 592, 656, Georg Ebert, Berlin 836, Einsiedeln, Stiftsbibliothek 114, Heinrich Ellermann Verlag, Bremen 828, Erlangen, Universitätsbibliothek 430, Prof. W. Fehrle, Schwäbisch-Gmünd 797, S. Fischer Verlag, Frankfurt 778, 779, 806, 812, 841, Frankfurt, Städelsches Kunstinstitut 516, Frankfurt, Goethemuseum 385, 425, 453, 490, 495, 496, 501, 508, 517, 520, 521, 525, 543, 610, 611, 613, 643, 675, Frau Anna Frenssen, Barlt 805, Frau Trude Geiringer, Larchmont, USA 840, Hanns Glaser, Eisfeld 689, 691, Göttingen, Kunstgeschichtliches Institut 345, Göttingen, Städtisches Museum 381, Göttingen, Niedersächsische Staats- und Universitätsbibliothek 298, 465, Greifswald, Universitätsbibliothek 432, Halberstadt, Gleimhaus 366, 368, 369, 375, 405, 433, 471, 478, 499, 578, 582, Hamburg, Kunsthalle 320, 365, 658, 678, Hamburg, Museum für Hamburgische Geschichte 270, 410, 443, 467, Hamburg, Staats- und Universitätsbibliothek 125, 435, 785, Historisches Bildarchiv Lolo Handke, Berneck 248, 255, 267, 277, 427, 428, 474, 588, 625, 679–681, 698, 701, Hannover, Kestner-Museum 424, Hanser-Verlag, München 813, Heidelberg, Universitätsbibliothek 23, 24, 28–30, 35, 42–47, 49–51, 53, 55–57, 59–63, 67, 70, 71, 77, 80, 87, 88, 92, 106, 116, 128, 131, 141, 260, 265, 276, 282, 316, 337, 343, 364, 377, 382, 418, 451, 697, 702, 721, 803, 827, Louis Held, Weimar 752, R. Herbst, Heidelberg 825, Herrnhut, Brüdergemeine 431, Hiersemann Verlag, Stuttgart 76, Hochbauamt des Kantons Zürich 814, Otto Hoppe, Braunschweig 305, 740, Nissenhaus, Husum 713–716, 719, Insel-Verlag, Wiesbaden 848, 850, Jena, Universität 539, Prof. Kallmann, München-Pullart 823, Kamenz, Lessingbibliothek 273, Kamenz, Lessingmuseum 402, Karlsruhe, Badische Landesbibliothek 40, Kiel, Kunsthalle 772, Kiel-Wik, Schleswig-Holsteinische Landesbibliothek 476, Woldemar Klein Verlag, Baden-Baden 818, Köln, Dreikönigsgymnasium 279, Köln, Rheinisches Museum 826, Köln, Wallraf Richartz Museum 686, Kopenhagen, Universitätsbibliothek 27, Albert Langen, Georg Müller Verlag, München 775, Siegfried Lauterwasser, Überlingen 853, 856, Leipzig, Kunsthistorisches Institut 332, 360, 374, Leipzig, Universität 328, 411, Leningrad, Bibliothek 362, Linz, Oberösterreichisches Landesmuseum 671, Lützen, Heimatmuseum 386, Marbach, Schiller-Nationalmuseum 426, 449, 497, 498, 546–551, 556, 560–567, 571, 576, 577, 580, 585, 587, 635–640, 642, 665, 666, 668, 703, 726, 799, Metz, Tübingen 662, Otto Müller Verlag, Salzburg 845, München, Bayrische Staatsbibliothek 39, 74, 75, 79, 94–96, 98, 105, 119, 123, 132, 153, 154, 156, München, Bayrische Staatsgemäldesammlung 500, 738, München, Graphisches Kabinett 244, 245, München, Städtische Kunstsammlung 802, München, Theatermuseum 103, 324–327, 767, Nürnberg, Germanisches Museum 151, 152, 261, Potsdam, Marmor-Palais 597, Radolfzell, Scheffelmuseum 728, Erich Retzlaff 855, Herbert Römer, Boppard 857, Walter Sperling, Bad Tölz 479, Steiner Verlag, Wiesbaden 831, Hildegard Steinmetz, Gräfeling 849, St. Gallen, Stiftsbibliothek 11, Liselotte Strelow, Düsseldorf 854, Stuttgart, Württembergische Landesbibliothek 26, 52, 66, 110, 129, 420, 603, 750, Stuttgart, Württembergische Landesbildstelle 113, Suhrkamp-Verlag, Frankfurt 846, Sammlung Tillmann, Mannheim 759, Foto Tschiedel, Wien 774, Tübingen, Universität 186, Tübingen, Universitätsbibliothek 32, 33, 54, 65, 81, 84, 115, 138, 162, 180, 268, 439, 615, 687, Ullstein-Archiv, Berlin-Tempelhof 290, 620, 622, 757, 758, 795, Verfasser 73, 477, 606, 634, 661, 694, 704, 717, 718, Volksverlag, Weimar 394, Weimar, Landesbibliothek 415, 512, 535, Weimar, Nationale Forschungs- und Gedenkstätten der klassischen deutschen Literatur 507, 511, 515, 524, 532, 538, 590, 683, Weimar, Thüringisches Landeshauptarchiv 130, Weißenfels, Städtisches Museum 731, Wesselburen, Hebbelmuseum 692, 696, Wien, Adalbert Stifter Gesellschaft 670, Wien, Albertina 729, Wien, Bildarchiv der Österreichischen Nationalbibliothek 14, 18, 25, 34, 36, 91, 107, 139, 142, 238, 241, 264, 289, 307, 342, 413, 447, 452, 475, 489, 598, 605, 616, 644, 645, 647–652, 672–674, 736, 737, 749, 763, 770, 804, 810, 815, 820, 822, 829, Wiesbaden, Hessische Treuhandverwaltung des früheren preußischen Kunstgutes 155, 351–353, 466, 596, 684, Winterthur, Kunstmuseum 179, 346, 472, 784, 817, Wittenberg, Lutherhalle 178, Wolfenbüttel, Herzog August Bibliothek 161, 208, 295, 296, 412, Zittau, Stadtbibliothek 309, Zürich, Pestalozzianum 388, Zürich, Graphische Sammlung der Zentralbibliothek 334, 336, 338, 446, 448, 709–712, 732–734, Zürich, Kunsthaus 396, 444, 699, 708, die übrigen Verlagsarchiv.

REGISTER

Die Zahlen bezeichnen die Abbildungen oder den zugehörigen Text